システム開発・刷新のための

データモデル大全

WATANABE Kouzou
渡辺幸三

DATA MODEL CATALOG FOR DIGITAL TRANSFORMATION

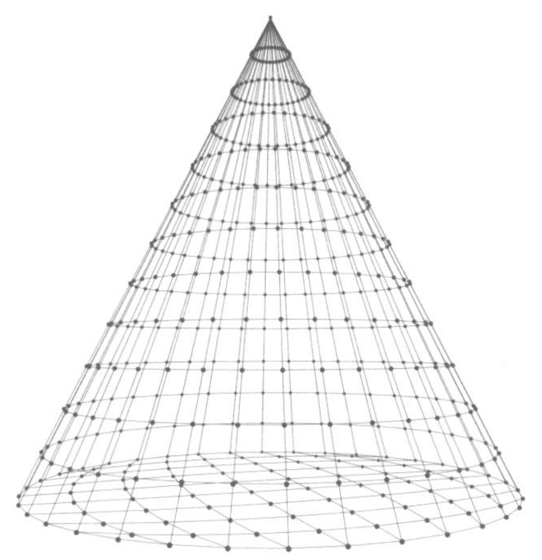

日本実業出版社

はじめに

社会にあふれるデータを処理するためにコンピュータはなくてはなりませんが、扱われるデータは「膨大」であるだけではなく、しばしば「複雑な形」をとります。その場合、形に関する洞察が不完全なままでは、どんなに大量のデータを集めても、どんなに高性能なサーバやネットワークを駆使しても、当初の目的は果たせません。

データモデリングは、そのような「データの複雑な形」を捉えて図面化する技術です。その淵源は1970年代にIBM研究所のフェローであったE.F.コッドによって提唱された数学的枠組みです。これが80年代に発展したデータベース（DB、正確にはRDB、Relational Database）の基礎となり、データモデリングはその利用技術として発展しました。DBの普及なくして、コンピュータがこれほど経済社会に浸透することはなかったといっていいでしょう。

DBを活用するためには、まずは扱われるデータの「形」を見定めて、DBの設定を整える必要があります。なぜならDBはあくまでも「データを効果的に保持するためのまっさらな仕掛け」でしかなく、どのような形（DB構造）でデータを保持するかを決めるのは利用者側の役目であるからです。そのときに必要になる手順がデータモデリングです。

ところが、大手を含めたシステム開発の専門業者においても、DB設計に習熟しているIT技術者がきわめて少ないという現実があります。最近ではオブジェクト指向開発におけるクラス図の考え方を理解すれば、自然にDB設計できるようになると信じられていたりします。理由が何であるにせよその結果として、一定以上複雑な形のデータを扱うシステムの刷新プロジェクトが頓挫するか、そうでなくてもほとんど「刷新」できていないといった事態があちこちで起きています。

また最近、業務システムを「アジャイル手法」で開発するスタイルが流行していますが、うまくいっているとはいえません。この手法では「実際に動くソフトウエア」を作るために小さなブロック単位で仕様策定が進むので、広域のDB構造を見定めることが後回しにされるためです。喩えるなら、事前に全体の基礎設計や構造計算をせずに「実際に快適に住める部屋を持つ高層ビル」を少しずつ建て増しするようなやり方です。工事現場でこれをやれば建設中に建物が倒壊して大惨事になるでしょう。システム開発では倒壊しない代わりに、いつまでたってもシステムが完成しないいわゆるデスマーチ（死の行進）が始まります。

しかもその種の失敗は何度も繰り返されます。その原因がプロジェクト管理の不備、あるいはオブジェクト指向やアジャイル手法についての無理解とみなされ、「DB設計の失敗ゆえ」と評価されることが滅多にないからです。悪いことに、開発チームが残業を繰り返せばシステムは出来が悪くても完成してしまうので、問題は正しく認識されません。しかしDB設計に失敗しているシステムは、ユーザ企業の競争力をじわじわと削ぎ、保守担当者の心身を長期間にわたって消耗させます。

そういうわけで、開発者は好むと好まざるを問わず、データモデリングのスキルを身につけておかねばなりません。システム開発を通じてわが国の経済発展に寄与するため、そしてなによりも自分や仲間たちの心身の健康を守るためです。

システム開発のプロだけが知っておけばいいという話ではありません。ユーザー側にもデータモデルに関する一定のリテラシーが求められます。

まず、開発者の多くがDB設計に習熟できていないという現実があるのなら、システムの発注者も賢く対処しなければなりません。業者のスキルを事前にチェックできなければ、数千万〜数十億円ものシステム投資が無駄になるからです。とくにDX（デジタル・トランスフォーメーション。デジタル化を前提として事業を全面刷新すること）が目的とされた場合、協業する業者には卓越した設計スキルや創造性が求められます。

幸運なことに、業者の設計スキルを測るのは難しくありません。彼らにシステム要件を簡略に説明し、その場でデータモデリングしてもらえば、業者の能力は残酷なほどに明らかになります。データモデルはスキルやセンスによる違いが顕著に現れる成果物なので、この特性を業者選定に活用できるのです。

また、事務の現場で日常的に使われるExcel等の表計算ソフトであっても、データモデリングの知識の有無で効果が違ってきます。扱いにくい複雑で巨大なExcelシートが、どこの職場にもあるものです。けっきょくDBを使おうが表計算ソフトを使おうが、データを効果的に管理するためには「データの形」が把握されていなければなりません。当たり前ですが、**形のわからない情報は管理のしようがない**からです。

本書で示すとおり、現実のシステム要件に対して的確なデータモデルを描き出すことは簡単ではありませんが、描かれた的確なデータモデルを理解することは難しくありません。喩えるならば、堅牢かつ美しい建築物の設計図を生み出すには訓練が必要ですが、素人である施主がその図面を眺めて納得することは難しくないのと似ています。

その意味でデータモデリングの考え方は、複雑な形をとるデータに関わるすべての職業人が身につけておきたい現代的な教養といえます。これに関して、子供たちへのプログラミング教育が取り沙汰されていますが、データモデリングを教えたほうが彼らの将来に役立つでしょう。なぜならプログラミングの枠組みが変化・発展し続けているいっぽう、データモデリングの枠組みや意義はそれが生まれて半世紀たった今でもほとんど変わっていないからです。また一般の社会人にとっては、プログラミングのスキルを発揮して対処すべき状況よりも、データ構造を論理的に捉えて対処すべき状況のほうが、遭遇する確率がはるかに高いからです。

本書では、データモデリングの読み書きだけでなく、素朴な売上伝票から国家予算までのさまざまなモデリング事例を図鑑のように網羅しました。さまざまなシステム要件を、データ構造と関連させて理解するためです。また、本書で説明される程度の基本的な業務知識やモデリングパターンを知らないままでは、システム刷新の起点となる革新的なデータモデルは生み出せないからです。さらに、豊富なモデリング事例とセットで示すことで、技法や表記法の実効性もわかるからです。

読者が関わる職場や事業をコンピュータを用いて確実に合理化する。また、読者が身の回りのデータをコンピュータに取り込んで効果的に管理する。そして、日本が抱える膨大な非効率が少しでも是正されるために、本書の内容が役立つことを願っています。

システム開発・刷新のための　データモデル大全

目 次

第2章 主キーの重要性

第3章 正規化と正規化崩し

第4章 データモデリングの進め方

第5章 企業と事業

第6章 仕訳と決算

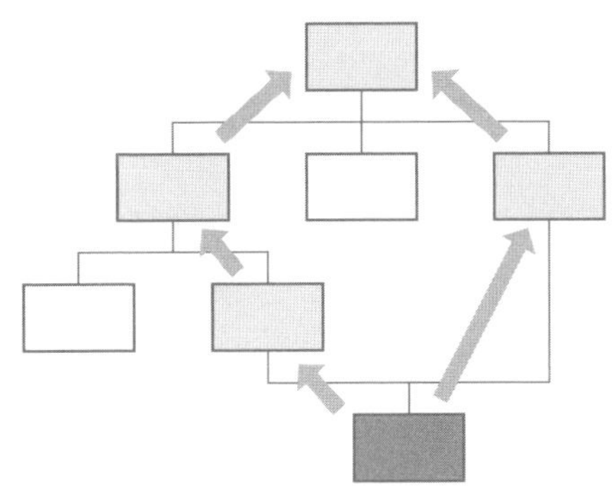

第7章 商品と契約

第8章 設備と能力

第9章 残高と取引

第10章 予算と実績

カバーデザイン／竹内雄二
本文ＤＴＰ／一企画

第1章

『かね玄』のデータモデル

データモデリングは「データの形を見定めるための技術」です。システムの開発や刷新に関わる私たちは、なぜこれを学ばねばならないのでしょう。当たり前の話ですが、「データの形」がわかっていないと、そのデータを扱うシステムのあり方を構想できないからです。ではそもそもデータの形とは何で、それを見定めるとはどういうことなのでしょう。複雑かつ膨大なデータを管理する際の、データの形を見定めることの意味と意義について具体例を用いて眺めていきます。

帳簿と伝票の連係

「データ」と聞くといかにも「PCやスマホで眺めるもの」という印象がありますが、そうとは限りません。紙で出来た帳簿や伝票といった媒体は、今でもデータを記録するための手段であり続けています。

そこで、ここでは昔ながらの商売として「金物屋」をとりあげ、その取引データを管理するための帳簿や伝票の発展事例を考えてみます。それらの形（様式）を考えることが、素朴ではあってもデータモデリングの始まりであるからです。読者なりに「データの形」を想像しながら、以下の話を追ってみてください。

横丁の金物屋『かね玄』の店主である与三郎さんは、商品別の利益を見たいと考えていました。鋸（のこぎり）や鉋（かんな）や金槌（かなづち）を仕入れて売ることで、合算で利益が出ていることはわかっているのですが、商品別の利益傾向が見えません。むやみに商品を仕入れるのではなく、利ざやが大きい商品を積極的に扱うことで、より少ない労力で利益を確保できるはずです。商品毎の利益傾向がわかるように取引を記録したい——そのためにはどんな帳簿を用意すればいいのでしょう。

与三郎さんはまず図1-1のようなものを作ってみました。商品の仕入か販売が起こった時点で商品毎の取引額を記録するためです。「取引区分」には、“仕入”と“販売”の他に“在庫”を指定できるようにして、月末の棚卸結果を記録できるようにしました[*1]。

＊1　話を簡単にするために、数量を扱わず金額だけの動きを取引として捉えています。「棚卸（たなおろし）」とは、その時点での実際の在庫の数量や金額を調べる作業のことです。

図1-1　取引簿

取引日	取引区分	商　品	金　額

記帳を試みて、すぐに無理だとわかりました。仕入や販売が起こる度にいちいち記帳するのでは手間がかかりすぎるからです。そこで、次のように手元でメモして、手が空いたときに取引簿に転記することにしました。転記したメモにはチェックを入れることでダブって登録されることも防げるでしょう。

図1-2　記帳用メモ

取引日	
取引区分	
転記チェック	

行番	商　品	金　額
1		
2		
3		
4		
5		

試してみると、このやり方にも問題があることがわかりました。件数が多くなると、メモ上の“1050円”を取引簿に“1500円”として転記するといった凡ミスも起こります。そんな場合、メモの記録と取引簿上の記録とを突き

合わせるための手がかりが必要です。そこでメモと取引簿を次のように改善しました。

図1-3　改善されたメモ（取引伝票）と取引簿

伝票番号	
取引日	
取引区分	
転記チェック	

行番	商　品	金　額
1		
2		
3		
4		
5		

伝票番号	取引日	取引区分	行番	商　品	金　額

メモの１枚毎に伝票番号をあらかじめ振っておいて、転記の際には取引簿にその伝票番号も記録し、メモには転記済のチェックを書き込みます。これで、取引簿上のデータと伝票との突き合わせが可能になっただけでなく、他の従業員に記帳を手伝ってもらえるようになりました。これでただのメモは「伝票」と呼べるものになりました。

これらの工夫が功を奏して、無事に１カ月分の取引を正しく記録できました（表１-１）。これを集計すれば、商品毎の利益状況がわかるはずです。

表1-1　取引簿

伝票番号	取引日	取引区分	行番	商　品	金　額
0001	6/30	在庫	1	鋸	10,000
			2	鉋	10,000
			3	金槌	10,000
0002	7/01	仕入	1	鋸	50,000
			2	鉋	50,000
			3	金槌	30,000
0003	7/01	販売	1	鋸	5,000
			2	鉋	4,000
			3	金槌	2,000
0004	7/02	販売	1	鋸	3,000
			2	鉋	7,000
			3	金槌	2,000
⋮	⋮	⋮	⋮	⋮	⋮
0028	7/31	在庫	1	鋸	10,000
			2	鉋	20,000
			3	金槌	10,000

効果はてきめんでした。７月の１カ月での、商品別の仕入額、販売額、売上原価（月初在庫＋仕入額－月末在庫）、粗利（あらり。販売額－売上原価）、粗利率（粗利÷販売額×100）が以下のように集計されました。

表1-2　７月の商品別月間集計表

商品	月初在庫	仕入額	販売額	月末在庫	売上原価	粗利	粗利率
鋸	10,000	550,000	780,000	10,000	550,000	230,000	29%
鉋	10,000	480,000	590,000	20,000	470,000	120,000	20%
金槌	10,000	90,000	130,000	10,000	90,000	40,000	31%

商品の形態によって運送や保有にかかるコストも違うので、粗利率が大きければ利ざやも大きいとは限りません。それでもとりあえずは、商品毎のおおまかな利益傾向が見えるようになりました。与三郎さんはこの結果に満足し、帳簿による情報管理の効果もあって『かね玄』はますます繁盛しました。

商品台帳の導入

そんなある日、奇妙なことが起こりました。その頃には取引簿上のデータを商品別に集計するのは、奥方であるお富さんが担当していました。彼女が集計してみると、以下のようにおかしな数字が含まれていたのです。

表1-3　おかしな数字を含む商品別月間集計表

商品	月初在庫	仕入額	販売額	月末在庫	売上原価	粗利	粗利率
鋸	20,000	620,000	520,000	60,000	580,000	−60,000	−12%
鉋	50,000	280,000	410,000	30,000	300,000	110,000	27%
金槌	10,000	110,000	120,000	20,000	100,000	20,000	17%
⋮	⋮	⋮	⋮	⋮	⋮	⋮	⋮
ノコギリ	0	0	260,000	0	0	260,000	100%

商品別の粗利が一時的に赤字になることはあり得ない話ではないので、「鋸」の赤字60,000円はそれほど気になりません。しかし、「ノコギリ」が仕入額がゼロで販売額がプラスになっているのは奇妙です。在庫分が売れたのであれば仕入なしで販売されることはあり得ますが、この例では月初在庫もないし仕入もしなかったのに、なぜか売れて儲かっているのです。

なんのことはありません。読者も予想できたように、“鋸”と“ノコギリ”が同じ商品を指していたのでした。したがって、正しい数字はその２行を合算することによって得られます。実際には200,000円の粗利（粗利率26%）が出ていました。

“鋸”と“ノコギリ”とが同じ商品を指し示すというのは、誰にとっても常識のように思えます。そんな当たり前のことになぜお富さんは気づけなかったのだろうと思われるかもしれません。しかし「“鋸”と“ノコギリ”が同じ商品を指し示す」と考えることが常識ならば、「商品名が異なっているのであれば、それらは異なる商品」と考えることもまた常識なのです。

とくに大量のデータを機械的に扱う際、「意味や文脈に依存する常識」は通用しません。「鋸」と「ノコギリ」が意味上同じものであるという文脈は、与三郎さんにとっては自明でしたが第三者やコンピュータにとってはそうではありません。しかも取り扱い商品は今後も増えていくはずなので、同じようなことが何度も起こるでしょう。商品の表現を統一するために、何らかの工夫をする必要がありそうです。

そこで与三郎さんは「商品台帳（商品マスター）」を整備することにしました。商品別取引簿に記録する商品名を一元管理するためです。さらに商品台帳上で、商品毎の単価等の標準値、および品種の違いも管理することにしました。それで出来上がったのが次のような台帳です。じつはそれまでは“金槌”、“鋸”、“鉋”の３つの「品種」の中での違いを区別していませんでしたが、これで個々の商品の動きを捕捉できるようになりました。この改善のおかげで、『かね玄』の情報管理レベルはさらに向上し、売上とともに扱い商品も増えていきました。

表1-4　商品台帳

商品名	品　種	標準仕入単価	標準販売単価
鋸N1	鋸	1,200	1,500
鋸N2	鋸	1,500	1,900
鉋K1	鉋	1,800	2,200
鉋K2	鉋	2,100	2,500
金槌KD1	金槌	1,000	1,200
金槌KD2	金槌	1,200	1,500
⋮	⋮	⋮	⋮

商品台帳の運用ルール

そんなある日、お富さんがまたもや奇妙なデータに気づきました。与三郎さんが管理している商品台帳上の2つの行に、同じ商品名“鉋K184”が載っています。仕入単価も販売単価も違っていることから異なる商品のようなので、異なる商品に同じ商品名が与えられてしまっているようです。

表1-5　商品台帳上の奇妙な2行

商品名	品　種	標準仕入単価	標準販売単価
鉋K184	鉋	1,200	1,500
⋮	⋮	⋮	⋮
鉋K184	鉋	3,300	3,800

調べてみるとこれは与三郎さんのミスでした。それまで扱っていた“鉋K184”の上位モデルが発売された際に、同じ商品名で登録してしまったのでした。そこで与三郎さんは従来のものを“鉋K184A”、上位モデルを“鉋K184B”として台帳を修正しました。

表1-6　修正後の2行

商品名	品　種	標準仕入単価	標準販売単価
鉋K184A	鉋	1,200	1,500
鉋K184B	鉋	3,300	3,800

修正作業はこれだけでは済みません。取引簿上で既に“鉋K184”として記録されている取引には、“鉋K184A”と“鉋K184B”のものが混在してしまっているため、それらを修正する必要があります。記憶と伝票を頼りに、過去の分も含め以下のように取引簿を修正しました。これにともなって、修正された過去から現在までの集計もやり直す必要がありました。

表1-7　修正が必要な取引簿

伝票番号	取引日	取引区分	行番	商　品	金　額
0311	2/07	販売	1	鉋K184A	80,000
0360	4/24	販売	1	鉋K184B	90,000

この経験から与三郎さんは、商品台帳の運用に関して重要なことを学びました。新たな商品を登録する場合には、既存の商品と重複しない商品名を与えること。また、一度与えた商品名を変更するにはひどく手間がかかるので、商品名の設定には慎重を期すこと。商品台帳についてこれらの運用ルールを徹底するようにしてから、問題は起こらないようになりました。

フィールドとテーブル

さあいよいよ、この時点の『かね玄』で扱われているデータの「論理的な形」、すなわちデータモデルを見ていきましょう（図1－4）。

図1-4　『かね玄』のデータモデル

取引見出し　{伝票番号}, 取引日, 取引区分, …

取引明細　{伝票番号, 行番}, 商品名, 取引金額, (取引年月), …

月次取引サマリ　{商品名, 取引年月}, (月初在庫), (仕入額), (販売額), (月末在庫), (売上原価), (粗利), (粗利率), …

商品　{商品名}, 品種, 標準仕入単価, 標準販売単価, …

図1－4上の「取引見出し」、「取引明細」といったまとまりのことを「テーブル」と呼びます。テーブルには取引日や取引区分といった要素が含まれていますが、それらを「データ項目（単に項目、またはフィールドとも）」と呼びます。「いくつかのデータ項目のまとまり」がテーブルです。

データモデル上には、“鉋K184A”や“80,000”といった具体値（インスタンス）は、必要な場合以外は併記されません。その代わりに示されるのは「メタデータ」、すなわち「データに関するデータ」です。たとえばデータが“元禄15年12月14日”だとしたら、そのメタデータはたとえば「取引見出し上のデータ項目であり、項目名は“取引日”で、常に日付値をとる。入力必須項目で、省略値は処理日」と説明されます。上図ではメタデータ中の「項目名」が示されていることになります。

なお、データ項目には「それ以上細かく分割できない」という性質（アトミック特性）があります。たとえば上掲の取引見出しテーブルに「取引日」が含まれず、代わりに「伝票番号」の特定桁に取引日の値が組み込まれているとしたらどうでしょう。取引日は重要な情報であるにもかかわらず、データモデル上で扱われていないかのように見えてしまいます。情報管理されるべきデータ項目をデータモデル上で明示的に扱うために、個々の項目には「内部構造」を組み込んではいけません（後述する論理フィールドはその限りではありません）。

メタデータに含まれる「日付値」や「20桁以内の文字値」のような情報のことを「データ型」といいます。データ型には文字値、数値、日付値、ブール値（真か偽のどちらかの値をとる）などさまざまなものがありますが、それらはデータモデル上で示されるとは限りません。データモデルはデータ項目の論理関係を広域に示すための図面なので、データ型を含めてすべてのメタデータをいちいち示してしまうと図面が持つ情報量が増えすぎるからです。それらについては、必要に応じて確認できるようであればじゅうぶんです。

物理フィールドと論理フィールド

図1－4のデータモデルをもう少し細かく眺めましょう。まず、いくつかのデータ項目がカッコ書きされている点に注目してください。“(取引年月)”のようにカッコ付きの項目は「論理フィールド」と呼ばれ、それ以外の項目と区別されます。論理フィールドでないフィールドは「物理フィールド」です。なお、｛ ｝で囲われ下線が引かれている項目は「主キー」で、これに

ついては後述します。

論理フィールドの値は、他の物理フィールドや論理フィールドの値から導出可能です。図上の論理フィールドの導出手順を列挙してみましょう（“A.B”はテーブルA上の項目Bであることを表します）。

表1-8　論理フィールドとその導出手順一覧

取引明細.取引年月＝関連する取引見出しの取引日から算出される値
月次取引サマリ.月初在庫＝取引明細上に記録される前月末時点での確定在庫額
月次取引サマリ.仕入額＝取引明細上に記録される当月仕入額の合計額
月次取引サマリ.販売額＝取引明細上に記録される当月販売額の合計額
月次取引サマリ.月末在庫＝取引明細上に記録される当月末時点での確定在庫額
月次取引サマリ.売上原価＝月初在庫＋仕入額－月末在庫
月次取引サマリ.粗利＝販売額－売上原価
月次取引サマリ.粗利率＝粗利÷販売額×100

論理フィールドの値をDB上で物理的に保持しておく必要はありません。なぜなら、それらの値は物理的に記録されているデータを組み合わせることで、必要に応じて算出できるからです。このように「物理的な記録の実体を伴わない」という意味で、それらは「論理フィールド（導出フィールドや仮想フィールドとも）」と呼ばれます。任意の値に決定できるとすれば物理フィールドであり*2、他の項目の値から一定の手順で算出・決定されるのであれば論理フィールドです。言い換えると、他の項目の値から算出可能な値しか取らないのであれば、それは論理フィールドとして扱われなければいけません。

論理フィールドと物理フィールドの区別をおろそかにすると、困ったことになります。たとえば「取引明細」上の論理フィールド「取引年月」を物理フィールドとして置くと、その値は鉛筆やアプリを用いて「値を他の項目値と独立して決め打ちできる」ことになります。そうなると、次図で示すように矛盾した値を取るデータ状況を許してしまいます。③と④は①に関係しているはずなのに、①の取引日から算出されるべき取引年月の値が③と④での値と矛盾しています。こういった不整合を「アノマリー（更新時異状）」といい、周到に回避されなければなりません。

---

*2　値の設定には一般にある種の制約が伴います。たとえば取引明細上の取引金額は「数値」であってアルファベットやカナのような文字列であってはいけません。また、取引明細上の商品名は、商品台帳上に存在する値でなければいけません。任意に決め打ちできるといっても、そういった制約には従わなければなりません。この種の制約については後述します。

図1-5　取引見出しの取引日と取引明細の取引年月が矛盾している

取引見出し　{伝票番号}, 取引日, 取引区分

	伝票番号	取引日	取引区分
①	0384	1703/07/10	仕入
②	0389	1703/07/11	販売

取引明細　{伝票番号, 行番}, 商品名, 取引金額, 取引年月

	伝票番号	行番	商品名	取引金額	取引年月
③	0384	01	鋸N1	12,000	1703/06
④	0384	02	鋸N2	15,000	1703/08
⑤	0389	01	鋸N2	1,900	1703/09
⑥	0389	02	鉋K1	2,200	1703/02

なおデータモデル上では、表1-8で示したような計算手順がいちいち示される必要はありません。論理フィールドであることさえ示されれば、その計算手順は必要に応じて確認できればじゅうぶんだからです。計算手順が示されることよりも、モデル上で物理フィールドと論理フィールドが区別されることのほうが重要です。前節で「データモデル上ではある種のメタデータは示されなくてもよい」と説明しましたが、論理フィールドの計算手順も「データモデル上でいちいち示される必要のないメタデータ」に含まれます。

ではそもそも「物理的にデータを保持しておく必要がない」にもかかわらず、モデル上でわざわざ論理フィールドが示されているのはなぜなのでしょうか。その典型的な例が「月次取引サマリ」上に載っている「売上原価」、「粗利」、「粗利率」といった論理フィールドです。これらの値を把握することが、データ管理することのそもそもの目的でした。論理フィールドだからといってそれを示さないと、データモデルの意味がわからなくなります。では、「取引明細」上の論理フィールド「取引年月」はどうなのでしょう。それが置かれていることに一見すると意味はなさそうです。じつは大きな意味があるのですが、それについては後述します。

ポイント1　データモデリングではデータ項目の関係が分析され、図面化される。データ項目には固有に値の決まる情報の最小単位としての物理フィールドと、他のフィールドの値から計算可能な論理フィールドがある。

ビューとテーブルの違い

つづいて、実際に使われている帳簿とテーブルの関係を見ましょう。『かね玄』の「取引伝票」は、データモデル上の「取引見出し」と「取引明細」のまとまりに対応します。「取引簿」も同様です。

図1-6　モデルとビューの対応関係

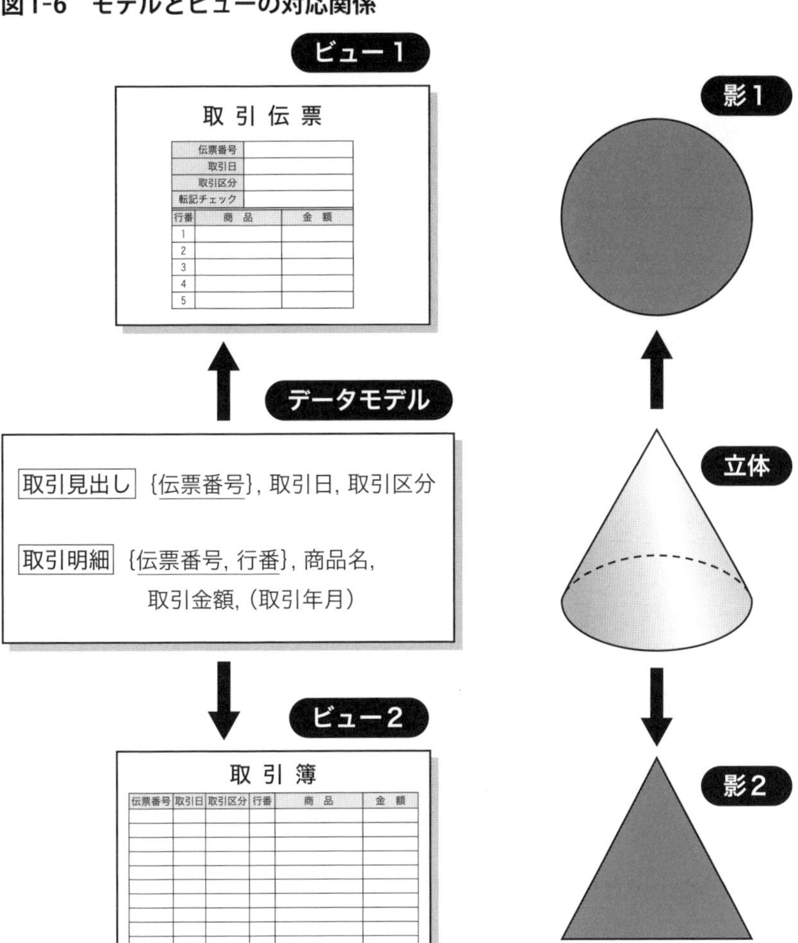

読者は不思議に思われないでしょうか。取引伝票と取引簿とは異なる実体であるにもかかわらず、基礎となるデータモデルとしては同一だというのです。

ここで思い出してほしいのですが、取引簿は取引伝票の内容を「転記」して作られるものでした。つまり、取引簿のデータは（転記に間違いがない限りは）取引伝票のデータを集めて並べ直したものでしかありません。両者の違いは「取引データを１件含むか複数件含むか」の違いでしかなく、扱われるデータ項目（フィールド）のまとまりとしては同一です。言い換えると、取引伝票と取引簿とは「同じテーブル群から導ける異なるビュー」の関係にあります。

データモデルとビューの関係をもう少し細かく見ましょう。まず、取引見出しと取引明細の２テーブルに限っても、そこからさまざまなビューを取り出せます。データモデルとビューとは「データモデルからさまざまなビューが導かれる」関係にあります。喩えるなら、データモデルを「複雑な形の立体」とすれば、ビューは「立体にさまざまな方向から光を当てて現れる影」のように多彩で気まぐれなものです。

データモデルとビューの関係を理解すれば、「データを保持するための様式」がビューではなくデータモデルに沿ったものであることがわかります。ビューの形で登録すれば、図１-７のように重複したデータ項目間で値の矛盾が生じ得るからです。この例では伝票番号0384の取引が仕入なのか販売なのかわからないし、伝票番号0389の取引の取引日が７月12日なのか11日なのかわかりません。ビューをそのままデータ保持の形式にしたために起こる現象で、これもまた「アノマリー（更新時異状）」です。

図1-7　ビューの形でデータを保持すると矛盾が生じる

取引明細　{伝票番号, 行番}, 取引日, 取引区分, 商品名, 取引金額

伝票番号	行番	取引日	取引区分	商品名	取引金額
0384	01	1703/07/10	仕入	鋸N1	12,000
0384	02	1703/07/10	販売	鋸N2	15,000
0389	01	1703/07/12	販売	鋸N2	1,900
0389	02	1703/07/11	販売	鉋K1	2,200

いっぽうデータモデルの形でデータを保持すると、値の矛盾は生じません。なぜなら、物理的に保持されるべきデータのまとまりが「論理的な最小限度(テーブル)」に限定されているからです。データモデルにもとづいてデータが記録されたテーブル群から、矛盾を含まない形（ビュー）に自由に加工して眺めることができます。現実においてわれわれの目に触れるデータのほとんどは「ビュー」として存在しています。それらに惑わされることなく基本要素としてのテーブル群を切り出す——それがデータモデリングの唯一最大の目的です。

ポイント2 データモデリングでは、メタデータのまとまりの基本要素としての「テーブル」を探索する。現実に目にするデータの多くは、1個か複数のテーブルから導かれた「ビュー」であって、「テーブル」ではない。

主キーと関数従属性

データモデルの説明に戻りましょう。今度は、{} で囲われ下線が引かれている項目に注目してください。このような項目（または複数項目の組み合わせ）を、そのテーブルにおける「主キー（一次識別子、Primary Key)」と呼びます。

主キーはテーブルを規定するためのもっとも重要な要素で、主キーとして設定される項目は独特な制約を受けます（図1-8)。まず、テーブル上のレコードが何件存在しようと、リレーション（ある瞬間にそのテーブルに含まれる全レコードのこと。リレーショナルDBの語源）中で主キーの値が重複することが許されません（ユニーク制約)。そして、いったん何かの値を主キーに設定してレコードを追加したなら、その値を変更することは許されません（更新不可制約)。この2つはたいへん重要なルールなので、しっかりと理解しておいてください。

図1-8　ユニーク制約と更新不可制約

取引見出し　{伝票番号}, 取引日, 取引区分, …

伝票番号	取引日	取引区分
0384	1703/07/10	仕入
0389	1703/07/11	販売

取引明細　{伝票番号, 行番}, 商品名, 取引金額, …

伝票番号	行番	商品名	取引金額
0384	01	鋸N1	12,000
0384	02	鋸N2	15,000
0389	01	鋸N2	1,900
0389	02	鉋K1	2,200

内については、**値が重複しないし変更も許されない**

商品　{商品名}, 品種, 標準仕入単価, 標準販売単価, …

商品名	品種	標準仕入単価	標準販売単価
鋸N1	鋸	1,200	1,500
鋸N2	鋸	1,500	1,900
鉋K1	鉋	1,800	2,200
鉋K2	鉋	2,100	2,500
金槌KD1	金槌	1,000	1,200
金槌KD2	金槌	1,200	1,500

これらのルールに対する違反例として、与三郎さんが商品台帳上の商品名を重複して登録してしまった話を思い出してください。“鉋K184”の商品名が2件存在するゆえに、矛盾した標準単価の存在を許してしまいました。そのために彼は商品台帳上の商品名を修正するだけでなく、取引簿の内容を苦労して修正する羽目になりました。とくにデータ件数が多い場合、修正範囲が芋づる式に増えて復旧が困難になります。

「ユニーク制約」の重大さを別の角度から説明しましょう。データモデル上で主キーに含まれないフィールドのことを「属性フィールド（略して属性）」と呼びますが、主キーと属性との間には「関数従属性」という独特な関係が成立しています。私たちは中学の数学で「関数」を学びましたが、データモデリングにおける関数従属性も、ある種の関数にもとづくフィールド間の関係です。次の例を見てください。

図1-9　関数従属性の例

y＝F（x）＝2x＋3……①

y＝F（x）＝伝票番号がxであるような取引の取引日……②

y＝F（x）＝伝票番号がxであるような取引の取引区分……③

関数の表現「y＝F（x）」は、「独立変数xにある値を指定すると、一定のルールにしたがって従属変数yの値が決まる」と解釈されます。①の関数では、独立変数xの値に4を指定すると、従属変数yの値は11に決まります。いっぽうデータモデリングでは、変数（xやy）として「フィールド（データ項目）」が置かれます。たとえば②の関数は「伝票番号の値を指定すると、一定のルールにしたがって取引日の値が決まる」という意味になります。別の言い方では「取引日は伝票番号に関数従属する」と表現されます。この場合の取引日と伝票番号の関係が関数従属性です（重要な概念なので、第3章でもう一度説明します）。

「ユニーク制約」はこの関数従属性を担保するためのルールに他なりません。もしユニーク制約が崩れているとすれば、「伝票番号の値を指定すると、一定のルールにしたがって取引日と取引区分の値が決まる」の関数従属性において、伝票番号の値に対して取引日や取引区分の値が決まらないことになります。では「更新不可制約」に違反した場合にはどうなるのでしょう。たまたまユニーク制約が満たされて関数従属性が維持できたとしても、次節で述べる「テーブル関連」が破綻します。

テーブル関連と多重度

これまでは「テーブル内の項目同士」の関係を眺めてきましたが、「テーブル同士」にも独特な関係があります。図1-10は図1-4に「テーブル関連」を示す曲線を書き加えたもので、テーブルが保持するレコード間での対応が存在することを表しています。これが本来のデータモデルです。

図1-10　テーブル関連

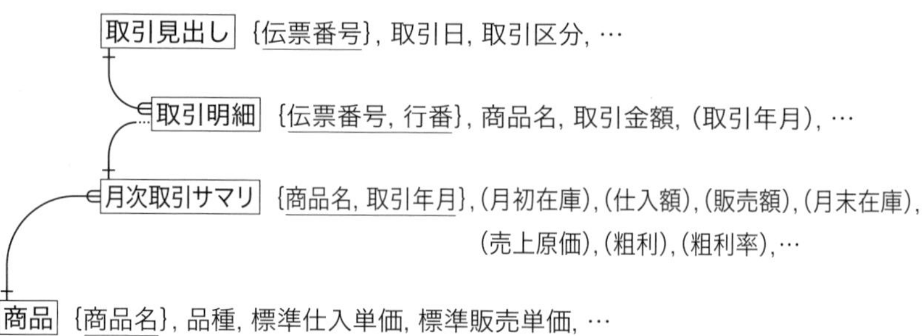

厳密に言うとテーブル関連は、テーブル同士の「主キーの対応関係」を視覚化したものです。あらためて各テーブルの主キーに注目しましょう。

まず、取引見出しと取引明細の主キーの関係はどうでしょうか。取引見出しの主キーは「伝票番号」で、取引明細は「伝票番号＋行番」なので、後者の主キーが前者の主キーを部分的に含む形になっています。このような場合、取引見出しは取引明細に対する「親」、取引明細は取引見出しに対する「子」とみなされます。なお、ここでは親の主キーに含まれる項目が１個ですが、いつも１個とは限らない点に注意してください。親の主キーがｎ個の項目で出来ていれば、子の主キーに含まれる項目の数は（親の主キーのｎ個を含む）ｎ＋１個かそれ以上、ということになります。これが「親子関係」です。

親子関係におけるレコードの対応関係を見ましょう（図1-11）。取引見出しレコード①に対応する取引明細レコードは③と④の２件で、②には⑤、⑥の２件が対応しています。③と④は①と同じ伝票番号を持っていますが、それぞれ異なる行番の値を主キーに含んでいるゆえに、主キーは重複していないとみなされ、対応する２件の存在が許容されます。いっぽう、取引明細側から見るといずれのレコードも取引見出しの１レコードのみが対応します。

総体として見ると、取引見出しレコードに対応する取引明細レコードは「１：０～複数」であるし、取引明細レコードに対応する取引見出しレコードは「１：１」です。取引見出しレコードから見ると、対応する取引明細レコードは複数件存在するので—∈と示される。取引明細レコードから見ると、取引見出しレコードは１件しか対応し得ないので関連を表す線の上に１の数字が置かれた—+で示される――そのように覚えてください。

図1-11　取引見出しと取引明細の関係（親子関係）

つづいて取引明細と商品の関係を見ましょう。図１-10の月次取引サマリを省略して取引明細と商品の関係だけを抜き出したものが次ページ図１-12です。商品テーブルの主キーは商品名ですが、取引明細テーブル上の商品名は主キーではなくただの属性項目です。このような場合、これら２テーブルの間には「参照関係」があるといいます。取引明細は商品に対する「参照元」、商品は取引明細に対する「参照先」とみなされ、取引明細上の商品名は商品に対する「参照キー（または外部キー*3）」といいます。なお、参照キーが複数項目で構成される場合には、少なくとも１個の属性項目を含むことになります。

取引明細と商品上のレコードの対応関係はどうでしょう。図１-12のモデルにおいて、商品レコード①に対応する取引明細レコードは⑤の１件で、②には⑥、⑦の２件、③には⑧の１件が対応し、④に対応するレコードは存在しません。⑥と⑦の上には同じ商品名が載っていますが、それらは主キーを構成しているわけではないので重複してかまいません。いっぽう、取引明細側から見るといずれのレコードも商品の１レコードのみが対応します。商品テーブル上で商品名は主キーであるからです。

両者の関係を一般化すると、商品レコード１件に対応する取引明細レコードは「０件または複数件」であるし、取引明細レコード１件に対応する商品レコードは１件に限られます。商品レコードから見ると、対応する取引明細レコードは“１件だけとは限らない（複数件かもしれない）”ので—…と示される。取引明細レコードから見ると、対応する商品レコードは“１件だけ”

*3　外部キー（Foreign Key, FK）の表現は直感的ではないので、本書では参照キー（Reference Key）を優先します。

なので関連線上に１の数字が置かれた──┼で示される。参照関係については
そのように覚えてください。

図1-12　取引明細と商品の関係（参照関係）

「１：０～複数」や「１：１」といったレコードの対応関係を、テーブル間の多重度（cardinality）といいます。多重度についてだけ見れば、親子関係と参照関係はそっくりなように見えますが、決定的な違いがあります。親子関係ではレコード間の対応関係が変化し得ませんが、参照関係においては変化し得ます。

「レコード間の対応関係が変化し得る」とはどういうことなのでしょう。取引明細上の商品名は主キーではないので、その値は変更可能です（主キーでないとはそういうことです）。それゆえに、図１-12の取引明細レコード⑤にとって、参照先の商品レコードを①から②に変更することは許されます。ところが、図１-11の取引明細レコード③にとって親を①から②に変更することは許されません。主キーの値を変更することは認められないからです。

主キーの重要な特性として「ユニーク制約」と「更新不可制約」について前述しましたが、更新不可制約の意義がこの例からわかります。たとえば図１-12の商品レコード①をアプリ上に取り出して、その主キー（商品名）の値を“鋸N1”から“鋸N3”に変更したらどうなるでしょう。全商品レコード中でのユニーク制約には違反していないものの、既存の取引明細レコード

⑤上の商品名“鋸N1”が無意味になってしまいます。つまり、主キーの値は複雑に交錯するテーブル関連の基礎となっているため、その値を変更できてしまうと広域の更新時異状が生じます。主キーの値が変更できてしまっては困るのです。

上述したように、参照元テーブルにおいて参照先の主キーに対応する項目のことを「参照キー」といいます。主キーの値が変更されることは許されませんが、参照キーの値が変化することは許されるという違いが重要です。そして、親子関係においてレコードの対応関係が変わり得ない様子は、親と「親のDNAを受け継ぐ子供たち」との関係にそっくりです。独立しようが養子縁組しようが、生物学的な親子関係は変わりません。いっぽう、参照キーの値が変化し得るからには、参照元レコードに対応する参照先レコードが切り替わり得ることになります。それはちょうど、好きなアーチストがコロコロ変わる移り気なファンのようです。これが親子関係と参照関係の違いで、関連線が+—∈と+——…のように使い分けられているのはそのためです。

なお、図1-10〜12をもう一度見てほしいのですが、取引見出しに対して取引明細の配置が右側にずれているし、商品に対しても同様です。あるテーブルに関連する別テーブルの多重度が複数である場合、別テーブルを右側にずらすことによって、多重度の関係が直観できるようになります。これが本書で用いるデータモデル図法の特徴です。また、本書で示すデータモデルでは各テーブルに置かれるフィールドがしばしば省略されています（“…”で表現される）が、この点も重要です。主キーに関数従属する代表的な項目、およびテーブル関連の基礎になる参照キー（外部キー）が優先的に示されるべきで、それら以外は省略されてもかまいません。些末なフィールドを含めてすべて示すと、むしろ本質的な部分が見えにくくなります。

ポイント3 データモデルにおいてもっとも重要なのは、各テーブルの「主キー」である。それが関数従属性やテーブル関連の基礎になるからである。データモデル上では、主キーやそれに関数従属する代表的な属性項目、およびテーブル関連を構成する参照キー（外部キー）が優先的に示されなければならない。

データモデルの表記法について

ほとんどのIT技術者は、データモデル（ER図*1）を次図のようなものとしてイメージしています。これは本書での表記法と大きく異なります。

図1　データモデルの一般的イメージ

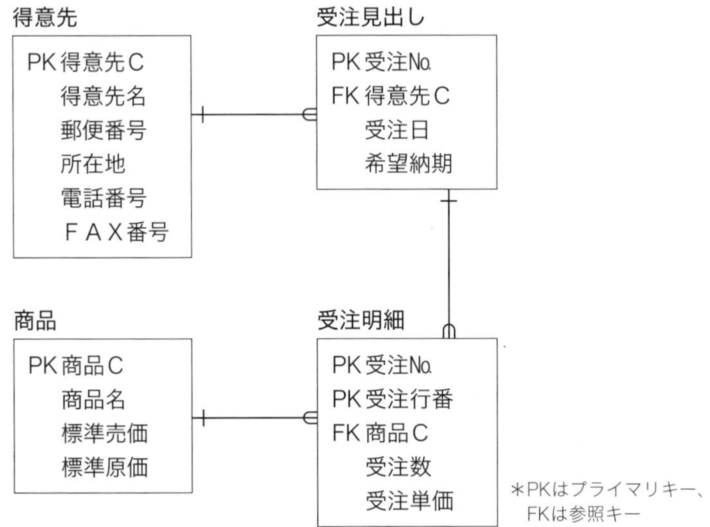

本書がこの表記法をとっていないことには、いくつかの理由があります。最大の問題が、この表記法ではモデルに「具体値」を添えられない点です。具体値を添えられないと、モデルの読み手にDB構造の妥当性を示しにくくなります。とくに読み手にとって馴染みのない業務である場合、それができないのは致命的です。

*1　Entity-Relationship Diagramの略。P. Chenによる造語で、本書でのデータモデルとは出自が異なりますが、業界ではデータモデルとほぼ同じ意味で使われています。

もうひとつの問題が、テーブル関係の視覚化印象が弱い点です。本書の表記法（図２）では、参照先に対する参照元、親に対する子が右側にインデント（頭下げ）される形で配置され、「１：複数」の論理関係が視覚的に示されます（配置の上下に意味はありません）。いっぽう図１ではテーブルを上下左右にどう配置するかは書き手にまかされており、多重度については主キーの関係や関連線の両端のアイコンを注視しないとわかりません（本書で言う親子関係と参照関係の違いもアイコンからは読み取れません）。一人の書き手が一貫した配置方針にしたがっているとしても、さまざまな書き手によるモデルでそれが統一されている保証はありません。とくにわれわれは職業柄、大量のモデルを日々レビューしたり、それらを通して学ばねばならない立場なので、テーブルの配置方針が毎回異なっていては効率が悪すぎます。

図2　図1と同じ内容の本書での表記

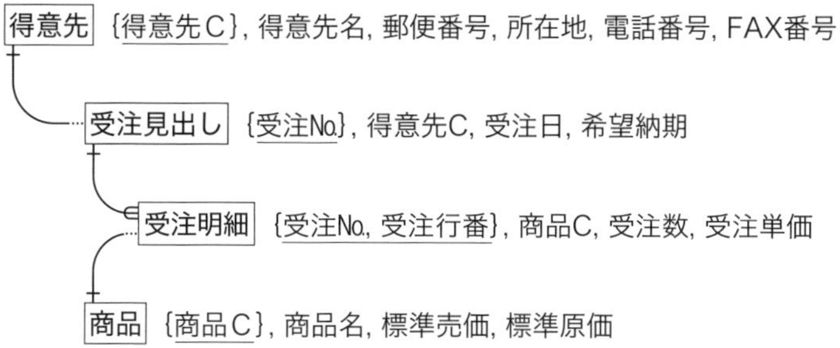

得意先 {得意先C}, 得意先名, 郵便番号, 所在地, 電話番号, FAX番号

受注見出し {受注№}, 得意先C, 受注日, 希望納期

受注明細 {受注№, 受注行番}, 商品C, 受注数, 受注単価

商品 {商品C}, 商品名, 標準売価, 標準原価

モデルが嵩張るという問題も指摘できます。本書でのコンパクトな表記法では、限られた紙面の中により多くの情報を盛り込めるので、さまざまな分野別のモデルを載せるという本書の目的にかないます。ちなみに多くの現場では、すべてのフィールドやデータタイプ、すべてのテーブルが示された「大規模集積回路」のようなモデルが作られています。一見して検討する気が起こらない図面で、ときには紙を何枚もつなぎあわせて壁に貼られていたりします。迫力があってもけっきょく読みにくいため、関係者からはほとんど顧

みられません。

もっともらしく見えるわりに大事な情報が欠落している表記法もあります。たとえば、主キーの示されない図面が「概念モデル」などと称して納品されることがありますが、ほとんど役に立ちません。ひどい場合には多重度さえ示されずに、テーブル同士が単純な直線でつなげられているだけのこともあります。そこからはいかなる関数従属性もドメイン制約も読み取れません。完成途上での経過的な表現と説明されることもありますが、少なくとも筆者は、主キーや多重度を考えずにデータモデルをイメージできません。主キーを設定することこそが、複雑な現実からテーブルに対応する概念を切り出すための最初の一歩であるし、もっとも難しい課題です。それをスキップしていいのであれば、データモデルを描く仕事は本来の高度専門職とはいえません。

いずれにせよ、読者は本書での表記法に慣れる必要があるわけですが、その意義はあります。第５章以降で示されるさまざまなモデリング事例は、本書でのコンパクトかつ十全な表記法でしか納められないからです。その内容は、読者が関わるプロジェクトや読者自身のキャリアを良い方向に導いてくれると信じています。

第2章

主キーの重要性

データモデルがどういうものかおおよそわかったところで、「主キー」について学びます。主キーはテーブル上の各行（レコード）がどのような概念に対応するかを端的に表すもので、「データモデリングとは主キーの発見過程」と言ってもいいほど重要です。ここでも具体例を用いてじっくりと学んでいきましょう。

単独主キーと複合主キー

その後、『かね玄』はますます発展して取扱商品も増えたために、ピッキング（倉庫から望みの商品を探しだすこと）が難しくなってきました。同じ商品が倉庫の異なる場所に保管されていることさえあって、在庫品の管理が面倒になりつつありました。そこでまずは、商品毎に倉庫内での置場を決めることにしました。

現在、店につながる裏の倉庫（店舗倉庫）と、少し離れた敷地にある倉庫（品川倉庫）を使っています。とりあえずそれぞれに区画（最大３個）を切って、「倉庫台帳」と「商品台帳」の上で次のようにデータ管理することにしました。これで「商品ａを倉庫ｂに保管する場合には必ず区画ｃに置くこと」というルールをデータ化できそうです（▲はブランクを表します）。

図2-1　倉庫と商品の関係（1）

倉庫	{倉庫名},	所在地,	区画番号1,	区画番号1の面積,	区画番号2,	区画番号2の面積,	区画番号3,	区画番号3の面積
	店舗倉庫	…	1	2.5	2	2.5	▲	▲
	品川倉庫	…	1	3.0	2	3.0	3	4.0

商品	{商品名},	品種,	店舗倉庫区画番号,	店舗倉庫棚卸金額,	品川倉庫区画番号,	品川倉庫棚卸金額
	鋸N1	鋸	1	0	1	0
	鉋K1	鉋	2	0	3	0
	金槌KD1	金槌	2	0	2	0

商品と倉庫と区画の関係を決めてその組み合わせを台帳に書き込んでみたのですが、お富さんにはどうもひっかかるところがありました。「今は２つの倉庫だからいいけれど、今後、倉庫が増えた場合にいちいち台帳を作り直さなければいけないよねぇ。それに、次の倉庫はもっと広くて３個の区画では足りないかもしれない」。もっともな指摘です。ではどんな様式にすべきなのでしょう。

データモデリングでは常に「長期的に安定したデータ構造」が探られます。

この例のように、倉庫が増えたり区画が3個以上になったりといった程度の攪乱に、データ構造が影響を受けるべきではありません。そこで「横置き」をやめて、次図のように「縦置き」にします。こうすることで、倉庫が増えようが区画の数がいくつだろうが、データ構造を一切変更せずに済みます。

図2-2　倉庫と商品の関係（2）

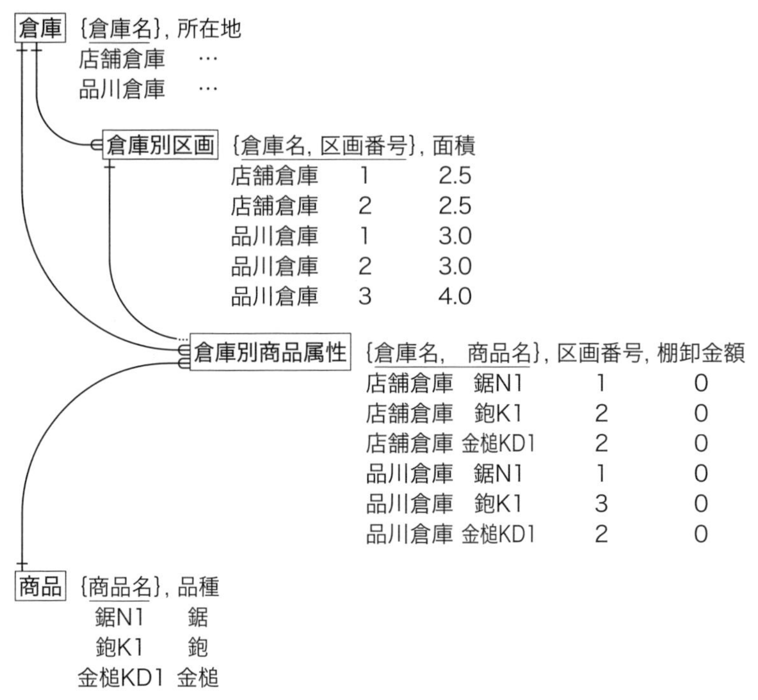

（1）と比べると（2）がかなり複雑に見えるかもしれません。しかし、これこそが「商品aを倉庫bに保管する場合には必ず区画cに置くこと」という業務上のルールにもとづいてデータ管理するための、合理的なデータ構造です。無駄に複雑な構造は避けるべきですが、一般にデータモデリングにおいて「シンプルイズベスト」は通用しません。複雑な制約関係は必然的に複雑なデータモデルを要求します。そのようなモデルを無理に単純にしてしまえば、アプリが複雑化してシステムの保守性が低下します。またアプリの中身（コード）を調べない限り、データ項目の意味がわからなくなります。

ここで、（2）のモデルでの関数従属性を眺めてみましょう。倉庫の所在地は倉庫名に関数従属するし、品種は商品名に関数従属します。では、商品が保管されるべき区画や在庫金額は何に関数従属するのでしょう。それらは商品名でもなく倉庫名でもなく、「商品名と倉庫名の組み合わせ」に関数従属します。このように複数の項目の組み合わせが主キーとなるケースがあります。そのような主キーをとくに「複合主キー」と呼び、単独の項目で出来ているものを「単独主キー」と呼びます。一般の業務システムにおいて主キーを単独主キーと複合主キーに分けると、ちょうど半々くらいの比率になります。

図2-3　(2) のモデルに含まれる関数従属性

{倉庫名} → 所在地
{商品名} → 品種
　┗ 単独主キーにもとづく関数従属性

{倉庫名, 区画番号} → 面積
{倉庫名, 商品名} → 区画番号
{倉庫名, 商品名} → 棚卸金額
　┗ 複合主キーにもとづく関数従属性

なお、ある種の開発環境で「複合主キー」の利用が禁じられていることがあります。複合主キーをふつうに扱える開発環境を最初から利用できれば理想的なのですが、さまざまな事情でそれがかなわないことがあります。その際には、複合主キーを含めてオーソドックスにデータモデリングした後で、次章で説明する「正規化崩し（サロゲートキーの導入）」を実施してください。開発環境が強制するままに最初から単独主キーだけで設計すれば、よほど単純なデータ構造を扱うシステムでない限り、運用時にデータの不整合に悩まされる羽目になるからです。そして、正規化されたモデルを確立しない限り、それを意図的に崩すこともできないからです。

ポイント4　データ管理される事象の中には、単独の項目で出来た「単独主キー」に関数従属するものと、複数の項目で構成される「複合主キー」に対して関数従属するものとが混在している。

名称やコードは主キーに向かない

さて、ここまでのモデルでは「名称」を主キーとしていましたが、じつはこの方針には危ういところがあります。なぜなら名称は変化し得るからです。第1章では“鉋K184”の商品名が変更されました。倉庫台帳上の“店舗倉庫”も、その後に店舗が増えたときに“本店倉庫”などに変更したくなるかもしれません。

そこで導入される項目が「コード」です。「商品名」とは別に「商品コード」や「商品番号」といった符牒のような項目を設け、これを主キーとします。その方針にもとづいて作り変えたモデルを見てください（商品Cは商品コードを表します）。これで商品名は自由に変更できるようになりました。

図2-4　コードを使った商品と取引簿のモデル

取引見出し　{伝票番号},　取引日,　取引区分, …

伝票番号	取引日	取引区分
0384	1703/07/10	仕入
0389	1703/07/11	販売

取引明細　{伝票番号, 行番},　商品C,　取引金額, …

伝票番号	行番	商品C	取引金額
0384	01	10TORA30	9,500
0384	02	10TORA50	11,000
0389	01	10TORA50	15,000
0389	02	20TAKA10	12,000

商品　{商品C},　商品名,　品種区分, …

商品C	商品名	品種区分
10TORA30	寅屋30番鋸	10(鋸)
10TORA50	寅屋50番鋸	10(鋸)
20TAKA10	高田屋10番鉋	20(鉋)

この例での「商品コード」のコード体系は、最初の2桁が「品種区分*1」を表し、その後の6桁が商品の略称となっていて、ユーザには比較的覚えやすいはずです。とくにその職場で長い間働いてきたユーザには便利なものでしょう。ところが新人ユーザやネットユーザにとっては、そのようなコード

＊1　本書で「××区分」と言う場合、126ページで説明する「システム区分テーブル」上でその値が定義されていることを表します。品種区分であれば、たとえば“10”の区分値に“鋸”の区分名称が対応する、といった形で登録されます。

体系は覚えきれません。彼らは商品コード以外の手がかりを使って、商品を探索したがるはずです。しかもコード体系が「品種区分＋略称」になっている点も問題含みです。ベテランユーザにとって覚えやすい体系であるいっぽう、商品名が変わり得ることを考えると、商品コードもそれに合わせて変化し得ることになります。ユーザにとっての覚えやすさと値の不変性は一般に両立しません。

そこで導入される項目が「ID」です（図２−５）。商品を唯一特定するための手がかりである点では「商品名」や「商品コード」と変わりませんが、「商品ID」の特徴は「不可視（ユーザの目に触れない）」という点です＊2。

図2-5　IDを使った商品と取引簿のモデル

このモデルで、商品名と商品コードがそれぞれ｛　｝で囲まれているいっぽうで、アンダーラインがない点に注意してください。それらはテーブルの主キー（Primary Key, PK）に対比して「二次キー（Secondary Key, SK）」と呼ばれます。これまで説明したように、主キーには「ユニーク制約」と「更新不可制約」が付与されます。いっぽう二次キーにはユニーク制約が付与されますが、更新不可制約は強制されません。主キーと二次キーを合わせて「１件を選び出すためのキー」という意味で「候補キー（Candidate Key）」と呼ばれ、候補キーの中でもっとも「格」が高いものが主キーです。テーブル

＊2　本書では他に番号やNo.の表現も現れますが、コードや番号はマスター系の主キー、No.はトランザクション（取引）系の主キーの項目名に使われています。コード、番号、No.の値はユーザが記憶してUI上で扱われる可能性がありますが、IDの値はユーザの目に触れることはありません。ただし、ID、コード、No.をこのように使い分けるのは、本書だけの（あまり厳格でない）ルールくらいに考えてください。

は主キーを１個持ち、それ以外に候補キーがあるならば、それらはすべて二次キーとみなされます。

では、商品IDのように「ユーザの目に触れない主キー」はいったいどんな役目を果たすのでしょう。モデル上で示されているように、商品IDは「他のテーブルとの関連を維持するため」に存在します。商品名や商品コードにユニーク制約が付与されているとしても、その値が変化し得るゆえに、テーブル関連の基礎にはなれないからです。

それゆえ、ユーザによる商品の検索操作は以下のようになされます（図２-６）。まず手慣れたユーザであれば、商品コードの値を直接入力して、お目当ての商品を特定するでしょう。いっぽう新人ユーザであれば、商品一覧を開いて商品を探索するでしょう。どちらのやり方でも、いったん商品レコードが特定されたなら、結合[*3]等のテーブル操作は不可視な主キー（商品ID）にもとづいて進められます。このように主キーと二次キーとが連係するやり方は、現実の業務システムにおいてよく用いられます。

図2-6　商品コードを入力するか、商品一覧用ボタンを押す

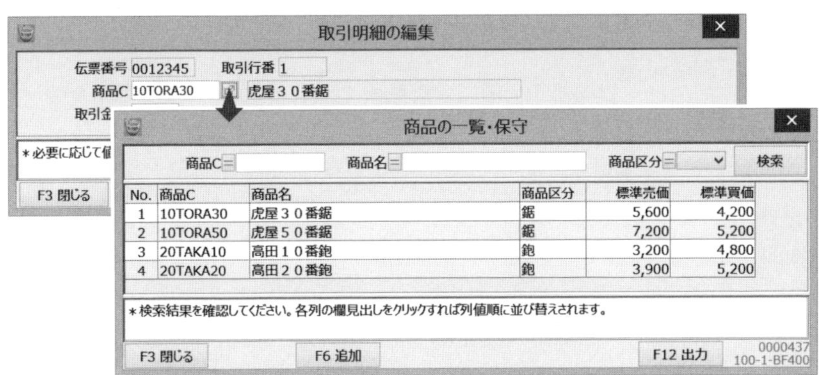

ただし、どんなテーブルにも不可視項目を導入してそれを主キーにすればよいという話ではありません。二次キーを使いながら不可視な主キーで関連テーブルを操作するには、アプリの連係がそれなりに複雑になるからです。したがって、「値がユニークであり、かつ不変」であるような項目を想定できるなら、それを可視的な主キーにしてもかまいません。たとえば「倉庫」

＊3　テーブル関連にもとづいて、あるテーブル上のレコードにおけるフィールド値を手がかり（参照キー）として他のテーブル上のレコードを読み出すことを「結合操作」といいます。ここでは、選択された商品レコードの商品IDで商品名等を読み出すことに相当します。

は、件数がそれほど多くなく、しかも現実の事物にしっかり対応しています。そのような対象について可視的な倉庫コードを想定して“SHINAGAWA”, “ASAKUSA”, …といった値を付与したとしても、その値が変化する可能性はほとんどありません。そういうものであれば、主キーにしても問題がないわけです。倉庫内の区画番号も同様です。

では、コード項目とID項目を付加した形で、『かね玄』のデータモデルを作り変えてみましょう（図２−７）。現実のデータベースはほとんどこのように作られているので、これ以降ではこのスタイルで示します。なお、このモデルにおける在庫の扱いは意図的に簡略化されています。在庫については第９章で詳説します。

図2-7　ID項目が導入された『かね玄』のデータモデル

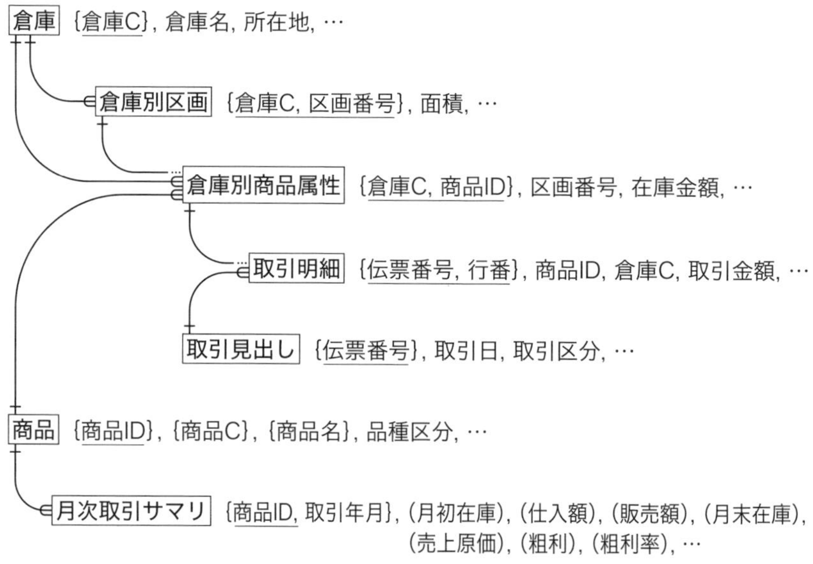

ポイント５　「名称」やある種の「コード」は、それらが変化する可能性があるゆえに、マスター系テーブルの主キーとしては向いていない。いったん値が与えられたらレコードが削除されるまで変化しない項目が主キーには向いている。

定義域制約

もう一度、図2-7を見てください。「倉庫別区画テーブル」上の「(区画の) 面積」は「倉庫コードと区画番号の組み合わせ」に関数従属していることがわかります。ここで、区画の面積を管理する必要がないとしましょう（たとえば区画が常に同じ広さであるとすれば、面積情報を保持する意味はありません)。そこで面積をはずしてみると、倉庫別区画テーブル上には属性項目が1個もないことになります。そのようなテーブルに果たして意味はあるのでしょうか（図2-8）。

図2-8　属性項目を含まないテーブル「倉庫別区画」を含むモデル

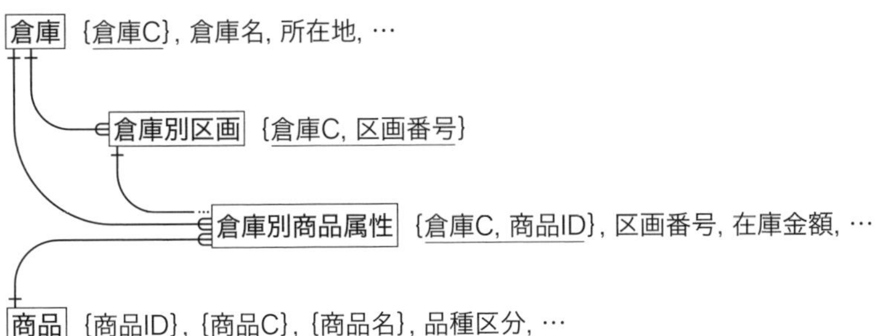

属性項目がないゆえにそのテーブルを保持する意味はない、というケースはあるでしょう。しかし常にそうとは限りません。このシステムでは「それぞれ倉庫にどんな区画があるかはあらかじめ決まっている」というルールがあるゆえに、属性項目がなくても「倉庫別区画」が要請されます。

それにしても、ちょっと不思議に思われないでしょうか。テーブル上の属性項目は、主キーに関数従属するものとして置かれています。これまでの説明では関数従属性というものは、テーブルのひとまとまりを切り出すためのきっかけになっていました。ところが、属性項目を持たない「倉庫別区画」であっても、存在する意義のあるテーブルだというのです。

これはつまり、テーブルのまとまりを切り出すきっかけは「関数従属性」

だけではないということです。主キーにはもともと「意味のある値の一覧が保持される」という役割があって、これを「定義域（ドメイン）制約」といいます。すべての主キーが一義的には定義域制約を規定するために存在し、その中の一部がたまたま関数従属する属性項目を伴っている、ということです。とはいうものの、ほとんどの主キーは関数従属する属性項目を伴っていると考えてかまいません。関数従属性はテーブルを切り出すための決定的な手がかりですが、手がかりは他にもあることをここでは理解しておいてください。

ポイント6　「主キーが取り得る値（変数域、domain）」を規定するためにテーブルは存在する。主キーに対して関数従属する項目が存在するのは偶然である。

条件付きの関数従属性と派生関係

さて、これまでに登場した関数従属性は「無条件」に成立するものでしたが、いつもそうとは限りません。図2-9を見てください。

図2-9　取引先、仕入先、得意先の関係

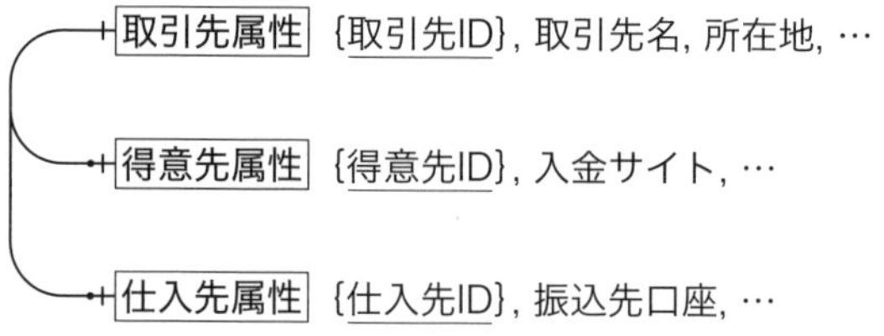

取引先属性　{取引先ID}, 取引先名, 所在地, …

得意先属性　{得意先ID}, 入金サイト, …

仕入先属性　{仕入先ID}, 振込先口座, …

得意先の属性である「入金サイト」とは、売上計上されてから入金されるまでの日数を意味します。入金サイトは取引先IDに関数従属しますが、それが成立するのは「取引先が得意先である場合」に限ります。そのような属性は他にもあって、それらをまとめて「得意先属性」として、基本となる「取引先属性」のテーブルとは別に切り出せます。仕入先属性も同様です。

このような「条件付き関数従属性」にもとづくテーブル関連を「派生関係」といいます。切り出された（つまり派生した）テーブルは「サブタイプ」と呼ばれ、この例での得意先属性や仕入先属性（サブタイプ）から見た取引先属性は、「スーパータイプ」と呼ばれます。そして、サブタイプから見たスーパータイプの多重度は「1対1」で、スーパータイプから見たサブタイプの多重度は「1対1または0」ということになります。主キーは同一のものが与えられます。

「スーパータイプとサブタイプの主キーは同一」と説明しておきながら、この例ではそれぞれのテーブルの主キー項目の名称が異なっています。以降で示すモデルからもわかるように、開発実務上そのほうが扱いやすいためです。また、取引先ID、得意先ID、仕入先IDが取り得る値（変数域）が異なることを考えると、それらの表現が違っているのは自然なことです。図2-10で示すように、取引先IDが取り得る値の集合と、得意先ID、仕入先IDのそれぞれが取り得る値の集合との関係は、全体に対する部分集合ということになります（この例ではそうなっていませんが、複数の部分集合が相互排他の関係をとることもあります）。

図2-10　各項目が取り得る値の集合の関係

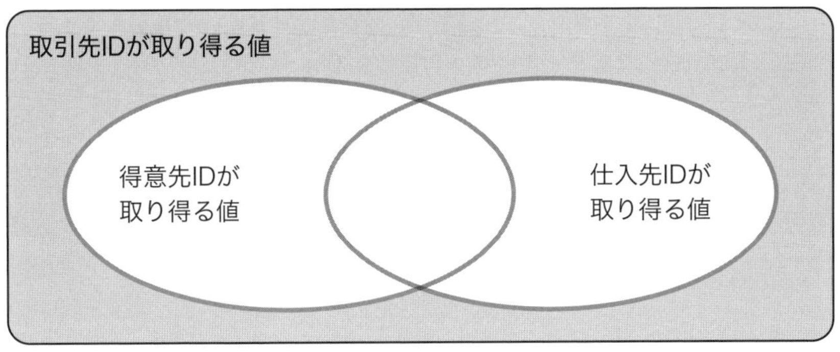

さて、これまで登場したテーブル関連は、親子関係、参照関係、派生関係の3種類で、これらを筆者は「データモデルの基本的なトポロジー（幾何学

的位相)」と呼んでいます。実際のデータモデルは、どんなに複雑そうに見えてもこれらのトポロジーを組み合わせたものでしかありません。復習のために、これらをすべて含むモデルの例を示しておきます（図2-11）。現時点では、このモデルの具体的な意味を理解する必要はありません。図中で示されているように、項目の対応関係とそれにもとづく関係性を理解すればじゅうぶんです。

図2-11　親子関係、参照関係、派生関係を含むモデルの例

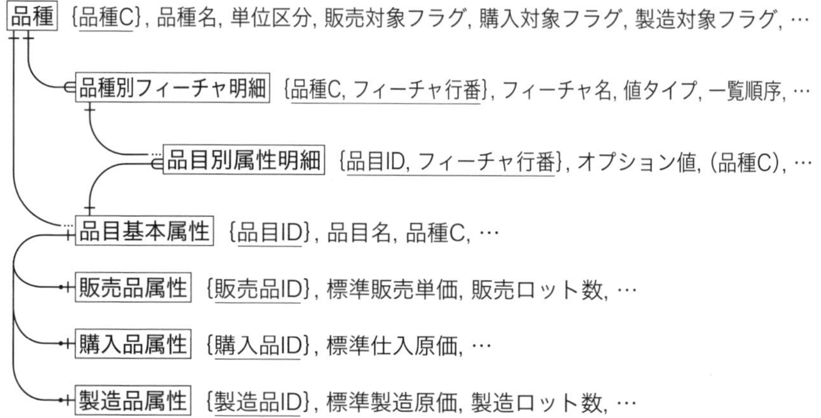

ポイント7　どんなに複雑に見えるデータモデルでも、テーブル間の関係には親子関係、参照関係、派生関係の３種類しかない。それらを理解するだけで、データモデルの読解力は確実に高まる。

第3章

正規化と正規化崩し

本章では、データモデリングの数学的根拠である「関数従属性」やその周辺について理解していきます。前章では主キーについて学びましたが、それはまさにシステム化される現実における複雑な関数従属性を捕捉するための基礎となります。とはいえ、議論として多少混み入っているため、読者がデータモデルの「書き手」ではなく「読み手」であるならば、この章は飛ばしてもらってかまいません。

「意味」から離れて考える

ここで、データモデル上のデータ項目を「記号」に置き換えてみましょう。これによって、データ項目の具体的な意味から離れ、データ構造をより形式的に見られるようになるし、データモデルのパターンとして応用しやすくなるからです。

『かね玄』のモデルの一部にもとづく関数従属性を並べてみました。これらが事実として間違っていないとすれば、データモデリングとはこれらの論理関係にもとづいてデータ項目を機械的にグルーピングするだけの作業でしかありません。その過程で各項目の具体名は、意味のない記号とみなせます（図3-1）。

つまり、こういうことです。関数従属性を洞察するためには、項目の具体的な意味の理解が欠かせません。しかし、いったん関数従属性を見出してしまえば、項目の意味を忘れてその表現を記号的に扱えます。そのように「文脈依存の世界」と「文脈非依存の世界」とを自在に行き来することが、データモデリングの面白さであり、難しさでもあります。じっさいのところデータモデリングにおいて、データ項目の具体的な意味を理解する過程と、具体的な意味から離れて形式を検討する過程とがほぼパラレルに進行します。そのためには、項目の意味と記号としての論理関係を同時に意識する必要があります。

ただしこれは、データ項目の表現（名前）をいい加減にしていいということではありません。データモデルが低品質である理由のひとつは、含まれる項目の表現がわかりにくい点にあります。業務の現場で昔から使われていたとしても、特殊な業界用語でもない限り、わかりやすい表現に積極的に置き換えてゆくべきです（現行ユーザにとって違和感があっても、はるかに人数が多い未来のユーザには抵抗なく受け入れられます）。また、新しい項目が必要になるのであれば、簡にして要を得た名前をあてがわねばなりません。その際に求められるのが豊かな語彙や言語センスです。データ項目に関して、文脈から離れて記号として眺められると同時に、項目の意味あいを支えられ

図3-1 データ項目を記号化する

＜関数従属性＞

{商品ID}→商品C　{商品ID}→商品名　{商品ID}→品種区分
{倉庫C}→倉庫名　{倉庫C}→所在地
{倉庫C, 区画番号}→面積
{倉庫C, 商品ID}→区画番号　{倉庫C, 商品ID}→棚卸金額

＜データモデル＞

倉庫 {倉庫C}, {倉庫名}, 所在地, …
倉庫別区画 {倉庫C, 区画番号}, 面積, …
倉庫別商品属性 {倉庫C, 商品ID}, 区画番号, 棚卸金額, …
商品 {商品ID}, {商品C}, {商品名}, 品種区分, …

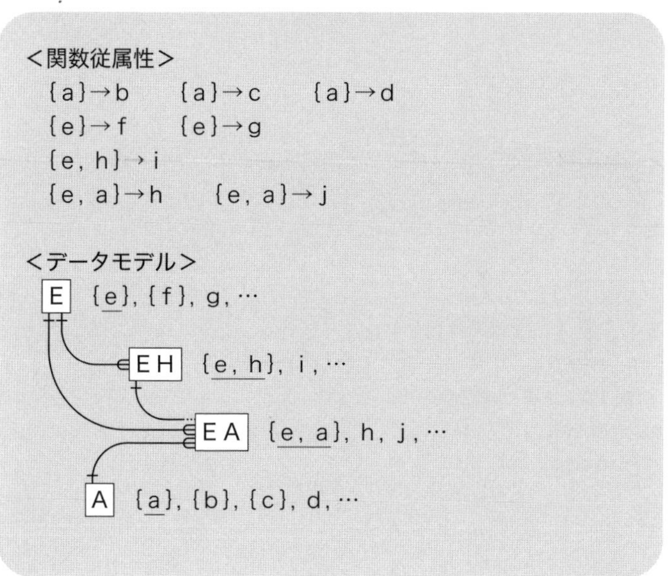

る的確な名称を思いつけることが、システム設計者に求められる職業適性だと筆者は考えています。理系的センスと文系的センスの両方が求められるといってもいいでしょう。

「禁止」される関数従属性

さて図3-2では、単純なモデルとそれに含まれる関数従属性が一覧されています。それらは「成立すべき関数従属性」ですが、それ以外の組み合わせは「成立すべきでない関数従属性」です。たった4個のデータ項目しか含まれないのに、それらの組み合わせのほとんどが「成立すべきでない関数従属性」です。この意味で、データモデルは「成立すべき関数従属性の規定」と言うより、むしろ「成立すべきでない関数従属性の禁止」を示す図面と言っていいものです。

図3-2　データモデルと成立すべき／成立すべきでない関数従属性

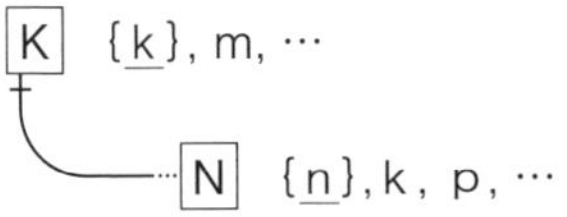

K　{k}, m, …

N　{n}, k, p, …

＜成立すべき関数従属性＞

{k}→m
{n}→k
{n}→p

＜成立すべきでない関数従属性＞

{k}→n　{k}→p　{m}→k　{m}→n　{m}→p
{n}→m　{p}→k　{p}→m　{p}→n
{k, m}→n　{k, m}→p
{k, n}→m　{k, n}→p
{k, p}→m　{k, p}→n
{k, m, n}→p　{k, m, p}→n
{k, n, p}→m　{m, n, p}→k

図3-2の「成立すべきでない関数従属性」に分類された関係｛n｝→mは、ちょっと毛色が変わっています。｛n｝→kと｛k｝→mが「成立すべき関数従属性」であるなら、必然的に｛n｝→mも「成立すべき関数従属性」ではないのでしょうか。たしかにそれはある種の関数従属関係ではあるのですが、この関係はとくに「推移的関数従属性」と呼ばれ、テーブルを切り出す際の根拠としては除外されます。

その理由を説明するために、データ項目をいったん具体的なものに置き換えてみましょう（図3-3）。仕入実績と商品マスターとが参照関係で置かれています。現実のモデルに似せるために属性項目が増えていますが、形式的には図3-2と変わりません。

図3-3　具体化されたデータモデル

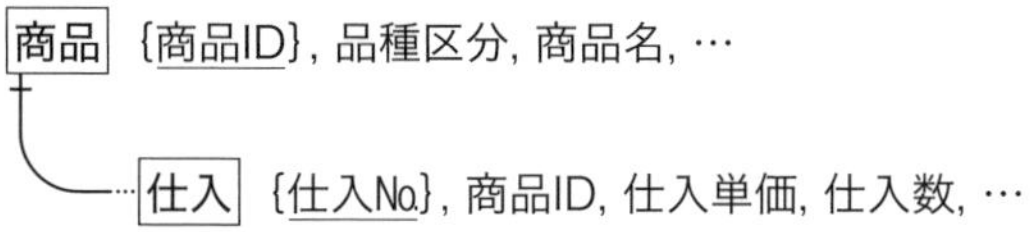

```
商品 {商品ID}, 品種区分, 商品名, …
 |
 └…仕入 {仕入№}, 商品ID, 仕入単価, 仕入数, …
```

n→mに相当する関係は「仕入№→品種区分」に相当しますが、この関係が正当な関数従属性であるなら、データモデルは次のように書き換え可能なはずです。

図3-4　アノマリーが疑われるデータ状況

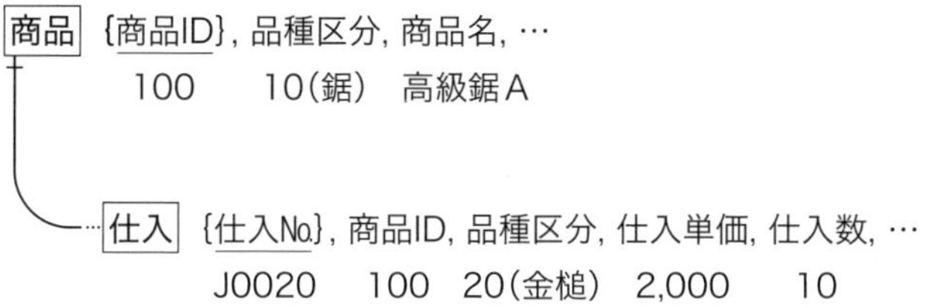

```
商品 {商品ID}, 品種区分, 商品名, …
      100      10(鋸)   高級鋸A
 |
 └…仕入 {仕入№}, 商品ID, 品種区分, 仕入単価, 仕入数, …
        J0020   100   20(金槌)  2,000    10
```

ところが、このモデルをデータベースとして実装すると、図3-4に添えたようなデータ状況が生じ得ます。商品テーブル上では商品ID“100”の商品の品種は“鋸”でありながら、同じ商品の仕入を記録した仕入レコード上では“金槌”になっています。これはどちらを信用すればいいのかわからない状況、すなわちアノマリー（更新時異状）です。仕入テーブルにとっての品種区分は、仕入テーブルの属性である商品IDにもとづいて推移的に関数従属しています。ゆえにそれを仕入テーブルの属性として置くべきではありません。ようするに「推移的関数従属性」をデータモデリングの基礎にすべきではないということです。

スナップショット属性

ただし厳密に言うと、このデータ状況が常にアノマリーであるとは断言できません。仮に仕入テーブル上の品種が「仕入時におけるその商品の品種」の意味であったとすれば、現在の商品レコード上の品種と違っているとしてもアノマリーではない。このような属性項目はとくに「スナップショット属性」と呼ばれ、現実のデータベース設計でときどき利用されます。仕入が起こった時点での商品の属性（それは長期的に変化し得ます）を「スナップショット（その時点での値）」として保持しておくことで、過去の取引データを分析・集計する際に便利に使えるからです。例えば売上履歴（228ページ参照）に「標準売価」が置かれることがあります。売上計上のタイミングで複写しておくことで、実売価とその時点での標準売価を正確に比較できます。

それにしても問題は残ります。仕入テーブル上の品種がスナップショット属性なのか、商品テーブル上の品種と連動した項目（つまり推移的に関数従属している項目）であるかがモデル上曖昧な点です。上のようなデータ状況が生じたとしても、それがアノマリーかどうかわからないとしたら、データモデルの読み手を不安にさせます。

そういうわけなので、スナップショット属性であればその旨の注釈を付加しておくか、図3-5のように「仕入時品種区分」のような表現にしておくべきだし、推移的な関数従属にもとづく項目であるならばそこに置かないか、「論理フィールド」として置くべきです。いずれにせよ、推移的関数従属性は慎重に扱われるべきもので、これにもとづいて安直にDB設計すべきではありません。

図3-5　スナップショット属性

商品　{商品ID}, 品種区分, 商品名, …

仕入　{仕入No.}, 商品ID, 仕入時品種区分, 仕入単価, 仕入数, …

導出型関数と枚挙型関数

関数従属性のさまざまな側面を見てきましたが、また少し違った角度から眺めてみましょう。たとえば次のような関数があったとしましょう。①の関数において出力値yは入力値xに関数従属しているし、②では出力値zが入力値xとyの組み合わせに関数従属しています。

y＝F（x）＝2x＋3……①
z＝F（x,y）＝2x＋3y＋4……②

これらの関数の入力値に対して正しい出力値を得るための「機械」を実装することを考えてみます。やり方は大きく分けて2種類あります。まずは、必要な計算手順を、関数電卓などのコンピュータ上でプログラミングするやり方（導出型）。もうひとつは、入力値に対応する出力値の組み合わせ（リレーション）を用意して、機械に組み込んでしまうやり方（枚挙型）です。①や②の関数は導出型として実装できます。ただし入力値の数が限られているのであれば（たとえば「1000までの正の整数」とか）、リレーションを用意して枚挙型として実装することはそれほど難しくはありません。いったん出来上がれば、機械のふるまいからどちらの方式で作られているかを見破ることは事実上不可能です。

それにしても枚挙型は、上のような関数を実現するための方法としてはひどく強引に思えるかもしれません。しかし、以下のような関数を実現するためにはどうでしょう。これらについては、枚挙型でしか実装できません。

y＝F（x）＝西暦x年における東京の平均気温……③
y＝F（x）＝x歳の頃のさっちゃんが一番好きだった人の名前……④
y＝F（x）＝商品IDがxであるような商品の品種……⑤
y＝F（x）＝受注№がxであるような受注の商品ID……⑥
z＝F（x，y）＝西暦x年における都市yの平均気温……⑦
z＝F（x，y）＝x歳の頃のyちゃんが一番好きだった人の名前……⑧
z＝F（x，y）＝商品xを倉庫yに保管する際のロケーション……⑨
z＝F（x，y）＝商品xを仕入先yから購入する際の仕入契約単価……⑩

たとえば③における入力値xの値をどう操作・加工しても、出力値yの値（西暦x年における東京の平均気温）が導けるわけではありません。xに対してyの正確な値を得るための機械を実現するには、xとyの組み合わせの一覧を基礎とする他に手がありません。④〜⑩も同様で、これらはすべて「枚挙型」の関数従属性にもとづいています。

業務システムに関わる関数従属性について見れば、おそらく8割方が枚挙型であるといっていいでしょう。現実に存在する関数従属性にもとづいて入力値から出力値を得るための機械を実装するための方式として、導出型はどちらかといえば少数派です。導出型の基礎となるロジックを部分的に含みつつも、比較的多数の枚挙型が組み込まれて出来上がっている。それが現実のDBシステムです。この意味でDBとは、本来は数学的な関係である「関数」を現実世界に適用することで実現された技術といえます。

動的参照関係

導出型関数を基礎とする項目は、前述したように「導出（derivable）フィールド」や「論理（logical）フィールド」、あるいは「仮想（virtual）フィールド」と呼ばれ、システムに組み込まれる際には物理的実体のないフィールドとして扱われます。他の項目値を使って必要に応じて導出できるので、物理的に値を保持する必要がないからです。物理的に保持する必要がないというよりは、保持すべきではありません。導出して得られるはずの値と矛盾する値が書き込まれる可能性があるからです。

論理フィールドは、DB上で物理的に実装されないにもかかわらず、データモデル上で重要な役割を果たします。まず、第1章（22ページ）で触れたように、論理フィールドがそのモデルの最終的な目的を表す場合があります。実在しないからといってそれらを載せないとすれば、モデルの目的がわからなくなります。

もうひとつの効果として、論理フィールドを用いて参照関係を構成することで、テーブル間の関係が俄然豊かになる点が挙げられます。典型的な例を見ましょう（図3－6）。受注テーブルと得意先別値引率テーブルの関係に注目してください。値引率は受注レコード毎に決まりそうなので、受注テーブルと得意先別値引率テーブルとの間には関係があるような気がします。ところが受注テーブル上には品種区分がないので、{得意先ID, 品種区分} を主キーとする得意先別値引率テーブルとの間に関連線を引けません。

図3-6　受注と得意先別値引率の関係は？

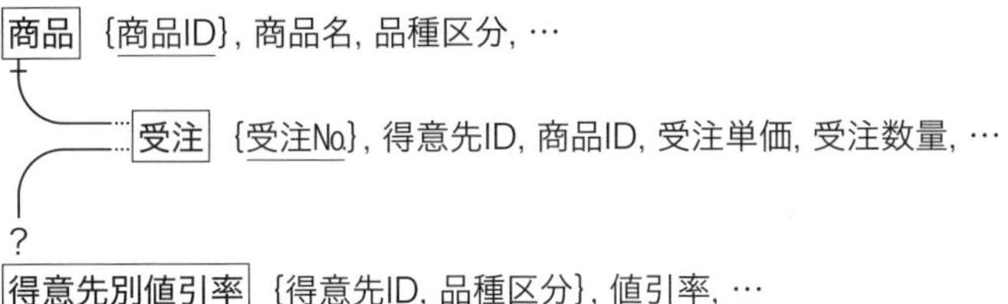

このような場合、受注テーブル上に品種区分を論理フィールド（商品IDで商品テーブルから得られる）として置いたうえで、参照関係を引きます。受注テーブル上にふつうに品種区分を置いてしまうと推移的関数従属、すなわち正規化違反とみなされますが、物理的な実体を伴わない論理フィールドとして置くのであれば許容されます。それを参照キー（外部キー）に含めることで、受注テーブルと得意先別値引率テーブルとの間に参照関係が引けます。19ページの図1－4で示した「取引年月」の論理フィールドも同じ役割を果たします。

図3-7　論理フィールド（品種区分）を参照キーに含める

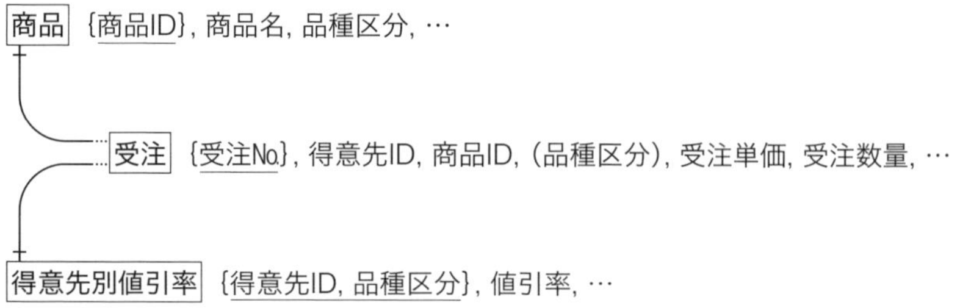

このような、論理フィールドを基礎として成立している参照関係のことを筆者は「動的参照関係」と呼んでいます。参照先レコードにたどりつく際に「動的な手続き」を伴うためです。この場合であれば、受注レコードを取得した後に商品テーブルを検索して品種区分を確保することで、ようやく値引率を取得できるようになります。動的参照関係は第５章以降で紹介するさまざまなモデルでも活用されており、この技法を使わないとしたら、データモデルはずいぶんと平板なものになってしまうでしょう。

なお、読者がRDBやSQLに詳しいとしたら、論理フィールド、動的参照関係、更新不可制約といった要素を通常のDDL（テーブルそのものを作成・更新するためのSQL命令のこと）では組み込めないことをご存じでしょう。じつはデータモデルが表す論理的な要件（データ要件）は、現在のRDBやSQLによってすべて取り扱えるわけではありません。良くも悪くもデータモデルはRDBを超えています。ここらへんの捉え方については、コラム２「データモデルとシステム要件」を参照してください。

正規化のための３つのルール

ではいよいよ、本章のテーマである「正規形」と「正規化崩し」について学びましょう。DB設計の教科書では「第一正規形」、「第二正規形」、「第三正規形」といったDB構造の「正しさのレベル」が説明されています。それらは厳密ではあっても、せいぜい資格試験に通るための字面の知識でしかなく、開発現場で意識されることはまずありません。じっさいのところ、「えーっとこれは第二正規形だな。まだ正規化の余地があるな」などと考えていては仕事になりません。

そこで本書では、システム設計の実務で役立つ「正規化のための3つのルール」を説明します。これらのシンプルなルールに従うことで、データモデルは実務上じゅうぶんな正規形になります。それぞれを説明しましょう。

・入れ子構造の排除
・不要な関数従属性の排除
・有効な識別子の網羅

(1) 入れ子構造の排除

フィールドは単一のデータを保持するものでなければいけません。図3-8で示すように、商品コードの1〜2桁目が「商品区分」で3〜4桁目が「荷姿区分」などといった内部構造があるなら、それらは独立したフィールドに分割してください。また、テーブル上に同一データタイプを持つフィールド(またはその組み合わせ)の繰り返し構造があるならば、別テーブルに切り出してください。

図3-8 入れ子構造を外に出す

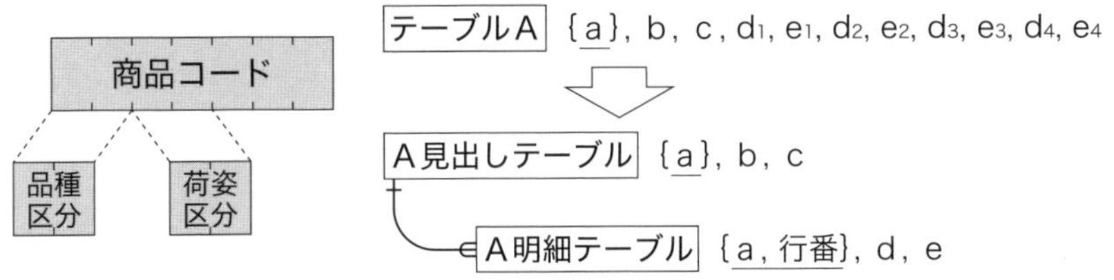

フィールド内の内部構造や、テーブル上の繰り返し構造をまとめて「入れ子構造」と呼んでいるわけですが、このような構造を許せばデータモデル上で形式的に扱われない項目の存在を許すことになります。繰り返し構造を許した場合には、図3-8で示した「行番[*1]」のような項目が扱われません。

＊1 行番とはこの例で言えば、dとeの新たな組み合わせに対して発生順に付与される数値項目のことです。繰り返し構造を解消するためにテーブルを切り出す際には、行番の他に「年月」等の期間系の項目が付与されることもあります。

また、繰り返しの最大件数を超えた場合に、テーブルの作り替えが必要になってしまいます。これらの問題を避けるために、入れ子構造は解消されなければいけません。

ただし、39ページでも説明したように、商品コードの各桁に何かの意味をあてがうこと自体は問題ではありません。ユーザがコード値を覚えやすくしたり、そこから商品の大まかな特性を手早く理解しやすくするためです。しかしその場合でも、桁を区切って内部構造を取り出して処理するようなアプリを設計すべきではありません。なぜならその種のコード体系は、遅かれ早かれ破綻するからです。コード体系はユーザ側に自由に決めてもらってかまいませんが、システム仕様はコード体系に影響を受けてはいけません。また、繰り返し構造の排除についても、繰り返し回数がじゅうぶんに少なければ、テーブル上の繰り返し構造は許容されると考えてかまいません。なんのかんの言っても「程度問題」と考える気楽さも必要です。

（2）不要な関数従属性の排除

50ページで説明したように、データモデリングは「“認識された関数従属性”をデータ構造に組み込む作業」であるよりも、むしろ「“認識された関数従属性以外の関数従属性”が成立しないことを保証する作業」です。高層ビルが崩壊しないように力学上適切に設計されている。そのことを建築士が保証する責任を負っているようなものです。

念のために、他の例を挙げておきます。以下のデータモデルにおいて“成立すべき関数従属性”はたった2通りで、それ以外の26通りは“成立すべきでない関数従属性”です。後者のいずれか1個でも成立していれば、そのデータモデルは現実を正しく写像していないとみなされます。一見するとシンプルであっても、“成立すべきでない膨大な関数従属性”を表しているという意味で、データモデルは想像以上に豊かな情報を含んでいます。これゆえ、自分が描いたデータモデルを客観的に眺める癖をつけましょう。とくにそのモデルが形式的に示す「成立すべきでない関数従属性」が本当に成立していないかどうかを疑ってください。

AB {a, b}c, d

<成立すべき関数従属性>
{a, b}→c {a, b}→d

<成立すべきでない関数従属性>
{a}→b {a}→c {a}→d {b}→a {b}→c {b}→d
{c}→a {c}→b {c}→d {d}→a {d}→b {d}→c
{a, c}→b {a, c}→d {a, d}→b {a, d}→c {b, c}→a
{b, c}→d {b, d}→a {b, d}→c {c, d}→a {c, d}→b
{a, b, c}→d {a, b, d}→c {a, c, d}→b {b, c, d}→a

（3）有効な識別子の網羅

関数従属性を伴わない変数域（ドメイン）に関する制約（ドメイン制約）に注意をうながすためのルールです。43ページでも簡単に触れましたが、正規化ルールの一環として重要なのであらためて説明します。

工作機械に関する制約について考えましょう。それぞれの機械毎に、「どの工程でどの品種を扱えるか」が決まっているとします。これはいかにもありそうな話です。新しい機械はより多くの工程を扱えるようになっていますが、現場には新旧の機械が混在するので、それぞれがどんな工程や品種を扱えるかが違ってきます。その具体的な組み合わせを調べると表3-1のようであることがわかったとして、それを図3-9の形をとるデータベースに登録できたとしましょう。

表3-1　機械と工程と品種の有効な組み合わせ

機械	工程	品種
123号機（M123）	工程R（010）	品種A（10）
123号機（M123）	工程R（010）	品種B（20）
256号機（M256）	工程R（010）	品種A（10）
256号機（M256）	工程R（010）	品種B（20）
256号機（M256）	工程S（020）	品種A（10）
256号機（M256）	工程S（020）	品種B（20）

図3-9　不適切なモデル

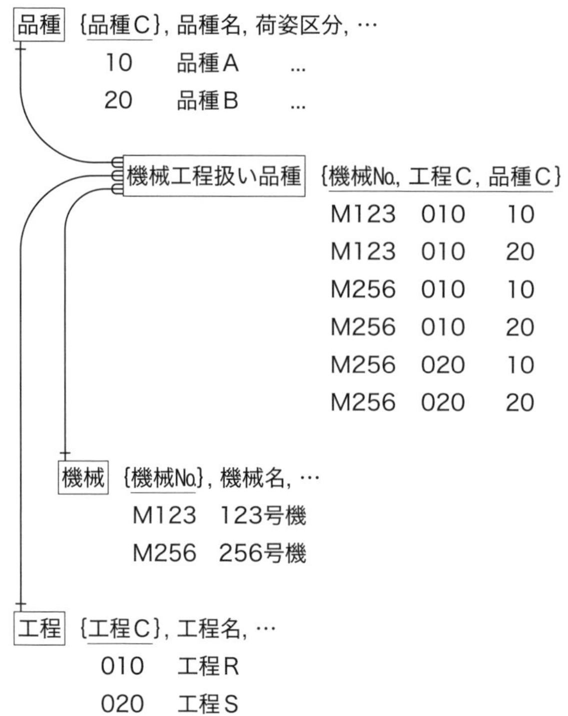

「機械工程扱い品種」のテーブルは属性を含んでいないので、このテーブルは「機械と工程と品種の扱い可能な組み合わせ」を保持するためだけに存在していることがわかります。このモデルやインスタンスを見る限り、上述の要件が正しく反映されているように見えます。

ここで、上述の「機械と工程と品種の組み合わせ」の他に、以下のような「機械と工程の組み合わせ」の制約が存在していたとしたらどうでしょう。

表3-2　機械と工程の有効な組み合わせ

機械	工程
123号機（M123）	工程R（010）
256号機（M256）	工程R（010）
256号機（M256）	工程S（020）

この場合、正しいモデルとインスタンスは次図のようになります。つまり、本来正しいモデルが次図であるとすれば、図3－9は十分に正規化されていないモデルということになります。図3－9では、図3－10で示されている「機械工程」の主キーで表されている定義域（ドメイン）制約が欠落しています。これが「有効な識別子が網羅されていない」ということです。

図3-10　適切なモデル

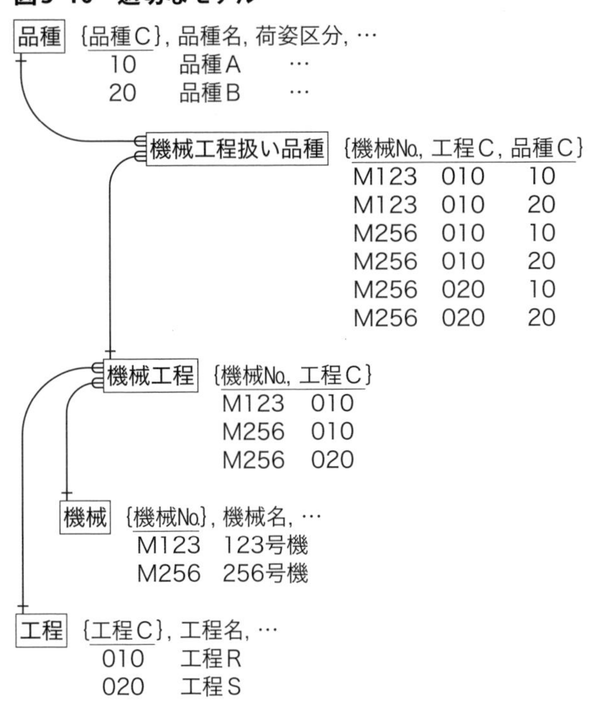

このように、「有効な識別子の網羅」は、「有効なドメイン制約に対してテーブル（主キー）が用意されているか」、また、「無意味なドメイン制約を規定するテーブル（主キー）が盛り込まれていないか」について注意喚起するためのルールです。必要なドメイン制約は定義され、不要なドメイン制約は定義されるべきではないということです。やや特殊ですが、気づかれにくい問題なので頭にとどめておいてください。

正規化崩しの３パターン

いったん確立された正規形をあえて崩すこと、それが「正規化崩し」です。苦心して得られたはずの正規形を、なぜわざわざ崩すのでしょう。それは、レスポンス確保やキー操作の簡素化といった効果が得られるからです。ただし、正規化崩しにはやっかいな「報い」が伴うため、慎重に進めなければなりません。それゆえ基本的に「高等テクニック」として行使するようにしてください。代表的な３つのパターンについて見ていきます。

（１）論理フィールドの物理化

まず、日常的な正規化崩しの例が「論理フィールドの物理化」です。論理フィールドとは、その値が「他のフィールドの値から一定の手続きで導出可能」であるようなフィールドのことでした。この「一定の手続き」がデータ操作のレスポンスを低下させることがあります。２つの例で説明しましょう。

図3-11　結合操作を伴う論理フィールド

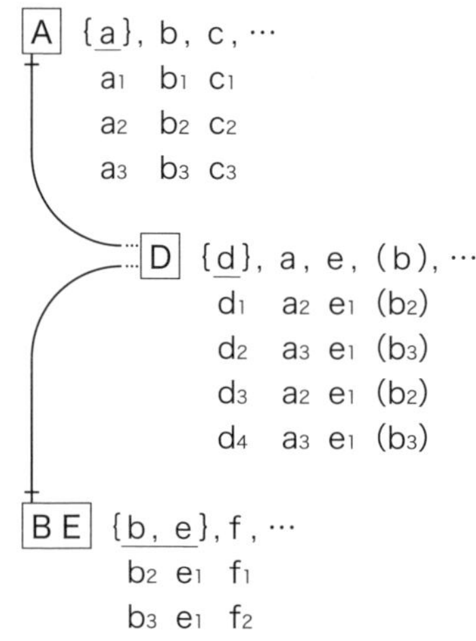

図3-11のDテーブルとBEテーブルの間の参照関係には、Aテーブルから継承される論理フィールドbが関係しています。このとき、BEテーブルの特定レコードに対して、Dテーブル上の関連レコードを複数件検索するという操作を考えてみましょう。各テーブルに膨大なレコードが保持されているとすると、その検索過程にはそれなりの時間がかかるはずです。Aテーブルを結合しないと、DのレコードがBEのレコードに関連するかどうかわからないからです。この場合、Dテーブルの論理フィールドbを「テーブルAからの継承属性」として物理的に置くようにすれば、検索操作を高速化できます。

2つ目の例での論理フィールドcは「関連するDレコードの数値フィールドeを合算した値」だとします。この場合、2つのテーブルに膨大なレコードが保持されているとすると、Aレコードを一覧する際のレスポンスの悪さが懸念されます。そこで集計項目cをAテーブル上に物理的に置いて、あらかじめ集計しておいた値を記録するようにすれば、Aレコードの読み取りは高速化されます。

図3-12　合計操作を伴う論理フィールド

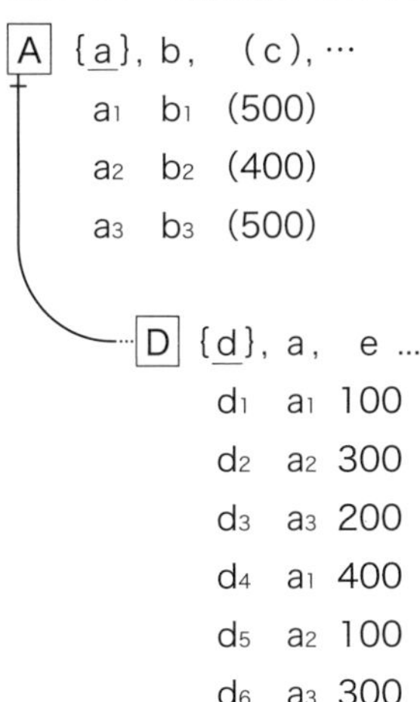

データモデルというものは良くも悪くも、「無限のシステムリソースを持つ理想的なコンピュータ」の利用を前提にしています。そのため、データモ

デルどおりに実装するとレスポンスが低下することがあります。これを避けるためになされるのが「正規化崩し」です。

ただし、正規化崩しには「報い」が伴います。図３-11では、テーブルＡの項目ｂの値が更新された場合には、関連するＤレコード上のｂも確実に更新しないと不整合が起こります。図３-12では、Ｄテーブルのデータ状況が変わったときには、関連するＡレコードを確実に再集計しなければ、やはり不整合が生じます。一般に、正規化崩しをすると読取操作のレスポンスが向上するいっぽうで、更新系ロジックが複雑化します。更新仕様の複雑化にともなってバグも組み込まれやすくなるため（読取仕様のバグに比べると更新仕様のバグは致命的です)、正規化崩しをするほど更新時異状が生じやすくなる傾向があります。ここらへんを勘案しながら、論理フィールドの物理化はなされなければなりません。

なお、「真面目に正規化するとレスポンスが悪くなるから、自分は正規化しない」という主張を聞くことがありますが、正規形を認識しないままの非正規化であってはいけません。正規形を「意図的に崩して報いを仕様化する」ことが肝心であって、「最初から崩れている」のではDB設計の仕事をまっとうしたことにはなりません。

（２）サロゲートキーの導入

２つ目の正規化崩しのパターンが「サロゲートキーの導入」です。前述したように、ある種の開発環境は複合主キーの利用を禁止しており、そういった環境を利用する場合には、この正規化崩しが必須です。これに限らず、意図的に複合主キーを単独主キーに置き換えることもあります。ただし、この正規化崩しによって、ユニーク制約の付与やフィールド値に対する更新禁止といった措置が必要になることをしっかり理解しておきましょう。

次図は、テーブルACEの複合主キー｛a，c，e｝を、単独主キー｛j｝に置き換えた例です。こうすることで、テーブルACEの取り回しが楽になります。とくにACEがこれら以外のさまざまなテーブルの間で関連を持つ場合には、キー構成の複雑化を広域で低減する効果があります。そのように導入される単独主キーを「サロゲート（代理）キー」といいます。

図3-13　複合主キーをサロゲートキーに置き換える

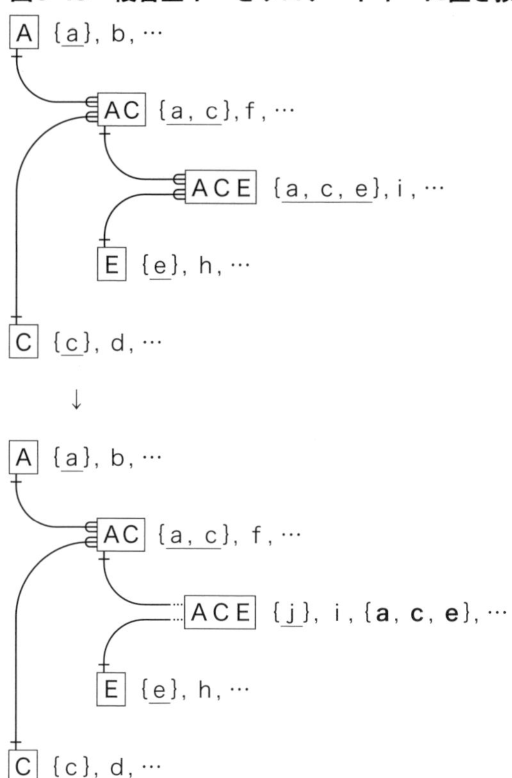

サロゲートキーを含むテーブルACEで、a，c，eにユニーク制約が付与され、かつ太字で示されている点に注意してください。本書のデータモデルにおいて属性項目が太字で示されている場合、「強属性」といって「レコードが追加されてから削除されるまで、値が変更されることを許さない属性」であることを示します。

すなわちサロゲートキーを導入すると、（1）もともとの複合主キー項目に対するユニーク制約の付与、（2）もともとの複合主キー項目に対する更新不可制約の付与、という2つの「補填」が強制されます。これを無視すると、さまざまな不整合が気づきにくい形で生じます。

やっかいなことに、実際のサロゲートキーの導入はこの例ほどわかりやすい形ではなされないため、「報い」はますます見落とされます。図3-14では

ACEのもともとの主キーには項目ｅの代わりに「行番」が含まれています。行番は｛j｝のサロゲートキーを導入すれば持つ必要はありません。また、｛a，c，j｝でユニークになることは｛j｝のみでユニークであるゆえに自明なので、主キー以外のユニーク制約を付与する必要もなくなります。それでもａとｃに対する更新不可制約はあいかわらず要請されているのですが、それらの値の更新を許すようなアプリが設計される事例が後を絶ちません。

図3-14　行番を含む複合主キーをサロゲートキーに置き換える

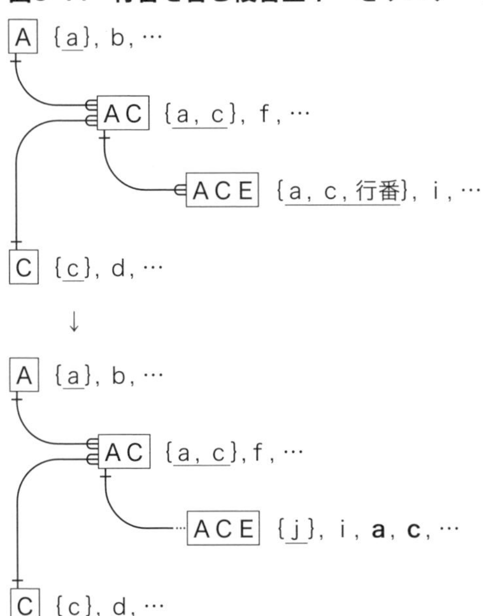

ACE上のａやｃの値が更新されるとどうなるのでしょう。とくにACEの主キー｛j｝を参照キーとして持つテーブルが多く含まれている場合、保守フェーズにおいて更新時異状が広域で多発するようになります。しかも更新時異状といっても「なんとなくおかしい」程度の印象を与えるものなので、原因もわからないし復旧も難しいという最悪のデータ状況に至ります。正規化崩しにおいてもっとも重要なのは、「正規形を認識したうえで、それを意識的に崩すこと」です。正規形を認識できていなければ、必要な「報い」を仕様化できないからです。

「正規化崩しにともなう報い」をこのように説明すると、「主キーを最初から単独主キーとして設定すれば、そのような面倒な問題は存在しない。ゆえに、複合主キーこそが問題の元凶である」と反論されることがあります。しかしそれは「面倒な問題を見ないで済む」だけの話で、問題そのものが消えるわけではありません。第５章以降で示すように、複合主キーを基礎とする関数従属性は世の中にはあまねく存在します。それを単独主キーだけでモデリングすれば「面倒な問題」は、考慮されなかったことによる「見えない呪い」として潜行し、システムの運用担当者やユーザ企業を長年苦しませることになります。

（3）テーブルの統合と抽象化

３つ目が「テーブルの統合と抽象化」です。正規化崩しの一種とはいえ、設計の現場で活用できる有用なパターンとしてじっくり理解してください。まずは、共通する属性項目を持つテーブルX,Y,Zを廃して、新たなテーブル１個にまとめなおした「統合」の例です（図３-15）。

図3-15 「統合」のパターン

X {x}, a, b, c, …

Y {y}, a, b, c, d, …

Z {z}, a, b, c, e, …

↓

I {i}, I区分, a, b, c, d, e, …

新たに設けられたテーブルＩの「Ｉ区分」には、そのレコードが本来であればX, Y, Zのどれなのかを表す値が設定されます。それだけでなく、Xの場合にはa，b，cのみに値が指定され、Ｙの場合にはa，b，c，dのみに値が指定され、Ｚの場合にはa，b，c，eのみに値が指定される、といった妥当性検査が仕様化されなければなりません。これらの報いはコストがかかるものですが、そのコストがテーブル数を減らすことの効果を下回ると判断できるのであれば、この正規化崩しは是認されます。

つづいて、共通する属性項目を持つテーブルX, Y, Zを残したままで、新たなテーブルを設ける「抽象化」の例です（図3-16）。テーブルX, Y, Zに同一の二次キー｛j｝が付与され、テーブルIとリンクされます（参照関係が構成されるという意味）。

図3-16 「抽象化」のパターン

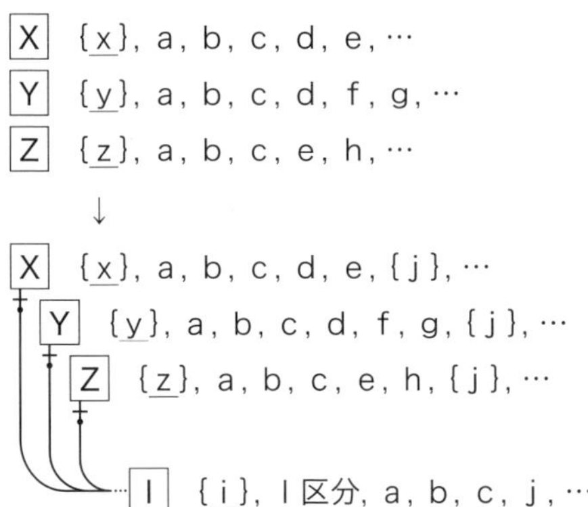

この場合、余計なテーブルが増えてしまうことになりますが、大きな効果があります。じっさい業務システムではよく見られるパターンで、第5章以降で受払履歴や受払予定等のモデリング例として登場します。業務上異質なテーブル群に対して同一のインタフェースを与えることで、さまざまな業務の動きが統一的な視点で眺められるようになります。「統合」では似通った業務データが1個にまとめられ、「抽象化」では異質な業務データに対する統一視点が与えられる、という違いです。

ではそもそも、データモデルを正規化崩ししたものとして提示することは適切なのでしょうか。つまり、データモデルはあくまでも「論理的なデータ要件」である正規形のみを示すべきであって、正規化崩しされたものは正統なデータモデルではないのでしょうか。唯一の答えがあるわけではないのですが、筆者はDB設計上の課題と考えています。正規化崩しは、テーブルやフィールドの追加、主キーの改変、報いの仕様化を伴う高度なテクニックなので、そういった調整を実装上の課題とみなすべきではありません。革新的、かつ正規化されたデータモデルを生み出すことは簡単ではありません。しかし、同じくらいに設計者の腕が試されるのが正規化崩しです。理想をイメージしながらも、現実のさまざまな制約に沿った落としどころを見つける。それがエンジニアリングの醍醐味であるし、顧客から求められている仕事です。ただし、正規化崩しのスキルは必須ではあるのですが、あくまでもオーソドックスな正規化のスキルを身につけた後の学習課題と考えてください。

データモデリングの練習問題

データモデリングの基礎的な説明は以上です。第3章までに学んだ内容を着実に身につけるために、練習問題にチャレンジしてみましょう。ただし、答えが合っていなくてもガッカリする必要はありません。実際に手を動かして考えてみることにこそ意義があります（解答は76ページ以下）。

（1）モデルから関数従属性を読み取る

問題1 このモデルで規定されているすべての関数従属性を｛x｝→y のように書き出してください。

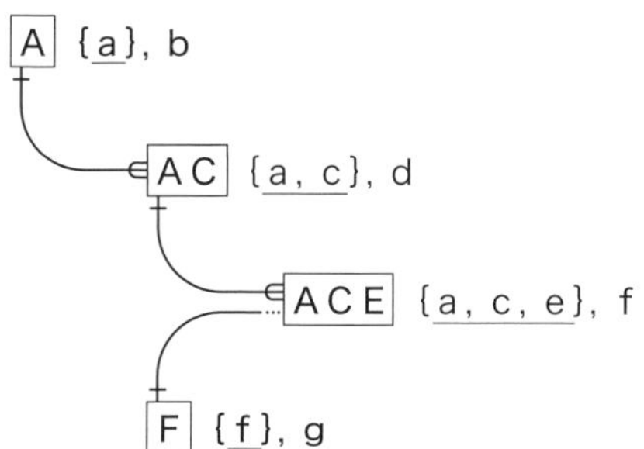

このモデルで規定されているすべての関数従属性を {x}→y のように書き出してください。

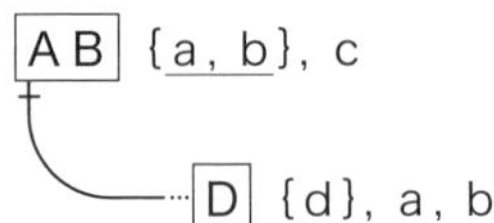

問題2のモデルで規定されている「成立してはいけない関数従属性」を {x}→yのように書き出してください。

(2) テーブル関連線を書き込む

これらのテーブルを関連線で結んで、データモデルとして完成させてください。

AB {a, b}, c

D {d}, a, b

DE {d, e}, f

EF {e, f}, g

問題 5 以下のテーブル間を関連線で結んで、データモデルとして完成させてください。

A {a}, b

C {c}, a, d

E {e}, c, f

F {f}, g

（3）推移的関数従属を見つける（51ページ参照）

問題 6 以下のデータモデルから推移的関数従属性を除去してください。

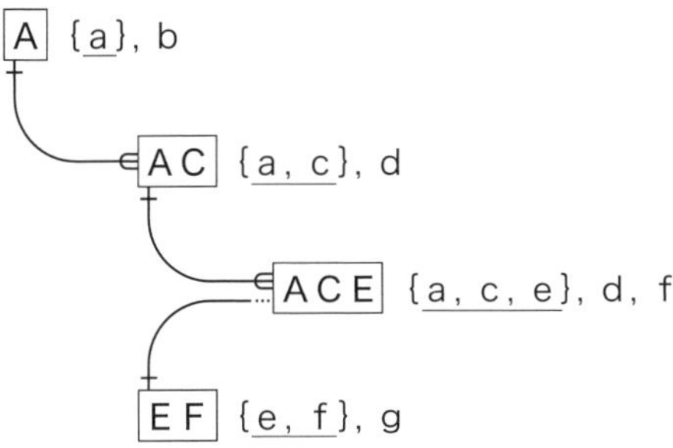

以下のデータモデルから推移的関数従属性を除去してください。

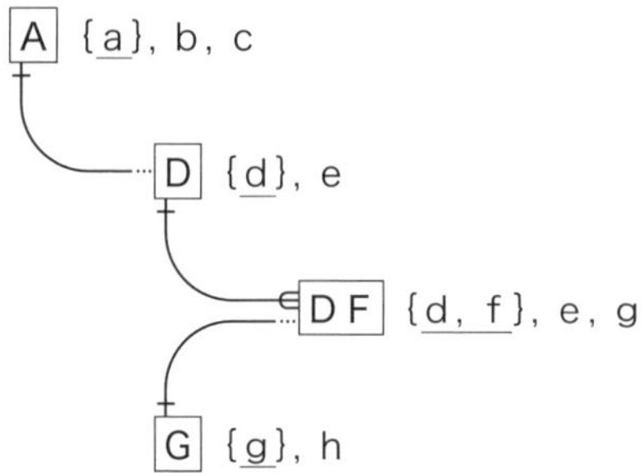

（4）動的参照関係（56ページ参照）を導入する

テーブルDFといずれかのテーブルとの間に動的参照関係を引いてください。

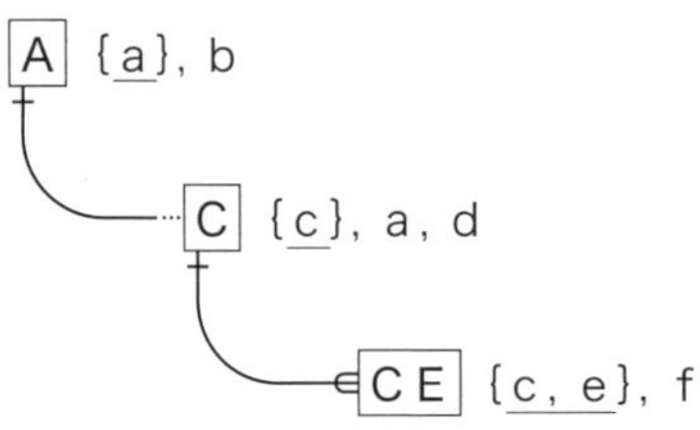

テーブルBCといずれかのテーブルとの間に動的参照関係を引いてください。

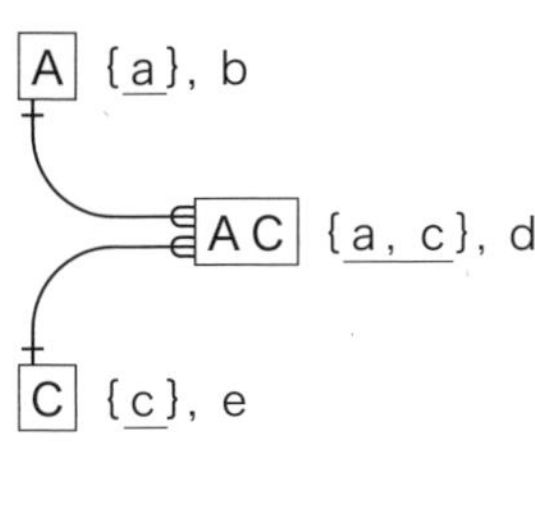

BC {b, c}, f

(5) 関数従属性の一覧からモデルを組み立てる

以下の関数従属性にもとづいて、データモデルを完成させてください。

{a}→b　　{d}→e

{a}→c　　{e}→f

{d}→a　　{e}→g

以下の関数従属性にもとづいて、データモデルを完成させてください。

{a, b}→c

{d, e}→a

{d, e}→b

{d, e, f}→g

{f, g}→h

以下の関数従属性にもとづいて、データモデルを完成させてください。

{a}→b

{a, c}→なし　＊定義域制約（59ページ参照）のみ

{a, c, d}→e

{d, e}→f

（6）サロゲートキーを導入する

テーブルACEの主キーをサロゲートキー｛i｝に置き換えてください。また、その際に考慮すべき、ユニーク制約と更新不可制約を挙げてください。

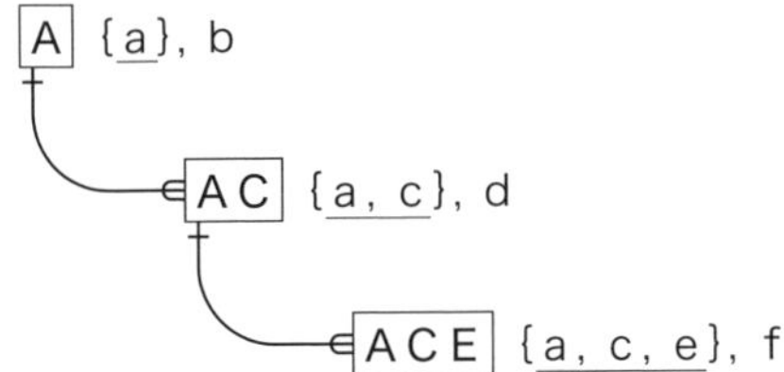

テーブルCDの主キーをサロゲートキー｛i｝に置き換えてください。また、その際に考慮すべき、ユニーク制約と更新不可制約を挙げてください。

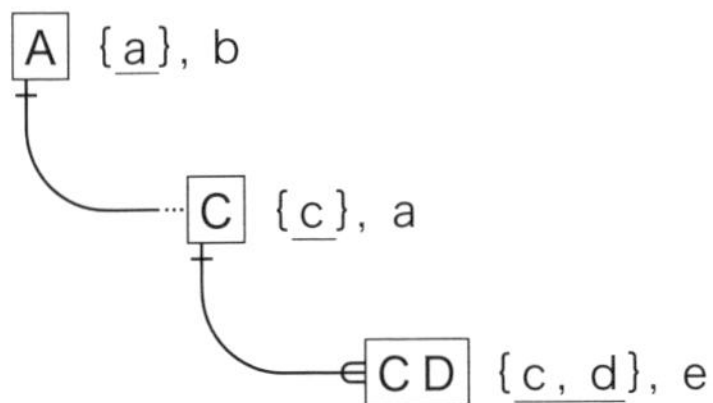

解答 1

{a}→b

{a, c}→d

{a, c, e}→f

{f}→g

解答 2

{a, b}→c

{d}→a

{d}→b

解答3

次のように考えます。まず、4つの項目のすべての組み合わせを考えます。1個の項目を主キーとする対応関係は以下のとおりです。

{a}→b {a}→c {a}→d
{b}→a {b}→c {b}→d
{c}→a {c}→b {c}→d
{d}→a {d}→b {d}→c

次に、2つの項目を主キーとする関係を並べます。

{a, b}→c {a, b}→d
{a, c}→b {a, c}→d
{a, d}→b {a, d}→c
{b, c}→a {b, c}→d
{b, d}→a {b, d}→c
{c, d}→a {c, d}→b

同様に、3つの項目を主キーとする関係を並べます。

{a, b, c}→d {a, b, d}→c {a, c, d}→b {b, c, d}→a

これらの中から解答2の関係を除いて残る以下が答えです。厳密に言えば、{a, b, c, d} の定義域制約も成立してはいけません。

{a}→b {a}→c {a}→d
{b}→a {b}→c {b}→d
{c}→a {c}→b {c}→d
{d}→c
{a, b}→d
{a, c}→b {a, c}→d
{a, d}→b {a, d}→c
{b, c}→a {b, c}→d
{b, d}→a {b, d}→c
{c, d}→a {c, d}→b
{a, b, c}→d {a, b, d}→c {a, c, d}→b {b, c, d}→a

解答 4

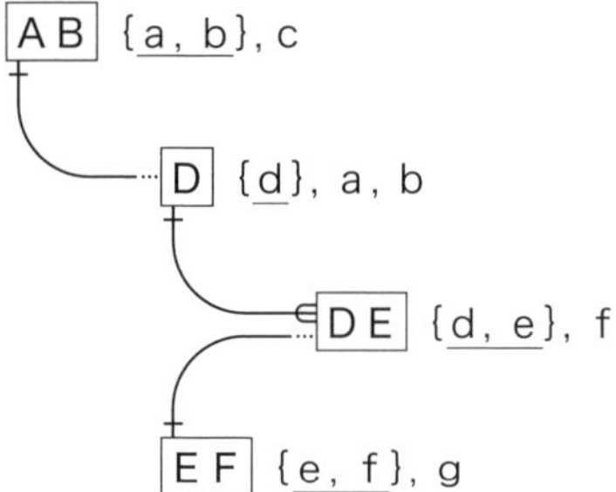

解答 5

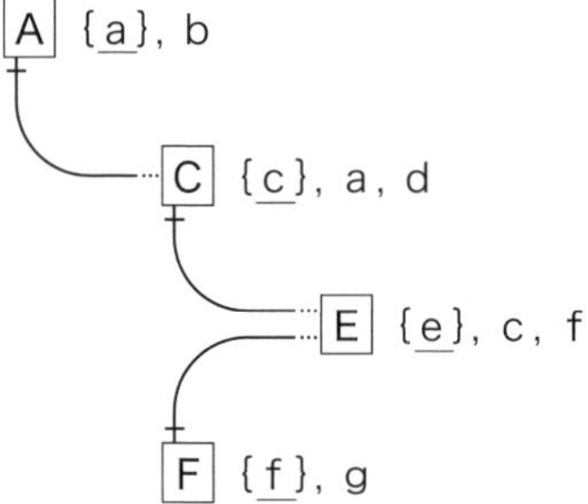

解答 6

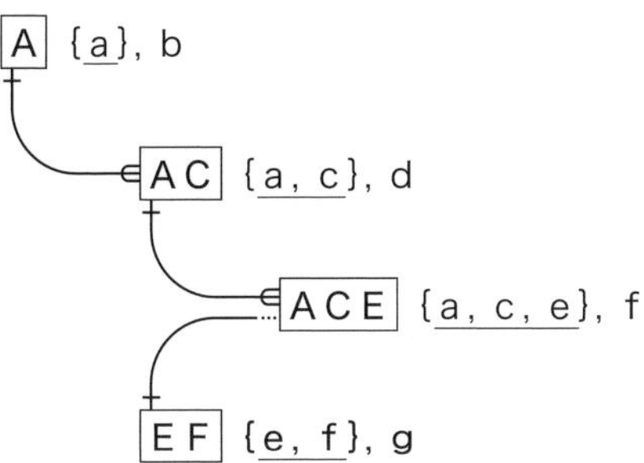

解答 7

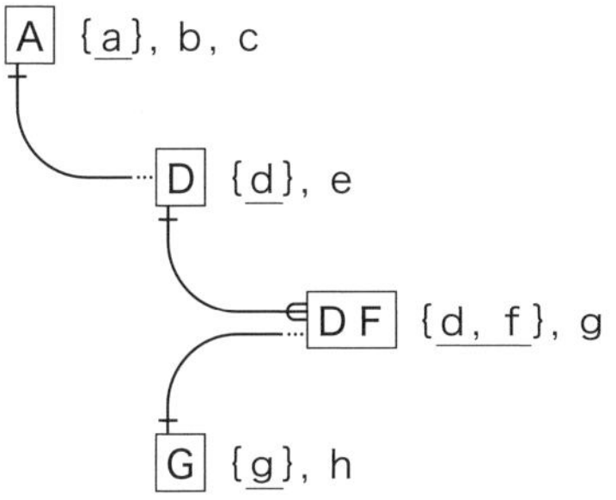

解答 8

テーブルCの属性dをテーブルCEに継承させて、テーブルDFへの参照キー｛d，f｝を確保します。

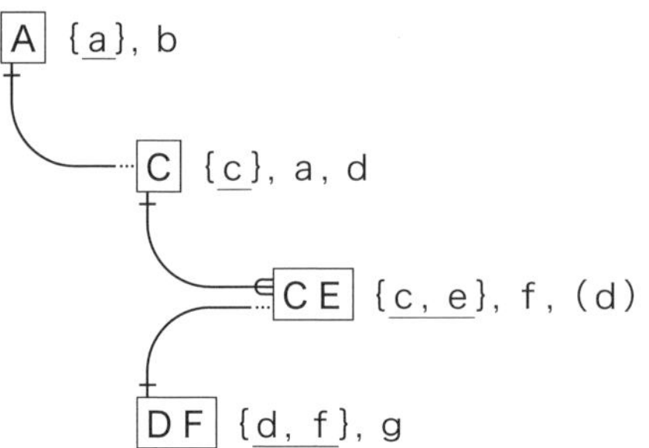

解答 9

テーブルAの属性bをテーブルACに継承させて、テーブルBCへの参照キー｛b，c｝を確保します。

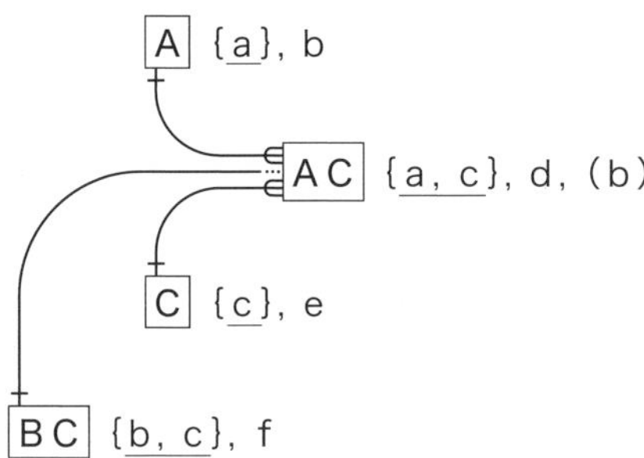

解答 10

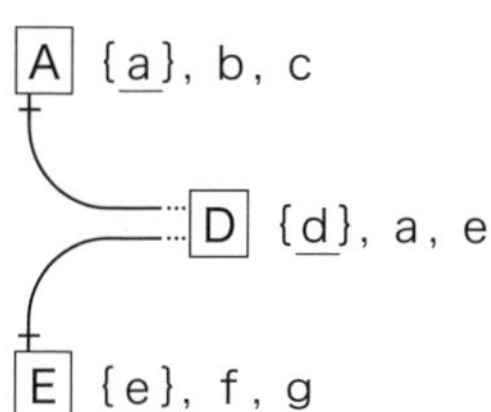

解答 11

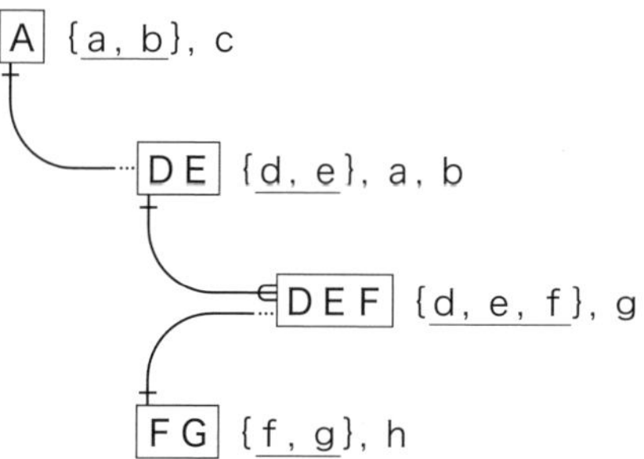

解答12

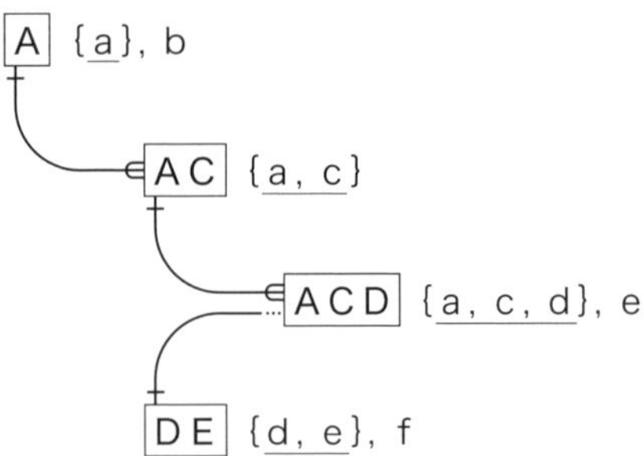

解答13

テーブルACEに、{a, c, e} のユニーク制約と更新不可制約が付与されます。

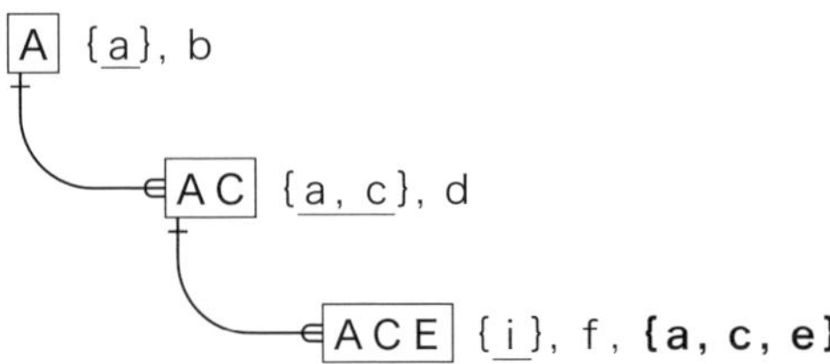

解答 14

テーブルCDに、{c, d} のユニーク制約と更新不可制約が付与されます。

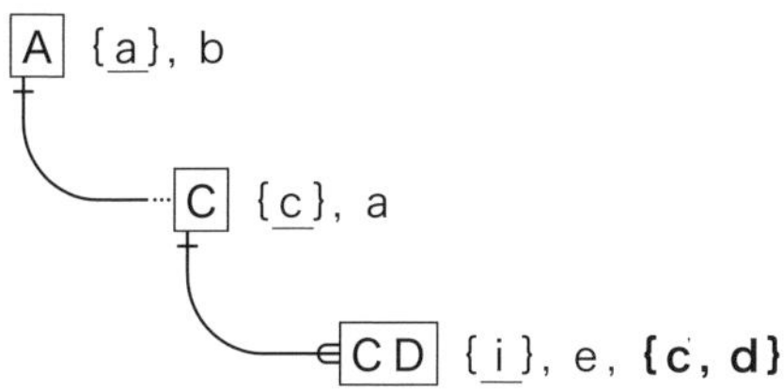

データモデルとシステム要件

データモデルは業務システムにおける「データのあり方についての論理要件（データ要件）」を表すものですが、その内容はRDBの標準機能がカバーできる範囲を超えています。また、一口にRDBMS（Relational Database Management System）といってもOracle, SQLServer, PostgreSQL, MySQL, Access等いろいろあって、データ要件に対するカバレッジも微妙に異なります。それぞれでRDBの標準機能に対する拡張がなされているからです。

さらに言えば、データモデルが表すデータ要件を実現するための手段として、RDBは数ある選択肢のひとつにすぎません。現在ではRDB以外にも、キーバリューストア、ドキュメントDB、グラフDB等、さまざまなデータストア技術があります（それらは一括してNoSQLと呼ばれます）。RDBはデータモデルともっとも相性がいいとはいえますが、筆者自身、NoSQLを使うこともあります。データのポータビリティやデータ処理のレスポンスといった要件が異なるためです。

ただし、いずれの選択肢を用いるとしてもデータモデリングをなおざりにしてはいけません。ExcelやNoSQLを含めどんなデータストアを使おうが、保持されるデータに矛盾が生じるようなデータ構造を基礎とすればデータ管理は失敗するからです。つまりデータモデリングは「RDBでデータを扱うため」ではなく、「論理的なデータ構造を洞察するため」に利用される汎用的なデータ設計技術です。

話を簡単にするため、ここではデータストアとしてRDBを選定したとして説明を続けましょう。データモデル、すなわち「データのあり方についての論理要件」がRDBの標準機能を逸脱しているという事実は、「それぞれのシステム要件はどのような手段で実装に回収されるか」という実装態勢の問題とかかわっています。

どういうことかというと、まずは業務システムのあるべき姿を規定する「システム要件」とデータモデルとの関係を模式化すると次図のようになります。データモデルの外側に存在する要件については、データ処理機能（アプリ）のあり方についての論理要件（機能要件）として定義されることになります（本来は業務体制として定義される要素もあるのですが、ここでは無視しておきます）。

図　システム要件とデータモデル

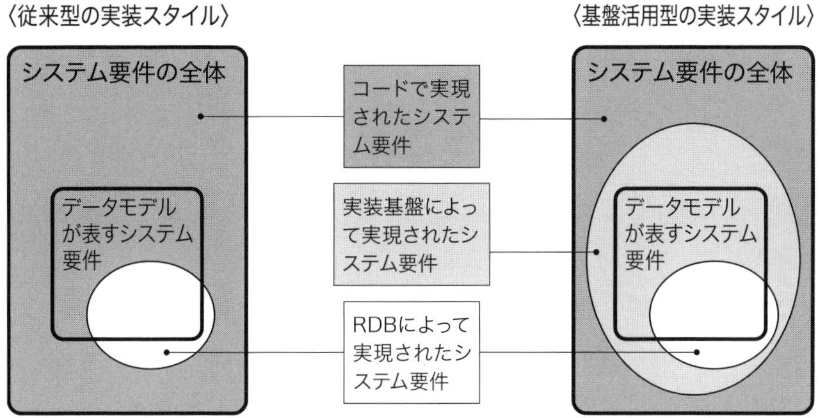

システム要件がもれなく実現されたとして、それぞれ「どのような手段を用いて実現されたか」を考えてみましょう。従来のやり方（図の左側）では「RDB」と汎用プログラミング言語による「コード」を用いて実装されてきましたが、今では3つ目の手段として「実装基盤」が関わるようになりました（図の右側）。実装基盤とは開発用フレームワークやドメイン特化基盤*1と呼ばれるもので、業務システムのコアであるRDBをとり囲むように配置されます。

ここで重要なのは、「プログラムコードで記述されるシステム要件の比率は、小さければ小さいほど良い」という原則です。なぜならコードは基本的に手作りされるもので、これが多いと業務システムは「人件費の塊」と化すからです。また、プログラムコードは書き手によって可読性（読みやすさ）が大きく違ってくるものであるため、コードで表される定義要素は可読性も保守性も低下するからです。これらを考慮して、なるべくコードを書かないでシステム開発する「ローコード（low code）開発」が世界的なトレンドになっています。

なるべくコードを書かずにシステムを完成させるために登場した技術が、上述した「実装基盤」です。これは、開発対象となるソフトウエア分野が「業務システム」に限定されている点で、Eclipseのような汎用的な開発環境とは異なります。これを用いると、システム要件の多くは業務システムとしてありきたりなものとして、実装基盤上で形式的に扱えます。それら以外の個性的な要件についてだけをコードで表現すれば済みます。それゆえ、「どれだけ多くの要件を（コードではなく）形式記述で扱えるか」が実装基盤の評価基準です。たとえば「動的参照関係」や「論理フィールド」といったありきたりなデータ要件を形式的に定義できるとすれば、実装基盤としては気が利いているといえます。

実装基盤の役割はそれだけではありません。たとえば、ある定義要素を変更・削除する際、その要素が他のどの要素にどのように利用されているかを実装基盤が示してくれます。これはクロスレファレンス（相互参照）と呼ばれる実装基盤の重要な機能で、影響範囲を意識しながら大胆に仕様変更できます。実装基盤はさまざまな定義要素を構造的に管理しているため、クロスレファレンスを示すことは得意なのです。

＊1　ドメイン特化基盤（DSP,Domain Specific Platform）は筆者の造語で、JavaやRubyといった汎用プログラミング言語ではなく、ドメイン特化言語（DSL,Domain Specific Language）を基礎とする開発環境のこと。ソフトウエアの適用分野（domain）を限定することで、そこで求められるアプリをパターンに沿って形式的に定義できるようになる。結果的に、プログラミングコードを含めてプロジェクト単位の記述量が桁違いに減る。

そのようにしてシステム仕様が第三者にもわかりやすく示されることは、「他の実装手段への移行容易性」を確保できるということでもあります。この種のツールには「ロックイン」の問題がつきまとうので、必要に応じて他の実装手段に移行できるかどうかは評価基準として重要です。書いた仕様書がそのままアプリとして動作することを旨とする基盤であれば、それらの仕様書を眺めながら他の手段を用いて実装し直すことは難しいことではありません。ここらへんは基盤の導入前にじゅうぶんに吟味しておくべき点で、合理化手段が牢獄となっては元も子もありません。

ようするに、「データモデルが表すシステム要件が、RDBの標準機能を逸脱していること」が問題なのではなく、RDBを含めた現在の実装技術を駆使して「データモデルを含めたより多くのシステム要件を、形式的に回収できるかどうか」のほうが重大だということです。システム要件を形式的に扱えるのであればそのままの形で実装できるし、手書きされるコードも減るからです。

では、そういった気の利いた実装基盤が手元にないとしたら、開発業務の合理化をあきらめなければいけないのでしょうか。そうではありません。読者がIT技術者なのであれば、自らのスキルを行使して実装基盤そのものを開発すればいいのです。今どきのオブジェクト指向言語やIDE（Integrated Development Environment；統合開発環境）を使えば難しいことではありません。

というよりも、オブジェクト指向言語のような汎用言語を用いたコードベース開発は、その種の「コードを減らすための合理化」のためにこそ活用したいものです。コードそのものは悪いものではなく、膨大な工数をかけて全要素をいちいちコーディングするような労働集約的手法こそが嫌悪されるべきです。逆説的ながら「コードを減らすためのコードは良いコード」なのです。

じっさいわれわれはプログラミングにおいて、コードを減らすためにさまざまなライブラリを日常的に駆使しています。それらはコードを減らすために世界中のプログラマによって開発されたものです。実装基盤も同じ目的で開発された「ライブラリの兄貴分」のようなものでしかなく、その利用に消極的になる理由はありません。

まとめましょう。データモデルが表す「データのあり方についての論理要件」が現在のRDBがカバーできる範囲を超えている状況は、RDBをはじめとするデータストア技術が発展途上である限り避けられません。しかしこれは致命的な問題ではありません。データストア技術でカバーできない部分を形式的に扱うための実装基盤があるし、それを独自開発することさえ我々には可能だからです。ソフトウエアを必要に応じて作り出せるのがIT技術者の特権ですから、これをもっと行使しましょう。なによりも、自分たちの開発業務さえITを用いて合理化できないような開発業者やIT技術者が、ひとさまの業務をITで合理化できるはずがありません。

第4章

データモデリングの進め方

ここまでデータモデリングの枠組みについて学んできましたが、これだけでデータモデリングができるようになるわけではありません。楽器の構造を理解しただけでは、音楽を奏でられないのと同じ話です。本章では楽器の扱い方、すなわちシステム開発の現場で実際にデータモデリングを行うためのテクニックや心構えを学びます。

プロセス指向からデータ指向へ

これまでに説明したように、1セットのデータモデルからはさまざまなビュー（UI）が導かれます。では、さまざまなビューの源泉となるデータモデル自身はどのようにして導かれるのでしょう。これは複雑なDB構造を基礎とする業務システムの仕様を考える際に、避けて通れない問題です。

おおまかに2つの流儀に分かれます。まずは、そのシステムに必要とされるビューを含むアプリや業務を整理し、そこからデータモデルを「逆算」するやり方。もうひとつは、何らかの手がかりを用いてデータモデルを「創造」し、そこからビューの新たなバリエーションを導くやり方です。前者を「プロセス指向アプローチ（POA, 手続き指向アプローチとも）」、後者を「データ指向アプローチ（DOA, データ中心アプローチとも）」といいます。

図4-1　データモデルを導くための2つの流儀

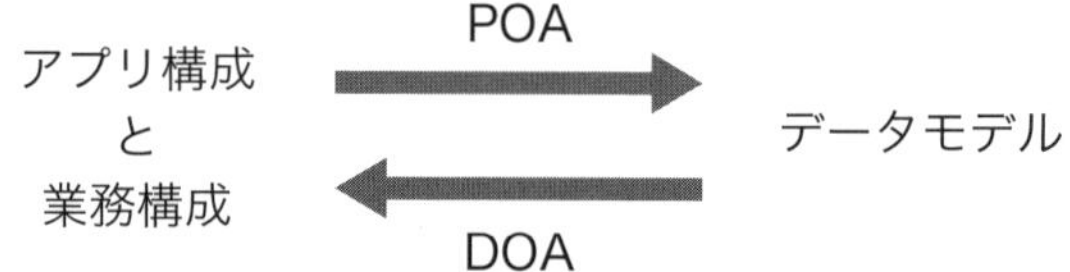

プロセス指向ではまず、現行システムの業務やアプリのあり方を丹念に調べて整理します。それを顧客の改善要望に沿って「あるべきアプリ構成と業務構成」として再構成し、そこから「あるべきデータモデル」を導きます。

図4-2　POAの成果物フロー

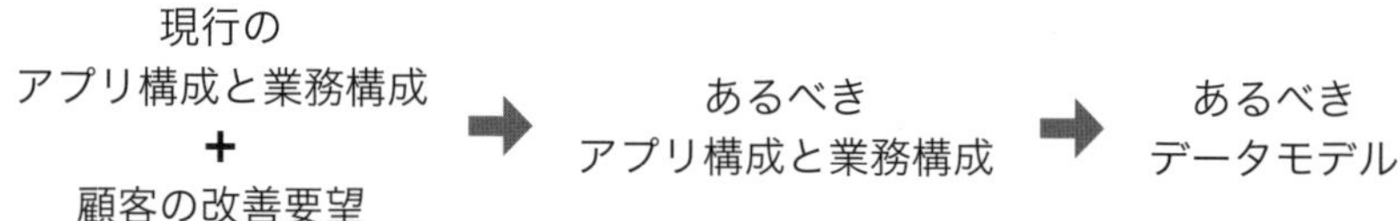

前述したように、ビュー群からテーブル群を逆算することには本質的な困難があります。にもかかわらず、なぜPOAではアプリ構成と業務構成からデータモデルを導くことにこだわるのでしょう。

じつはこの思考習慣は、ホストコンピュータやオフィスコンピュータの時代に根づいたものです。その頃、データストアとしてはRDBではなく「ファイル」が主流でした。ファイルの行データが読み込まれ、どのようなフィールドの組み合わせとして切り出すかについては、個々のプログラム内の記述にまかされていました。自然に「ファイルはプログラムの従属物」とみなされ、プロセスフローとデータストアとの関係は次図のようにイメージされるようになりました。

図4-3　プロセス指向のシステムフロー

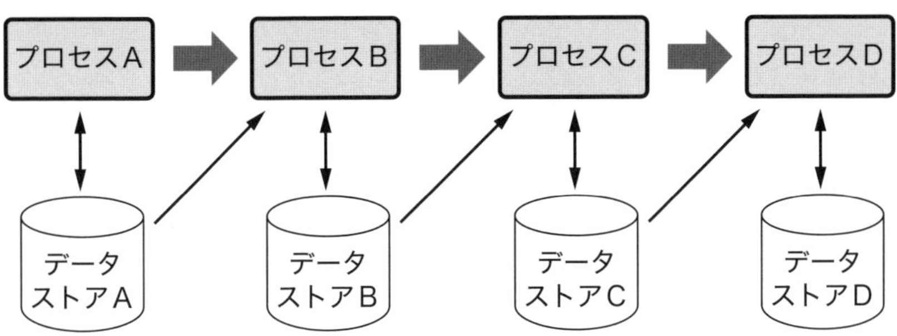

このシステム観はそれなりにまともに見えますが、扱われるデータの構造が複雑になるにつれて、いろいろな問題が生じるようになります。まず、ある種のファイルは多くのプログラムによって入出力されますが、そのデータ様式がプログラム間で矛盾しているといった凡ミスが増えました。また、データの読み込み順や結合を変えるためだけにもプログラムと出力ファイルが必要なので、書かれるコードの量が際限なく増えます。そのようなシステムの開発・保守には大変な労力が必要で、現代のシステム開発でいまだに見られる人海戦術体制はこの頃の名残です。

RDBは、これらの問題を解決するためのデータストア技術として登場しました。プログラムコードとしてではなく、テーブル側にデータ様式が一元管理されるようになったおかげで、プログラム間でのデータ定義の矛盾が一掃されました。また、並び順やテーブル間の結合についても、プログラム内の命令として端的に指定できるようになりました。さらに、それまで複雑なコードで対処されていたトランザクション処理（コラム3「データモデルとサブシステム」参照）についても、RDBMSに組み込まれた機構でスマートに対処できるようになりました。書くべきコードを減らし、管理すべきデータのまとまりを減らすための革新的技術として、RDBはまたたく間に普及しました。

RDBを利用する業務システムは図4-4のようにイメージできます。中心にDBが置かれ、それを取り囲むようにプロセス（アプリや業務）が配置されます。それらのプロセスはDBにデータを注入・加工・閲覧するために存在しますが、その過程でデータの整合性が維持され続けます。つまりこのシステム観においては、DBが「主」でプロセスが「従」であって、まさにプロセス指向とは真逆です。これがDOAの基本的な考え方で、90年代から2000年代にかけて注目されました。

図4-4　データ指向のシステムフロー

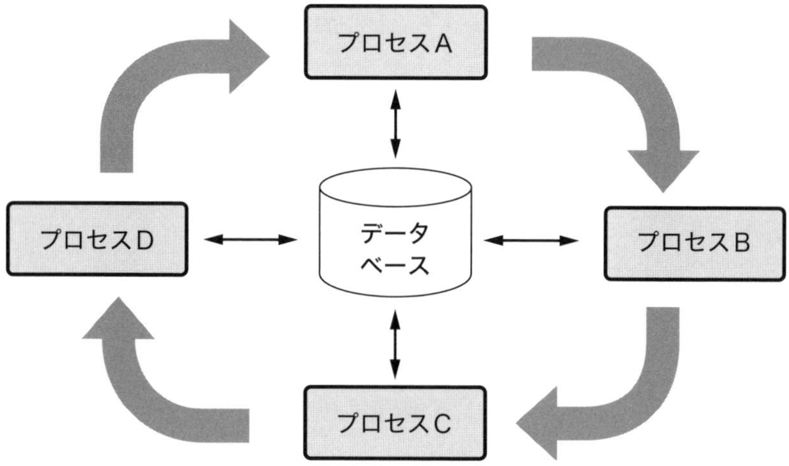

ところが今でも、図4-3のように「テーブルはプログラムの従属物」と考えている技術者が少なくありません。なぜでしょう。本来なら、筆者のようにRDBの導入に関わった世代の技術者が、DOAのシステム観を後輩たち

にきちんと伝えるべきだったのですが、それがうまくいかなかった経緯があります。

まず、RDBの普及とシステムのオープン化の波が同時にやってきたためです。RDBの革新性に気づけた技術者たちも、オープン化に必要なネットワークをはじめとする多種多様なスキルを身につけることに忙殺されました。一巡してみれば、ホスト時代に培ったノウハウがオープンシステムでも応用できることに彼らは気づくのですが、その頃すでにDOAは少数派となってしまっていました。

その理由のひとつがオブジェクト指向プログラミング（OOP）の台頭にあります。OOPの枠組みでは、データと処理がオブジェクト（実体化されたクラス）として一体のものとみなされ、オブジェクト同士がメッセージをやりとりしながら処理が進行します。OOPは熱狂的に受け入れられましたが、そのあり方はまさにPOAの「データはプログラムの従属物」の価値観を推し進めたものでした（図4-5）。こうして、データベースを核として据えるDOAのシステム観は、一時は注目されながらもオープン化とOOPの喧噪に押し流されてしまいます。

図4-5　オブジェクト指向のシステムフロー

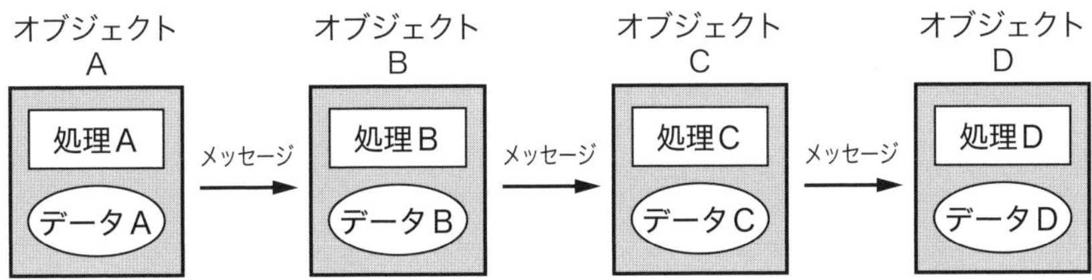

しかし話はこれで終わりません。RDBとOOPの相性の悪さが次第に明らかになっていったからです。POAやDOAでは明確にエンジニアリング課題とされていたデータの永続化（データストアに保管すること）や形式化について、オブジェクト指向は特段の指針を与えていません。データはオブジェクトに包含されており、それを永続化するにせよしないにせよ、その扱いについてはオブジェクト内部で個別に対処すべき問題とされているからです。

とはいえ業務システムのように複雑で膨大なデータを扱うソフトウエアで

は、それらの考慮は不可欠です。そこで、オブジェクトに含まれるデータ（あるいはオブジェクトそのもの）を外部のデータストアに保管するための工夫が模索されました。その過程でオブジェクトDB（ODB）のような技術が注目されたこともありましたが、けっきょくはRDBを流用するスタイルが一般的になります。それほどにデータストア技術としてのRDBの完成度が高かったということです。

しかし、RDBとオブジェクト指向との齟齬はいかんともしがたいところがあり、これは両者の「インピーダンス・ミスマッチ」という表現で知られています。この問題を緩和するために、オブジェクト内のデータをRDBのテーブル上に永続化するための技術（Object-Relational Mapping, ORM）が発展しました。その影響で広まった習慣のひとつが、すべてのテーブルを「ID（個々のオブジェクトを識別するオブジェクトIDに対応する）」の単独主キーに統一するという独特なDB設計スタイルです。その結果、精妙な関数従属性や更新不可制約が見落とされるようになりました。必然的に、複雑なデータ構造を扱うシステムの開発がデスマーチ化したり、完成してもデータの不整合に悩まされるといった事態が起こっています。見方によっては、ホストコンピュータの時代以上の混乱が生じています。

ただし筆者は、OOPを否定するつもりはありません。その枠組みは、ソフトウエアを効果的に実装するための技術的達成のひとつで、そのパワーを享受しない手はないからです。

じっさいのところ、筆者はOOPを喜んで取り入れた技術者のひとりでしたが、個々の業務システムを組み立てるための手段としてOOPを用いるやり方に、次第に違和感を持つようになりました。複雑なデータ構造をRDBで扱う仕組みに関わる限り、われわれはDOAの知見を活用しなければなりません。そこで筆者は、「オブジェクト指向を隠蔽し、DOAの枠組みで業務システムを開発・保守するためのドメイン特化基盤」の開発にこそOOPは利用されるべきだと考え、実践するようになりました（コラム２参照）。じっさいOOPは「個々のシステムを生み出すための言語」よりも、「“個々のシステムを生み出すための開発基盤”を生み出すための言語」として使うほうが、その効果を桁違いにレバレッジできることを実感しています。OOPの可能性を考えると、それを個々の開発案件毎で実施するやり方はひどく迂遠（うえん）なものに見えてしまいます。

ではなぜそれほどに、DOAの枠組みが重要なのでしょう。そもそも業務システムの仕様検討は、DB構造を起点としなければなりません。なぜなら業務システムにおいて、DB構造こそが「骨格」に相当するからです。他の要素のあり方を強く規定するうえに、後で変更することが難しいからです。

これに関して、システム開発の世界には「アプリは変わりやすいが、DB構造は変わりにくい」という言い方があります。これは「アプリ構造よりもデータ構造のほうが長期間安定している」と解釈されることが多いのですが、筆者の解釈は異なります。システムがいったん出来上がってしまうと、アプリは「上モノ」であるゆえに変えやすいが、DBは基礎であるゆえに変えにくい――そのように解釈したほうが実情に即しています。DB構造は「安定している」のではなく、システムが一旦出来上がったら「変えたくても変えられない」のです。DB設計者の責任の重大さがおわかりでしょうか。

図4-6　システムの骨格としてのDB構造

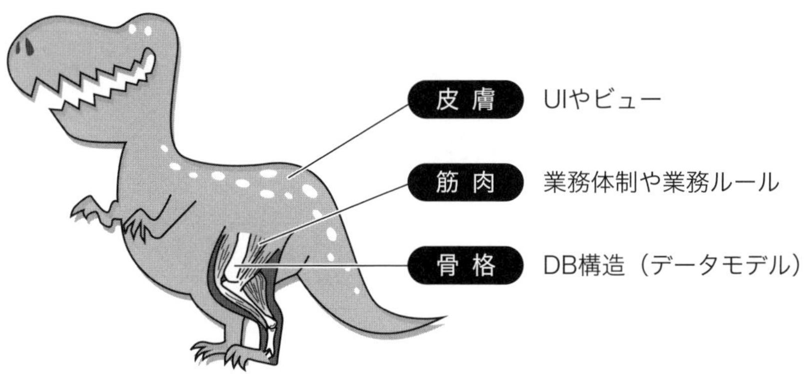

DB構造がシステムの「骨格」ならば、業務体制や業務ルールは「筋肉」で、UIやビューは「皮膚」のようなものです。皮膚のあり方を先行して確定しても、そこから適切な「筋肉のつき方」や「骨格」が導けるわけではありません。まずはあるべき骨格を見定めたうえで、その骨格に対して付与可能な筋肉のあり方を決め、骨格と筋肉のまとまりに合わせた皮膚の形状を最後に決める。その後で骨格を変更することは基本的に許されない――それが、

業務システムのように複雑かつ巨大な工学構築物を製作する際の基本スタンスです。

ではDOAの枠組みでは成果物フローはどのような形になるのでしょう。POAでは図4-2で示したように「現行のアプリ構成と業務構成」が起点になっていたので、素直に考えると図4-7のようになりそうな気がします。

図4-7 「分析的DOA」の成果物フロー

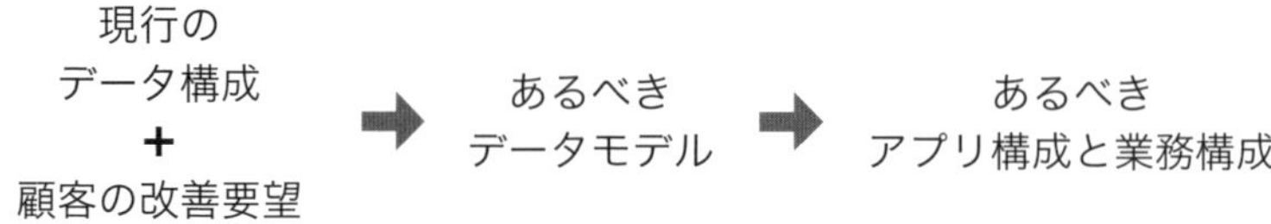

しかし、この手順でPOAよりはうまくいくかもしれませんが、本格的なシステム刷新プロジェクトでは失敗します。「現状の改善を起点とする」という意味で、POAと変わるところがないからです。なによりも、その過程には「チームの創造性」を発揮させるための配慮が欠けているからです。

分析指向から創造指向へ

じっさいのところ、「現状（AsIs）」から「あるべき姿（ToBe）」を導くステップは、机上で想像するほど簡単ではありません。これに関して筆者が思い出す有名なジョークがあります。

> 無重力状態ではボールペンが使えないことがわかった。NASAは莫大な資金を投入して、宇宙船内でも水中でも氷点下でも書ける画期的なボールペンを開発した。いっぽう、ロシア人は鉛筆を使った。

具体的な“無重力状態で使えないボールペン”が起点となるゆえに、「あるべき姿（ToBe）」が“無重力状態でも使えるボールペン”に無駄に向かってしまったという笑い話です。これは現状を出発点とする分析的手法が常に抱える落とし穴で、その手順を誠実にこなすほど問題に気づきにくくなります。

じっさい、分析主義的アプローチの信奉者は「システムの現状と改善要望を細かく調べれば調べるほど、あるべき姿が見えてくる」と信じていて、何人もが何カ月もかけてそれらを分析します。その結果、現行のUIや業務フローが丹念に整理された膨大な資料が納品されます。改善要望についても、一言一句があたかも憲法のように尊重されます。

しかしそれらの成果物は、たんに「現状の問題と不満」をまとめたものでしかありません。それらを完全に理解しても、抜本的な解決案を生み出せる保証がないばかりか、現状やそれに対する不満ばかりに目がいってしまいます。けっきょく多くの場合、対症療法的な改善が施された、代わり映えのしない仕様が生み出されることになります。そんなシステムを、何度刷新しても基本構造が古臭いままという意味で「最新の建材で生まれ変わった竪穴式住居」と筆者は呼んでいます。

これこそが「現状」を起点とする分析的アプローチの問題で、「全面刷新」がしばしば掛け声だけで終わってしまう一因にもなっています。旧システムが開発された頃と経営環境が変わっていないような業界は、今や例外的といっていいでしょう。大枚をはたいて旧システムを最新技術で「改善」しても、事業の競争力は従来と変わらないどころか低下しそうです。

では、“ピカピカの竪穴式住居”を生み出してしまわないためにはどうしたらいいのでしょう。本書がお勧めするやり方が「創造的DOA」です（図4-8）。起点となるのは「現行のDB構造」でも「現行のアプリ構成と業務構成」でもなく、「顧客の思い」と「設計者の経験と知識」です。これらにもとづいて、いきなり「あるべきデータモデル」が模索されます。

図4-8 「創造的DOA」の成果物フロー

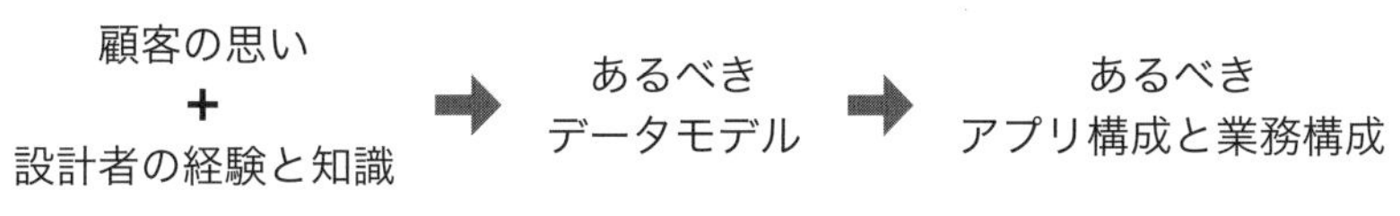

顧客の思い
+
設計者の経験と知識
→ あるべきデータモデル → あるべきアプリ構成と業務構成

システム設計は本来きわめて創造的な過程で、けっして「誰がやっても同じ」ではありません。本書の第５章以降で紹介されるさまざまなモデルを見ればわかるように、それらを生み出すには、良くも悪くもある種の飛躍やインスピレーションが欠かせません。

では、創造のカギは何なのでしょう。まずは、設計者が持つ膨大な経験や専門知識です。素晴らしいアドリブを演奏するミュージシャンを想像してみてください。彼らはコード進行やスケールに応じた、膨大な演奏パターンやイディオムを身につけています。創造的なアドリブは、曲調やシーンに合わせてそれらを柔軟に組み合わせることで繰り出されます。

データモデリングも同様です。さまざまなモデリングパターンや他業種での経験を援用することで、顧客の漠然とした要望に沿ったモデルが次から次に描き出されます。その中にはまるで使えないアイデアもあるでしょうが、顧客とやりとりする過程で「あるべきデータモデル」がその場で形になっていきます。

「顧客の思い」も決定的な役割を果たします。ユーザはシステム設計については素人なので、システムの仕様を細かく知っているわけではないし、それを今後どうすべきかもイメージできません。しかし彼らは業務のあり方も現在の問題も理解しています。また、専門家によって提示された「あるべき姿」の実効性について、彼らなりに評価できます。それは理屈に沿ったものでなく、むしろ非定型な無意識や暗黙知に従うものですが、これが専門家の知識や経験と結びつくことで、チームによる創造が起こります。

このようにして生み出された「あるべきモデル」から「あるべきアプリや業務体制」を導けばいい――創造的DOAではそのように考えます。じっさい第５章以降ではデータモデルや具体値の説明に終始して、UIや業務の流れについては補助的にしか語られません。それらはデータモデルから後でいくらでも導けるからです。反対に、UIや業務の流ればかり説明されても読者は困ってしまうでしょう。それらをいくらこまごまと理解しても、基礎となるDB構造が示されていないのであれば、安定したシステム仕様に落とし込むことが難しいからです。

では、現行仕様を分析することに意味がないかというと、そういう話ではありません。現行システムに含まれていたビューがあるならば、新たなデータモデルとそれらを突き合わせることで、モデルの妥当性もある程度はわかるでしょう。また、こまごました業務ルールについては現行仕様をよく調べないと仕様化できないケースもふつうにあります。

しかしそれらを含めた現状は、基本構造を生み出すための根拠や起点ではなく、詳細レベルの仕様を詰めるための材料でしかないことを忘れてはいけません。なにしろ確立された「あるべきモデル」によって、大量のアプリや業務が不要とみなされたり、大幅に変形されることが頻繁に起こります。当初の「改善要望」さえ、システム刷新後に眺めると具体的なわりにひどく的外れに見えるものです。まさにそれらが「ボールペンが無重力状態で使えること」のようなものである可能性を疑っておきましょう。コツとしては、大枠については創造的に、こまごました仕様については分析的にアプローチすることで、バランスの良い設計成果を生み出せます。

不思議なことに業務システム開発の世界では、設計における創造性の問題がほとんど議論されてきませんでした。「システム要件の中から動詞と名詞を見つけて整理せよ」といった分析的かつ退屈な設計手順が今でも主流なのは、まさにその表れです。しかし、システムを「改善」したいのではなく「刷新」したいのであれば、われわれはどうしても創造の覚悟を持たねばなりません。

とはいえ、技術者一人ひとりがことさらに創造的でなければいけないという大げさな話ではありません。まずは高度専門職を担うIT技術者として、まっとうに知識と経験を積み重ねることを目指してください。それらを身につけた後でなら、上で述べたような方法と体制上の工夫次第で、チームによる創造を起こせるからです。一度でもそれを経験すれば、こんなに楽しい仕事はないと思えてくるでしょう。

ポイント8 現状を起点としてシステム設計すれば、最新の開発言語とUIで化粧直しされただけの旧システムが生み出されやすい。「あるべきシステム」のヒントは現行仕様の中ではなく、顧客の非定型な思いの中にある。それが専門家の経験と知識に統合されることで、初めて創造が起こる。

データモデルを検証するための「プロトタイピング」

では、「システムの骨格」としてのデータモデルが首尾よく創造されたように見えたとして、それが「あるべきデータモデル」であることは保証されているのでしょうか。当然ながらそうとはいえません。そもそも我々がどんなに創造性を駆使してシステムを生み出したとしても、それが現実に正しく機能して、具体的な効果をもたらさないのであれば無意味です。しかも、机上で形式的な正しさが何度確認できたとしても、現実の効果を事前に検証することが容易ではありません。注文住宅の建築において良く出来た図面を使って何度打ち合わせしたとしても、実際に住んでみるまで住みやすい建物かどうかわからないようなものです。データモデルにもとづくシステムを作って、実際に動作させてみなければデータモデルの妥当性はわからない――それが現実です。

しかし現在、この問題はスマートに対処できるようになりつつあります。システム開発が以前より効率化されつつあるからです。かつては、設計専任要員がExcelあたりで手間暇かけて「プログラム仕様書」を書いて、実装専任要員がそれを見ながら手間暇かけてプログラムを作るようなやり方でした。それが今では、設計者が書いたプログラム仕様書をそのままアプリとして実行できるような実装基盤が実用化されています。それはまさに実装専任要員をロボットに置き換えるような変化で、こういった合理化がこの業界で起こらないと考えるのは幻想でしかありません。

この技術革新が、実装過程だけでなくデータモデルの検証過程までを変えました。広域のデータモデルがまとまった段階で、設計者自身がシステム全体を手早く「プロトタイピング」できるようになったからです。プロトタイプをユーザに使ってもらったり、現行システムのデータをDBに取り込んでみることで、モデルの妥当性を検証できます。やってみてイマイチであればプロトタイプを気楽に破棄して自分でとっとと作り直せばいい。それほどに実装過程が合理化されつつあります（次図）。

図4-9　データモデルとプロトタイプ

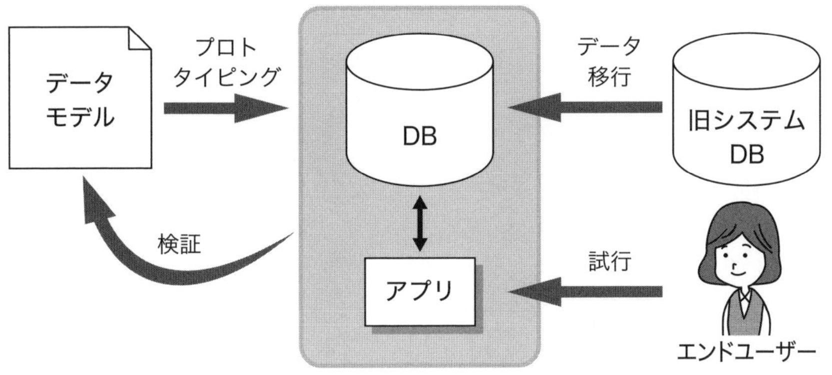

プロトタイピングを繰り返すことで、DB設計の品質はようやく許容できるレベルに達します。そこまでいけば、そのままプロトタイプを洗練させるか、あるいは規定の実装手段を用いて「本番アプリ」を開発すれば、プロジェクトは無難に完了します。このようにして、従来では考えられないほど手堅く、かつ安価に「あるべき仕様」が手に入るようになりました。筆者はこれを「モデリング&プロトタイピング手法」と呼んで日常的に実践し、効果をあげています。

このやり方は、最近耳目をひくようになった「アジャイル手法」の一種とはいえますが、細かく見ると違っています。アジャイル手法では、1～2週間でなされるイテレーションと呼ばれる作業単位毎に「動くソフトウエア」を生み出すことを優先させます。ところが一般的なアジャイル手法はプログラミング主体でなされるため、イテレーションで出来上がる「動くソフトウエア」は小さなモジュールに限られます。いっぽう業務システムはソフトウエアとしては複雑かつ規模の大きなものなので、広域のデータモデルに対する妥当性検証が後回しにされるようなことが起こります（じっさい、アジャイル手法にはデータモデリングの実施時期に関する規定がありません)。比較的小さな「動くソフトウエア」を支える形でDB構造が少しずつ補完されてゆくのだとしたら、アジャイル手法は「現代版プロセス指向」でしかありません。

ようするに業務システム向けのアジャイル開発は、実装の合理化技術と結びつくことで初めて実効的なものになります。数回のイテレーションでシステム全体のプロトタイピングが可能になるからです。プログラミング主体で何度もイテレーションしているようでは、時間がかかるし検証単位が小さすぎます。

プロトタイピングで進めようがアジャイルで進めようが（それを何と呼ぶかは重要ではありません）、複雑なDB構造を扱う業務システムの開発者は「広域なデータモデルの妥当性が、システム仕様の妥当性の中核をなす」という認識を持たねばなりません。業務体制やアプリの仕様が決まればDB構造が決まるのではなく、図４-４で示したように、DB構造が決まればそれを取り囲む業務体制やアプリの仕様が決まるからです。

そして、適切なデータモデルを確立することは今でも難度の高い課題ですが、確立されたデータモデルにしたがってシステムを作り込むことは年々楽になるばかりです。極端に言えば実装作業は、DB設計を担う要員が「片手間」でやれるようになりつつあります。そうなると「実装専任要員」が要らないので、開発プロジェクトは必然的に少数精鋭化します。

これによって技術者一人あたりの報酬が増えそうですが、少数精鋭以外の要員を抱えたままではそうもいきません。かといって待遇が改善されなければ、逸材は辞めてしまうでしょう。実装体制を合理化する際には、人員削減か評価制度の見直しがどうしても必要です（コラム５参照）。

この意味でも業務システム開発者は、データモデリングを基礎とする設計スキルをキャリアの核に据えることで、技術革新にともなう合理化の波を乗り越えていかねばなりません。しかも、的確にデータモデリングできる要員がきわめて少ないという現状ゆえに、そのスキルには大きな市場価値があります。

ポイント９ データモデルの妥当性は、それにもとづくシステムを組み立てることで初めて明らかになる。しかし、実装技術の進展によって「プロトタイピング」が可能になったために、プロジェクトの初期段階でデータモデルを検証できるようになった。

「現行踏襲」のデメリット

DB構造を刷新することで、アプリ構成だけでなく業務体制も一新されると説明しましたが、それゆえにユーザから抵抗されることがあります。古参ユーザが担当している「自分にしかやれない重要かつ面倒な仕事」が、かれらのエンプロイアビリティ（雇用意義）になっている可能性があるからです。悪意がなくても古参ユーザは、システム刷新した後でも自分しかやれない担当業務を残そうとするでしょう。

しかし、システム刷新における「現行踏襲」の方針がどれほど顧客事業の弱体化を招いているかを、関係者は知っておくべきです。本来なら、システム刷新のたびに事務の合理化が進み、特定ユーザに独占されていたような仕事も「マニュアルにしたがって誰でもやれる仕事」として標準化されてゆかねばなりません。ところが日本企業のシステム刷新プロジェクトは古参ユーザの意向を必要以上に尊重するため、働き方改革を含めた業務体制の合理化やユーザの世代交代がなかなか進みません。とくに悩ましい現実問題として、「特定の人にしかやれない業務」を認めている事業は、遅かれ早かれ頓挫します。なぜなら人は、病気や不慮の事故や転職といった理由で突然いなくなるものだからです。

そのような事態を避けるために、業務担当者と担当業務が全面的にシャッフルされることを、システム刷新に際して宣言すべきかもしれません。システム刷新にともなって自分の仕事がすべて他人が担当するようになるのであれば、ユーザは現行踏襲にこだわる理由がなくなるし、業務の実態を客観的に説明せざるを得なくなるからです。

現行踏襲に想像以上の開発コストがかかることも覚えておきましょう。若手のユーザであれば新しいUIにもすぐに慣れてくれますが、古参ユーザは変化を嫌って完全に同じ使い勝手のUIを望むものです。30年以上前のCOBOL時代のUIを最新言語で再現したといった笑えない話さえあって、それがどれだけ開発コストを無駄に増やしているかわかりません。21世紀初頭にERPパッケージを大量のアドインとともに導入し、今頃になって動きがとれなくなっている企業が多いのも似たような理由からです。

じっさい、そのようにして生み出されるシステムは、以前よりもさらに保守コストが嵩みます。ただでさえ混乱している構成を他の言語で再現するだけなので、混乱が増すのは当然です。しかも、もはやシステムを保守できるのは「言語の機械的変換」に直接関わった業者だけで、ちょっとした改修をするにも、ユーザ企業は業者の言い値や納期を受け入れざるを得ません。そんなユーザ企業の経営者は、高止まりしているシステム保守費用に頭を抱えながらも、「わが社の強味は現場力にある」と言いつつ現場丸投げの姿勢を変えようとしません。その傾向は、今後の事業のあり方をトップダウンで構想・指示できない経営者の場合、さらに拍車がかかります。

こういった現状へのこだわりや業務の標準化への消極性は、日本企業全体の宿痾（しゅくあ）と言っていいでしょう。わが国の生産性が諸外国と比べて低く、GDPも伸び悩んでいるのは、こういった事情も関係しているのかもしれません。事業活動に資するはずの業務システムが、かえって事業を弱体化させている。そんな悲喜劇があちこちで起こっています。

業者を「オーディション」しよう

困ったことに、現行踏襲は旧来の開発業者にとってメリットがあります。開発工数が必要以上に嵩んでくれるという営業上の利点だけではありません。前述したように多くの業者は「プロセス指向」でしか設計できないので、DB構造を含めた現行仕様の再現なら得意だからです。

したがって、現行踏襲を排して「必要なものは残し、不要なものは捨てる」ための社内体制を整えるだけでなく、システム刷新の起点となるデータモデルを創造できる業者と協働しなければなりません。そのような業者は大手を含めても決して多くありませんが、「オーディション」で探し出せます。正確に言えば、高いスキルを持つ業者を探し出すことはその希少さゆえに困難ではありますが、オーディションによって低スキルの業者をスクリーニングするのは簡単です。

発注者にとってオーディションの準備は簡単で、新システムの「あるべき姿」のポイントを箇条書きでA４用紙１枚程度にまとめておくだけです。この「システム要件定義書」をその場で渡し、対話しながらその場でデータモデリングしてもらいます。このように手がかりを意図的に減らすことで、業者の本当の実力が透けて見えるようになります。「現行の仕様や業務体制を詳しく調べない限り、データモデルなど描けるものではありません」などと強弁するようであれば、プロセス指向にもとづく現行踏襲しかやれない業者の疑いがあります。「その場」ではなく「持ち帰り」でやりたがるような業者も同様です。

データモデルが出来上がったら、その場でシステムのプロトタイプを作ってもらいます。データモデルの妥当性を検証するためであると同時に、業者の開発生産性を測るためでもあります。今どきの技術を用いれば、テーブル数10個程度のシステムであれば、２時間もあればそれなりに動作するプロトタイプは組み立て可能です。従来型のプログラミング主体の開発手法をとっている業者は、その生産性の低さゆえにこの時点で脱落するでしょう。

オーディションの具体的な進め方ですが、まずはシステム開発の業界団体等を通じてそれを開催する旨を伝えてください。腕に自信のない業者は応募しないので、それだけである程度はスクリーニングできます。応募してきた業者について、「データモデリングと実装を合わせて３時間、作業者は実質１名とする」といった同一条件で作業してもらい、成果物を比較検討します。その際、オーディションに関わった技術者が実際の案件で起用可能であることを確認しておきましょう。なお、半日程度とはいえ技術者の実働が伴うので、参加してくれたすべての業者にはそれなりの費用を払うのがマナーです。金の草鞋（わらじ）を履いて探すくらいの覚悟がないと、信頼できる相手にはめぐりあえません。

そのようにして見出した辣腕技術者とは、成果物基準の請負契約ではなく準委任契約を結ぶことをお勧めします。なにしろシステム刷新なので、新システムの姿は誰にもわかりません。「モデリング＆プロトタイピング手法」を通じて、まずはDB構造とアプリ構成を含む基本設計の確立を目指しましょう。そのためには、３～６カ月程度の期間での人月ベースでの準委任契約がお互いに好都合です。工数単価が高額でも要員はごくわずか（２～３名でじゅうぶん）で済むので、安価かつ確実にシステム要件を具体化できます。最初の１カ月は試用期間として、気に入らなければその後で打ち切ればいいし、時間が足りないようであれば話し合って延長すればいいだけのことです。なお、外注やオフショアリングなどの形で「実装専任要員」が関与しないことも確認しておきましょう。設計者自身で実装すればよいだけのことで、実装体制の合理化を怠っていなければ、実装専任要員など不要かごく少数で済むからです。

筆者はこの「オーディション式の業者選定」の可能性や効果を、さまざまな機会で訴えています。これまでは業者のスキルレベルを測る手段がなかったため、知名度やプレゼンの巧拙といった的外れな観点で業者選定がなされてきました。まさにそれゆえに、システム開発業界全体の合理化が遅れてしまっているし、開発プロジェクトの成功率も低いままに留まっています。

オーディションはそのような反省に立つ新しい業者選定方式です。データモデルの妥当性がシステム刷新の成否を決めるという事実があり、データモデルにもとづいて手早く実装するための技術も揃っている。それならばデータモデリングと実装の腕を見極めたうえで、その業者と協働すべきかどうかを決めたらいい、というまっとうな話です。

ポイント10 データモデルの妥当性は、それにもとづいて動作するシステムのふるまいを観察することで明らかになる。データモデリングと実装の腕前を「オーディション」することで、業務システム開発において協業すべき業者であるかどうかもわかる。

第5章

企業と事業

本章からは、基本的なものから発展的なものまで、現実のさまざまなデータモデルを眺めていきます。器楽演奏に習熟するためには楽器の扱い方を理解するだけでは不十分で、多くの練習曲をこなしたり、好きな演奏を耳コピするといった経験が必要です。データモデリングも同様で、これに習熟するには多くのモデリング事例を鑑賞したり、演習課題をこなさねばなりません。とくにシステム刷新に役立つモデルを生み出すためには、さまざまな用例の読解を通してそれらに共通する「パターン」を会得する必要があります。

企業システムと業務システム

具体的なデータモデルを見ていく前に、本書が対象にしている「業務システム」の位置づけを明確にしておきます。まずは、企業システムの一般形を見てください（図５−１）。あくまでも「論理的」な機能分割にもとづくシステム構成ですが、基本構成をこのように考えることで、現実に稼働している企業システムの個性がよくわかります。

図5-1　企業システムの基本構成

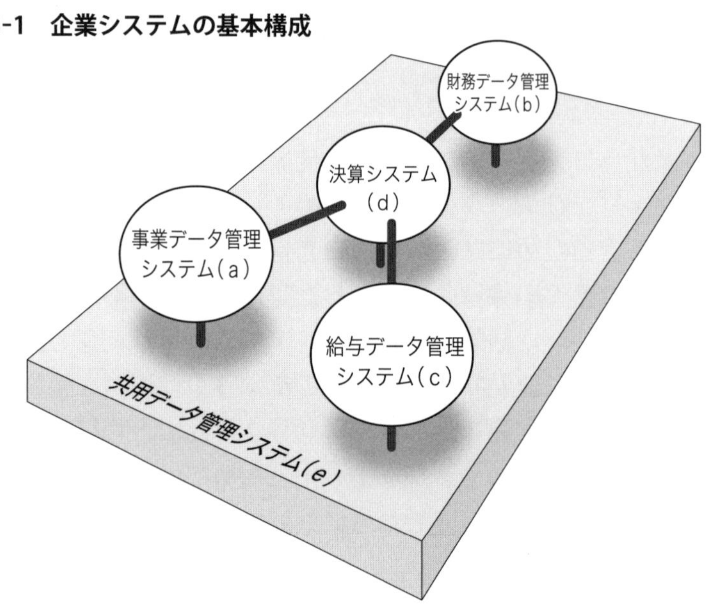

図中の「事業データ管理システム（ａ）」が狭義の「業務システム」です。給与データ管理システム（ｃ）は人事管理や給与支払を支援するための仕組みであり、財務データ管理システム（ｂ）は事業活動や給与等とは関係のない費用や資産を管理するための仕組みです。

これら３種類のシステム（ａ，ｂ，ｃ）を筆者は「企業システムの基本３モジュール」と呼んでいるのですが、論理的にはそれら以外に２つのモジュールが存在します。

まず、「基本３モジュール」のそれぞれで発生した取引を「簿記」の枠組みに沿って集計するための「決算システム(d)」です。ちなみに、市販のいわゆる「会計パッケージ」は、(b)と(d)、および(a)(c)(e)の一部をカバーするパッケージソフトです。パッケージが利用されることがふつうなのでわかりにくくなっていますが、本来の「決算システム(d)」は、企業システムの基本３モジュール(a，b，c)が生み出した取引情報を会計的に統合するための独立したモジュールとみなせます。

最後の要素が、(a)～(d)のすべてを下支えする「共用データ管理システム(e)」で、部門、社員、取引先といった、他のシステムにより「共用」されるデータが扱われます。もしもそれらの情報を「基本３モジュール」がそれぞれ独自に管理しているとしたら、無駄以外の何物でもありません。ふつうは「事業データ管理システム(a)」と合わせた形で、広義の業務システムとして認識されます。

本章以降でさまざまなデータモデルが説明されますが、財務データ管理システム(b)と給与データ管理システム(c)は基本的に除外されます。それらの領域はパッケージソフトでカバーできるので、データモデルを学んでも活用する機会がないからです。なお、決算システム(d)が「会計パッケージ」に含まれると説明しましたが、「簿記」のデータモデルに関連するので第６章で取り上げます。また、財務データ管理システム(b)で扱われる「減価償却」に関しては、事業管理システムの領域でも必要な知識なので第８章で取り上げます。

事業データ管理システムの構造

事業データ管理システム(a)は第７章以降で取り上げるテーマですが、もう少し詳しく見ておきましょう。このモジュールは１企業に１個だけ存在すると思われがちですが、そうとは限りません。多くの企業は単一の事業を営んでいますが、規模が大きくなると複数の事業を擁していることがあります。

これは、異なる事業のシナジー効果が期待できるためです。その場合、事業データ管理システム（a）は事業の数だけ存在します。いくら同じ企業内といっても事業が異なれば、それを管理するためのDBやアプリのあり方は違ってくるからです。

ときには、単一と思われていた事業に複数の事業が混じっていることがあります。その場合、無理に単一の事業データ管理システムで賄うべきではありません。仕様が無駄に複雑化するためです。異質な事業であれば管理システムを分けることが、システム化の基本です。なお、企業が擁する事業が単一であっても複数であっても、「給与データ管理システム（c）」と「財務データ管理システム（b）」は1個ずつで事足ります。これらは基本的に事業のあり方に影響を受けないからです。

さて、昨今の事業は「デジタルサービス」を扱うことが少なくありません。販売や製造が専業だとしても、商品をネット経由で販売するためのデジタルサービスを伴うことが一般的になりました。それを支援するシステムをここでは「サービス管理システム」と呼んでおきますが、事業データ管理システム（狭義の事業データ管理システムという意味で“基幹業務システム”と呼んでおきます）と連係する形で構築されます（図5－2）。

図5-2　事業データ管理システムの内部構造

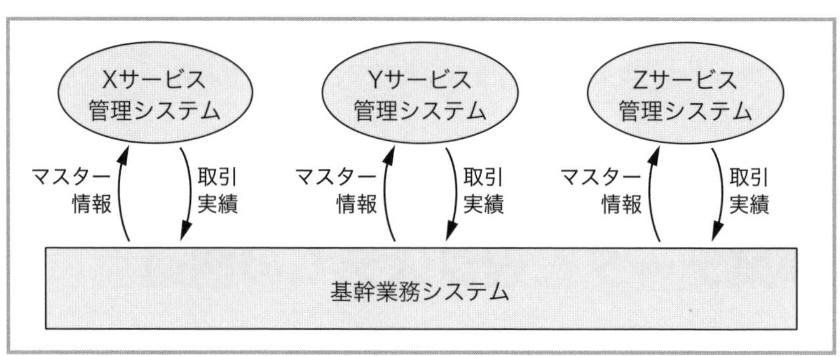

この図にあるように、事業によっては複数のサービス管理システムを擁します。たとえば米Amazon社は、かつては書籍に特化したEC企業でしたが、今や扱い商品を格段に増やしただけでなく、ネットワーク上のコンピュータ

リソースを提供するための多彩なデジタルサービスを扱うようになりました。この種のいわゆるIT企業は、さまざまなサービス管理システムが連係して事業活動を支えています。

ここで重要なのは、「出来の良いサービス管理システムは、出来の良い基幹業務システムに支えられている」という事実です。一般の商品やサービスと同様、デジタルサービスも継続的に改善されてゆかねばなりません。そのときに基幹業務システムの出来が悪ければ、サービス管理システムの改善が遅れることになります。ここらへんは重要なので第７章で再び取り上げます。

部門と部門階層

本章では「共用データ管理システム（e）」のモジュールが扱う、部門、社員、取引先等について見ていきます。まずは、部門と部門階層のシンプルなモデルを見てください（図５-３）。部門テーブルの属性である上位部門Ｃが主キーの部門Ｃを参照しています。「自己参照（自分自身に対する参照関係）」と呼ばれるモデリングパターンで、最上位部門の上位部門Ｃはブランク（▲）が指定されます。

図5-3　シンプルな部門のモデル

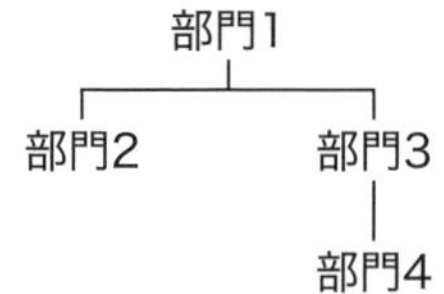

部門 {部門C}, 部門名, 上位部門C, …

部門C	部門名	上位部門C
BUMON1	部門1	▲
BUMON2	部門2	BUMON1
BUMON3	部門3	BUMON1
BUMON4	部門4	BUMON3

小規模事業者であればこれでいけるでしょうが、このモデルには「現在の値しか保持できない」という問題があります。たとえば、部門４がある月から部門２の配下になることが決まっているとしても、その月になるまでそれを記録できません。また、ある部門が３年前にどの部門の配下であったかがわからないことも、場合によっては問題になるでしょう。

そこで、このモデルに「時間軸」を組み込むことを考えます。次図では「部門階層」を独立させ、その主キーに開始年月を含めています。部門階層の「最終年月」は前後のレコードから導出される論理フィールドです。たとえば部門４は2002/09に部門２の下位部門になるので、部門３の下位部門であることの最終年月は2002/08に自動的に決まります。

図5-4　時間軸を含む部門階層

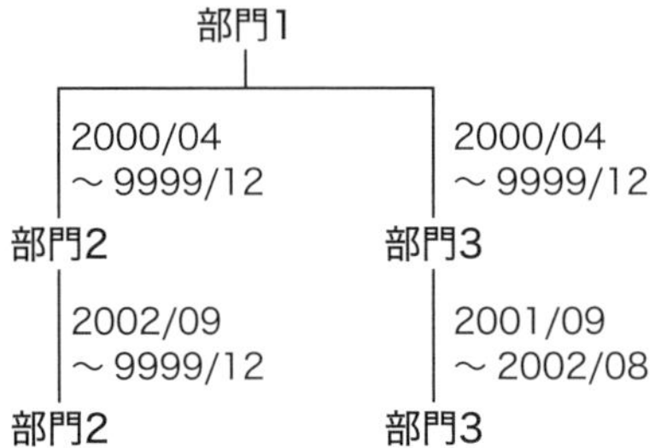

部門　{部門C}, 部門名, 開始年月, 最終年月, …

BUMON1	部門1	2000/04	9999/12
BUMON2	部門2	2000/04	9999/12
BUMON3	部門3	2000/04	9999/12
BUMON4	部門4	2001/09	9999/12

部門階層　{部門C,　開始年月}, 上位部門C, (最終年月), …

BUMON2	2000/04	BUMON1	(9999/12)
BUMON3	2000/04	BUMON1	(9999/12)
BUMON4	2001/09	BUMON3	(2002/08)
BUMON4	2002/09	BUMON2	(9999/12)

部門テーブルにも有効期間（開始年月と最終年月）が載っている点に注意してください。部門階層の開始年月はこれと矛盾しないように登録されるこ

とになるし、部門階層の最終年月も部門自身の最終年月を考慮して導出されることになります。反対に、それぞれの部門自身の有効期間も、部門階層と矛盾しないように更新されなければなりません。たとえば、部門２の下位に2002/09から配置される部門（部門４）が存在するのであれば、部門２の上位部門（部門１）自身の最終年月を2002/09以前に更新することは許されません。

部門の有効期間と一般的な取引データとの関係も見ておきましょう。次図は部門とリンクする単純な「売上明細」の例です。

図5-5 「有効期間」を持つ部門と売上明細

```
部門 {部門C}, 部門名, 開始年月, 最終年月, …
  ① BUMON1 部門1 2000/04 9999/12
  ② BUMON2 部門2 2000/04 9999/12
  ③ BUMON3 部門3 2000/04 2019/03

  …売上明細 {売上No.}, 売上日, 商品No., 数量, 単価, 売上部門C, …
    ④ U0256 2019/03/17 …  BUMON3
    ⑤ U0257 2019/05/21 …  BUMON2
```

③のレコード（部門３）は2019/03を最終年月として廃止されていますが、④の売上明細レコードが売上部門として部門３にリンクされています。しかしこれは問題ありません。④の売上日が2019/03/17で、その日であれば部門３の有効期間に含まれるからです。

いっぽう部門３側の最終年月を、たとえば2019/02に変更しようとすれば「期間外の売上日を持つ売上明細が存在することになるため、変更は許可されない」といったメッセージとともに更新が禁止される必要があります。また、⑤の売上部門を部門２から部門３に更新することは許されません。②の売上日2019/05/21において、部門３は「無効」だからです。

なお、③のレコードは2019/03で無効になりますが、それを過ぎても④がある限りは削除できません。ただし、一定年数よりも古い売上明細を削除してよいということであれば、④が消えるタイミングで③も削除可能になります（実際にはバックアップされたうえで、バッチ処理で一括削除されます）。

このように複雑なルールが求められますが、いずれもデータモデルから読み取れるものばかりです。すべてのルールがデータモデルから読み取れるわけではありませんが、読み取れないものについても、データモデルが明確であれば仕様化は容易です。的確なデータモデルは、更新にともなうルールを手早く仕様化するためにも欠かせません。

無責任な「削除フラグ」

「有効期間」の代わりに（あるいは有効期間と併用して）「削除フラグ」が付与されることがあります。削除フラグがオンに更新されると、あたかもそのレコードは存在しないかのように扱われるので、その更新操作を「論理削除」といいます。これだけの説明ならば問題なさそうですが、お勧めできません。その扱いにくさを上掲と同じようなケースで説明しましょう。

図5-6 「削除フラグ」を持つ部門と売上明細

```
部門 {部門C}, 部門名, 削除フラグ, …
  ① BUMON1  部門1   false
  ② BUMON2  部門2   false
  ③ BUMON3  部門3   false  ← trueに更新できない

 └…売上明細 {売上No.},  売上日,  商品No., 数量, 単価, 売上部門C, …
        ④  U0256  2019/03/17 …            BUMON3
        ⑤  U0257  2019/05/21 …            BUMON2
```

図5－5と同様に、たとえば2019/03を最後に③が廃止されることが決まったとしても、あらかじめその予定を登録できません。また、2019/04が到来しても、③の削除フラグをオン（true）に更新できません。なぜなら③は有効な④によってリンクされているからです。③が存在しないかのように扱われるには、④のようなレコードの存在を許すわけにはいきません。かといって④を削除（個別に削除するにせよカスケード[*1]されるにせよ）しなけれ

＊1　対象レコードを削除する際、それにリンクしているレコードが自動的に削除されること。ここでは、③を削除するとそれに関連する④が自動的に削除されることに相当する。

ばならないとしたら、それも理不尽な話です。④はその売上日からわかるように、過去に部門3が有効であった時期に記録された正当な事実だからです。有効期間を置いたとしても、ここらへんの問題は解消されないどころかさらにややこしくなります。

じつは削除フラグの扱いにくさの本質は、レコードの「有効・無効」と「必要・不要」とを区別していない点にあります。次の4象限で考えてみましょう。ここでいう「不要」は「削除してかまわない」くらいの、「無効」は「データに対応する現実が存在しないか、使われていない」くらいの意味に理解してください。

	必要	不要
有効	Ⅰ　有効かつ必要	Ⅱ　有効だが不要
無効	Ⅲ　無効だが必要	Ⅳ　無効かつ不要

これらの象限のうちでⅠは当然すぎるし、Ⅱは考えにくいので説明の必要はないでしょう。問題になるのはⅢとⅣで、削除フラグはしばしば、ⅢとⅣを区別しない形で組み込まれます。

Ⅲは、図5-5のモデルで起こり得る「有効期間を過ぎて失効した部門」に相当します。無効ではあっても、関連する取引が存在するので削除されてはいけません（関連する取引がなくても、公式記録として保持しておく意義はあります）。いっぽうⅣは「間違って登録してしまったレコード」に相当します。関連レコードが存在するならばそれを修正して関連をなくしたうえで、物理削除してかまいません。データ品質を考慮すれば、それらを論理削除レコードとして後生大事に保持しておくことの意味はないからです。これらの似て非なる状況のデータを1個の項目で制御しようと考えれば、システム仕様に無理や疎漏が生じるのは当然です。

それにもかかわらず、多くの開発事例で削除フラグが濫用されているのはなぜなのでしょう。これもデータモデリングをなおざりにしているためと筆者は考えています。DB構造が混乱しているので、そもそも削除制約をどう仕様化したらよいかわからない。そのためにとりあえず論理削除用のフラグを置くだけで、削除に関して配慮した気分になるのかもしれません。けっきょく、運用が始まって実際に削除したくなったときにようやく問題が明らかになるはずで、そのときに設計者はもういなかったりします。驚くことに、テーブル毎に削除フラグを置くことが会社の設計標準になっているケースさえあります。無神経かつ無責任な設計方針と言わざるを得ません。

削除や更新にともなう制約がうまくまとまらないとしたら、DB構造が不適切であることを疑ってください。多くのプロジェクトはアプリを設計・開発することにはきわめて熱心ですが、システムの基礎となるはずのDB構造の検討をないがしろにしています。それは「アプリの仕様を明らかにすれば、DB構造はおのずと明らかになる」というプロセス指向的な思い込みゆえです。事実は真逆で、DBを適切に設計することで、更新や削除に関わる精妙な制約が明らかになり、そのデータを扱うアプリ仕様も必然的に明らかになります。

社員と所属部門

「共用データ管理システム」で管理される情報として、つぎに「社員」のモデルを見てゆきましょう（図5-7）。このモデルにも社員の「現在の所属部門」や「現在の役職」しか保持できないという問題があるので、実用性に欠けます。

図5-7　社員のシンプルなモデル

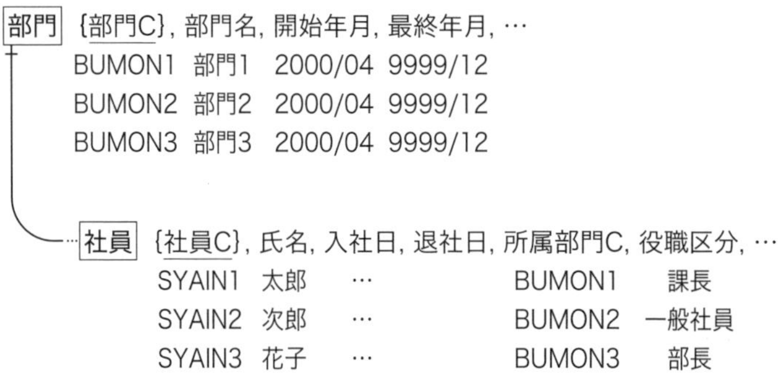

```
部門 {部門C}, 部門名, 開始年月, 最終年月, …
     BUMON1  部門1  2000/04  9999/12
     BUMON2  部門2  2000/04  9999/12
     BUMON3  部門3  2000/04  9999/12

社員 {社員C}, 氏名, 入社日, 退社日, 所属部門C, 役職区分, …
     SYAIN1  太郎  …  BUMON1  課長
     SYAIN2  次郎  …  BUMON2  一般社員
     SYAIN3  花子  …  BUMON3  部長
```

部門階層と同様に「時間」を組み込みましょう。次図では、所属部門Cと役職区分が、{社員C，開始年月} に関数従属する形で置かれています。太郎さんは当初は部門２に一般社員として所属していましたが、2003/04からは部門１に課長として異動になったことが記録されています。これで、任意の年月における社員の所属部門や役職を再現できるようになりました。なお、とくに大きな組織では人事異動のまとまりを管理したいことがあるので、人事発令テーブルが追加してあります。この場合、公開日以前の人事発令№を持つ社員所属データは、権限を持つユーザ以外が閲覧できないように制御されなければいけません。

図5-8　社員と社員所属

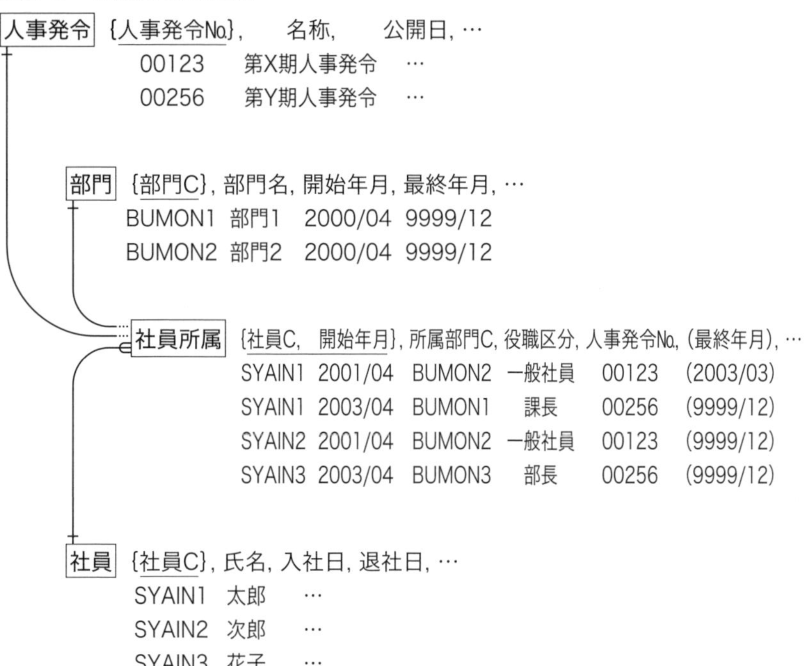

社員と「ユーザ」の関係も見ておきましょう。ここでいうユーザとは、その企業が有するシステムやネットワークに対する利用権限のことです。いわゆるシングルサインオン＊2の基礎となるので、社員情報とともに「共用デ

＊2　１回の認証で、必要なリソースにアクセスできるようにすること。これを考慮しないと、利用中に何度もユーザIDやパスワードを入力する羽目になる。

ータ管理システム」で管理される必要があります。

図5-9　社員とユーザ

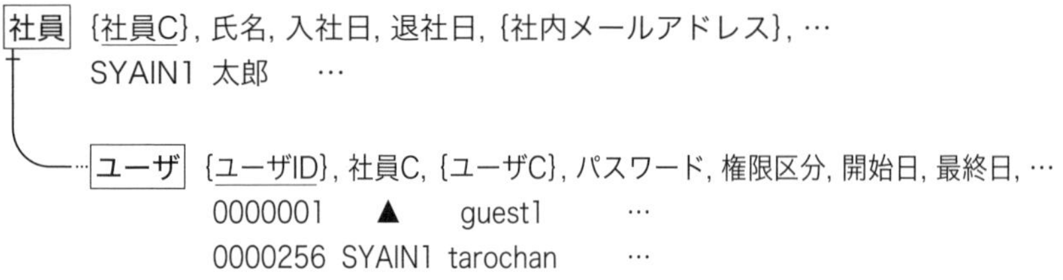

社員 {社員C}, 氏名, 入社日, 退社日, {社内メールアドレス}, …
SYAIN1 太郎 …

ユーザ {ユーザID}, 社員C, {ユーザC}, パスワード, 権限区分, 開始日, 最終日, …
0000001 ▲ guest1 …
0000256 SYAIN1 tarochan …

社員とユーザのテーブルを分けているのは、ユーザが社員ばかりとは限らないためです。派遣要員や業者の技術者のように、外部の人物が一時的にユーザとなることがあります。そのため、ユーザの「社員Ｃ」はブランクであることが許されます。

ユーザの主キーはユーザIDで、レコードを追加するたびに自動的に払い出されます。ユーザIDはシステムから強制的に与えられるものですが、ユーザがログインする際に使われるユーザＣについてはユーザ自身が覚えやすい値に変更可能となっています（ユニーク制約が与えられている属性項目であるためです）。レコードが新規追加されたときには、ユーザＣはユーザIDと同じ値、パスワードは規定のハッシュ値*3として初期設定されます。新規ユーザは、管理者から伝えられたユーザＣと規定のパスワードでの初回サインオン時に、ユーザＣとパスワードを直ちに再設定することになります。

なお、大企業では同業種の企業をM&Aして傘下に収め、同じ業務システムに組み込むことがあります。その際にM&Aされた企業の社員に新たな社員Ｃを発番するのが難しいケースがあります。そのような状況に備えて、社員テーブルの主キーを社員Ｃではなく「社員ID」にしておく工夫が有効です。この場合、社員の所属会社と社員Ｃの組み合わせに対してユニーク制約を付与することで、所属会社の異なる同じ社員Ｃの存在を許せるようになります。結果的に、M&Aされた企業の社員は以前と同じ社員Ｃを使い続けることができます。

ただしその場合、社員Ｃを用いて社員を特定する際に常に所属会社も選択しなければなりません。それがわずらわしいようであれば、社員Ｃの１桁目

＊3　ハッシュとは散らす（hush）という意味で、与えられた文字列を無意味な文字列に変換するための関数のこと。変換された値をハッシュ値といい、元の文字列を推測できない。パスワードのような秘匿データはそのまま（平文）ではなく、ハッシュ値としてDBに登録されなければいけない。

を所属会社を表すようにするなどして、社員Ｃだけでユニークになるようにすればよいでしょう。

図5-10　社員IDを主キーとする社員マスターの2パターン

社員　{社員ID}, 氏名, 入社日, 退社日, {社内メールアドレス}, {所属会社区分, 社員C}, …

社員　{社員ID}, 氏名, 入社日, 退社日, 所属会社区分, {社内メールアドレス}, {社員C}, …

同一テーブルに項目をまとめる

さて、図５-４の「部門階層」と、図５-８の「社員所属」の主キーには「開始年月」が含まれていました。では、部門にとっての部門階層、社員にとっての社員所属の他に、開始年月別に管理したい属性があるとしたらどうなるのでしょう。別のテーブルを用意すべきなのでしょうか。それとも既存テーブルに新たな属性として組み込めばよいのでしょうか。これは程度問題で、そのような項目が少なめなのであればまとめてしまえばいいし、属性としていくつかのグループを成すように見えるのであれば、グループの数にしたがって分割すると考えてください。

例として「部門の管理者」を取り上げましょう。これも部門の上位部門と同様に「開始年月」別に記録しておきたい情報です。これを別テーブルとするなら、次のようになります。

図5-11　部門の管理者の配置（1）

部門　{部門C}, 部門名, 開始年月, 最終年月, …

部門階層　{部門C, 開始年月}, 上位部門C, (最終年月), …

部門管理者　{部門C, 開始年月}, 管理者C, (最終年月), …

社員　{社員C}, 氏名, 社内メールアドレス, 入社日, 退社日, …

部門の上位部門と管理者は別々のタイミングで変わるはずなので、これはこれで間違いなさそうです。しかしそれらがある程度は連動して変わると考えられるとしたら、図５-12のようにまとめてしまってよいでしょう。上位部門か管理者のどちらかが変われば、年月別部門属性の新たな行が追加されることになります。社員の所属部門と役職は厳密には異なるタイミングで変わるはずですが、これらもある程度は連動すると考えられるので、同じグループにまとめても間違いではありません。

図5-12　部門の管理者の配置（2）

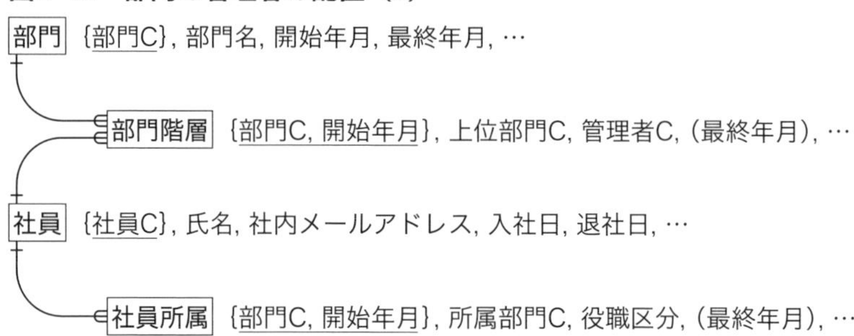

次はグループ化されるべきではないケースです。図５-13の「部門別月次予実サマリ」は、部門活動の予算や実績額が記録されるテーブルです。その上にあるのは「年月別に決まる項目」ですが、「部門階層」や「社員所属」に載っているものは「指定された年月から値が切り替わる項目」です。つまり後者のテーブルには、毎月向けのレコードが存在するとは限りません。前者と後者は似て非なるものなので、同一のテーブルにまとめるわけにはいきません。

図5-13　分離されるべき月次データ

部門 {部門C}, 部門名, 開始年月, 最終年月, …

部門階層 {部門C, 開始年月}, 上位部門C, 管理者C, (最終年月), …

部門別月次予実サマリ {部門C, 年月}, 売上予算額, (売上実績額), (配賦間接費), (直接費), …

なお、このモデルの「部門別月次予実サマリ」で、売上予算額と売上実績額とが同じテーブルに載っている点に違和感を感じる読者がいるかもしれません。売上予算額を登録する際、売上実績額はまだ決まっていません（0円でさえない。つまりnull)。レコード上の他の項目には値が設定されているのに、null値をとる項目が存在するようなテーブルを設計すべきではないという考え方もありますが、筆者はこれを許容します。なぜなら、売上予算額を登録した際の売上実績額は「遅かれ早かれnullでなくなる項目」とみなせるからです。ここらへんは重要なので、予実管理を扱う第10章であらためて説明します。

企業と取引先

企業活動は企業外のさまざまな主体によって支えられています。その代表が「他の企業」で、商品の買い手や売り手だったり、オフィスビルの貸し手や出入り業者であったりします。これらをすべてまとめて、その企業にとっての「取引先」と呼んでおきましょう。

とりあえず「法人」だけを考えた場合、「取引先」は「企業（会社)」なのかというと、厳密に言うとそうではありません。企業は「契約相手」にならないことがあるからです。企業同士がなんらかの取引を行う場合、事前に契約を結びますが、その相手は「企業」そのものではなく「企業内のいずれかの部門」であることがふつうです。その場合の取引先とは、正確には「企業内部門」や「営業所」に相当します。

したがって一般的に、取引先には「企業」と「契約先部門」の概念が混在することになります。これらをひとつのテーブルにまとめる設計方針も間違いではありませんが、ここでは「グループ企業」までを考慮しつつ、それらを分けたデータモデルを考えてみましょう（次図)。

図5-14　企業と取引先のモデル

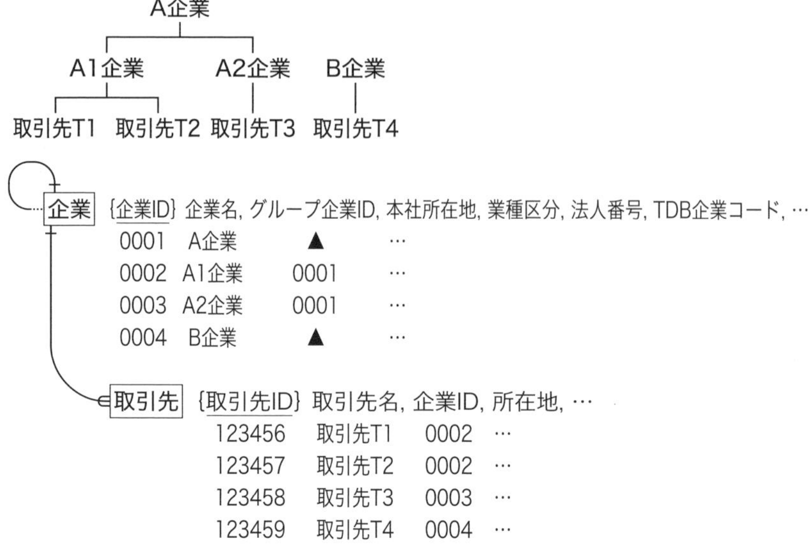

グループ企業IDによって「企業」は自己参照の形をとっています。グループの中心企業、およびグループ企業を持たない企業の場合、グループ企業IDはブランクです。「法人番号」は国税庁が、「TDB企業コード」は帝国データバンクが払い出す識別番号で、うまく使えば同一企業の重複定義を避けられます。

取引先のサブタイプとシステム間連係

44ページで取引先のサブタイプの説明をしましたが、それらは「共用データ管理システム」以外のシステムで管理されることがふつうです。たとえば「事業データ管理システム」では売掛金や買掛金の取引相手として得意先属性や仕入先属性のサブタイプを扱い、「財務データ管理システム」では未払金や未収金の取引相手としての業者属性のサブタイプを扱うことになります(次図)。

図5-15　取引先のサブタイプの管理主体

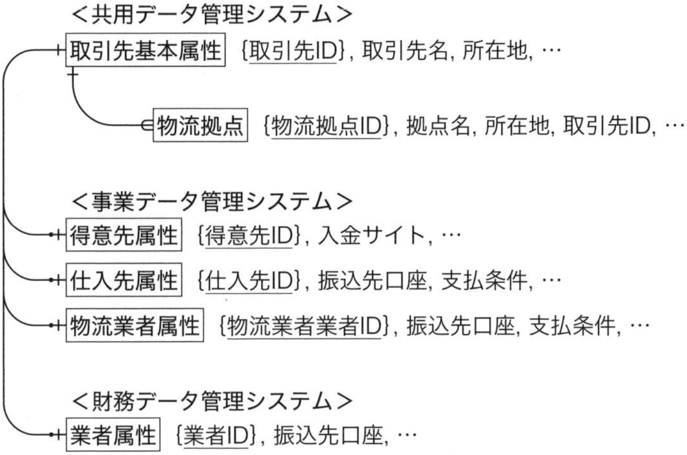

<共用データ管理システム>

取引先基本属性　{取引先ID}, 取引先名, 所在地, …

物流拠点　{物流拠点ID}, 拠点名, 所在地, 取引先ID, …

<事業データ管理システム>

得意先属性　{得意先ID}, 入金サイト, …

仕入先属性　{仕入先ID}, 振込先口座, 支払条件, …

物流業者属性　{物流業者業者ID}, 振込先口座, 支払条件, …

<財務データ管理システム>

業者属性　{業者ID}, 振込先口座, …

デジタルサービスを扱う事業では、得意先属性の延長として、サービス契約企業に所属するユーザや部門を含めて管理することがあります（次図）。ログイン権限やデータの参照範囲を制御するためです。

図5-16　得意先部門と得意先ユーザ

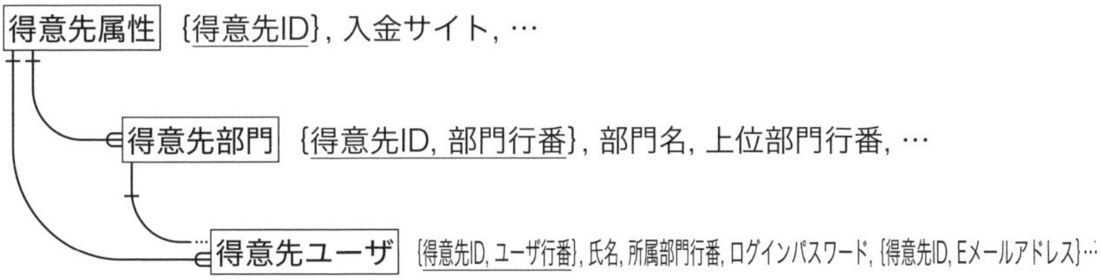

得意先属性　{得意先ID}, 入金サイト, …

得意先部門　{得意先ID, 部門行番}, 部門名, 上位部門行番, …

得意先ユーザ　{得意先ID, ユーザ行番}, 氏名, 所属部門行番, ログインパスワード, {得意先ID, Eメールアドレス}…

このように事業データ管理システムや財務データ管理システムは、インフラとなる共用データ管理システムが扱う情報を適宜参照しつつ、独自のサブタイプを扱う形になります。

では、各システムからの共用データ管理システムへの参照操作はどのような手段でなされるのでしょう。かつてはファイル連係やレプリケーション（テーブルのコピー）といった手段でそれらの共用データは利用されていましたが、現在ではWeb-API（HTTPプロトコルを用いてネットワーク越しに利用できるようになっているサービス）と呼ばれる方式で効果的に連係できます（次図)。

図5-17　さまざまな手段によるシステム間連係

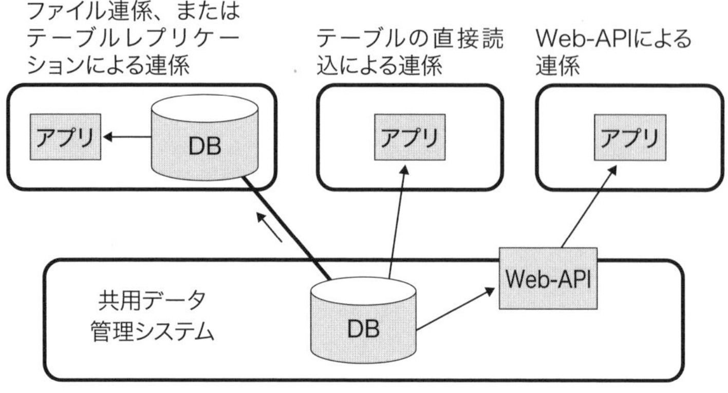

そんな手段を使わずに、他システムのDBを直接読めばいいと思われるかもしれませんが、やっかいな問題があります。まず、システム毎にDBMSが異なることがあるし、RDBでない可能性さえあります。それらに直接アクセスするためのさまざまな設定をアプリに組み込めば、システム仕様は際限なく複雑化し、保守性が低下します。他システムが管理しているデータを読む操作をWeb-APIに統一することで、システム間連係のコードが統一化され、複雑化を抑制できます。また、たとえば人事情報のように、いくら相手が社内システムであっても公開したくない情報もあるし、見せる際の形式を制限したいといった事情もあります。Web-APIを使えばそこらへんもきめ細かくコントロールできます。このような考え方はサービス指向と呼ばれ、これを推し進めたアーキテクチャをマイクロサービス（microservices）といいます。

さまざまなデータ処理をWeb-APIを用いてサービス化しておくことの意味は何なのでしょう。たとえば、ネット上で公開されているサービスを駆使すれば、ネット上の地図データ等のさまざまなリソースを活用できます（マッシュアップ開発といいます)。また、受発注や検収通知のような企業間のやりとりにおいても、それぞれのシステムが提供するサービスを組み合わせることで、P2P（Peer to peer、コンピュータ同士による通信）をスマートに実現できます。

しかし、いちばん大事な社内のシステム間連係に限って言えば、その効果を享受するには高いハードルがあります。管理情報が重複しているシステムが乱立していたり、各システムのDB構造が混乱していたりすれば、そもそも効果的なサービスのまとまりを切り出せません。とくに、複数のサービスに対する更新操作を伴う処理が求められると、いわゆるトランザクション制御の困難が生じます。そのような処理を抑制するためには、業務システムが扱うテーブル群は的確にサブシステム分割されていなければなりません（コラム３「データモデルとサブシステム」参照）。

けっきょくのところ、本章で説明しているような、システムとしての基本構造や的確なDB構造があって、サービス指向ははじめて効果を発揮できます。とくに企業システムのように複雑なDB構造を扱うソフトウエアにおいて、Web-APIを活用した保守性の高いアプリは「的確なDB構造の上に実る果実」と考えるべきです。どんなに有望に見える技術や手法を取り入れても、歪んだDB構造を温存する限り、混乱したシステム仕様はいつまでたっても救われません。「DB設計の失敗をごまかせる技術」は存在しないと考えてください。

ユーザ企業のグローバル変数

さてここで、108ページの図５-１（企業システムの基本構成）をもう一度見ながら、ユーザ企業自身の「企業名」がどこに格納されるかを考えてみましょう。その値は発注書や請求書といった、さまざまな外部提出文書上で出力されますが、どこで保持されるのか。もっとも不合理なやり方が、発注書や請求書を発行するプログラムが個々にその値を保持するという開発方針です。社名変更の際にそれらを全部調べて作り替える羽目になるので、企業システムとしてはあまりに不調法です。

言うまでもなく、そのような値を一元的に管理するのも「共用データ管理システム」の役割です。企業名、本社所在地、代表者名といったさまざまな情報を、社内システムはWeb-APIを通じて取得することになります。それらの情報をユーザ企業の「グローバル変数」と呼んでおきますが、これを保持するためのモデルを示します（次図）。

図5-18　グローバル変数のデータモデル

システム変数 {変数ID}, 値タイプ区分, 変数値, 摘要

変数ID	値タイプ区分	変数値	摘要
COMP_NAME	STRING	大日本帝国産業株式会社	会社名
FISCAL_MONTH	NUMBER	4	年度の開始月
CLOSE_DAY	NUMBER	25	締日

システム区分 {区分ID, 区分値}, 区分表現

区分ID	区分値	区分表現
KBKOYO	10	正社員
KBKOYO	20	パート
KBGYOSYU	100	建設業
KBGYOSYU	200	不動産業
KBGYOSYU	300	金融業
CDCURR	USD	米ドル
CDCURR	YEN	日本円
CDCURR	EUR	ユーロ

「システム変数」は変数IDのみで決まる値で、「システム区分」は区分IDと区分値の組み合わせで決まる値です。後者の例として示した区分ID“KBKOYO”は「雇用区分」、“KBGYOSYU”は「業種区分」、“CDCURR”は「通貨コード」を表すもので、それぞれの区分値に対応する表現が登録されています。コード値と名称の組み合わせだけで定義可能なマスター情報をまとめたものなので、この種のテーブルは「汎用区分テーブル」とも呼ばれます。こういうものを「雇用区分マスター」、「業種区分マスター」、「通貨マスター」のようにいちいち分割して見積りしているとしたら、開発工数水増しの疑いがあります。

なお、ある種のシステム区分には、「アプリのコード中でキー値を書き込むことが許される」という面白い特徴があります。とくに、区分の値にした

がってアプリの動きが変わるとすれば、その値がコード中に書き込まれます。雇用区分の例ならば、給与計算のアプリの中で正社員とパートでロジックを切り替えるために、コード中に‘10’や‘20’といった値を用いて切り替えに関する仕様が書き込まれます。

これはちょっと考えると不思議なことです。たとえば、取引先IDの特定の値がアプリのコード中に書き込まれることはあり得ません。そんなことを許せば、たかだか取引先データの変更にともなってアプリを仕様変更する羽目になるからです。しかし、ある種のシステム区分はシステムにとっての「憲法」のようなもので、その値構成は滅多に変化しません。それゆえ、その値を用いてロジックを書くことが許容されます。「雇用区分」はその典型的な例です。

しかし、すべてのシステム変数がそのような扱いを受けるわけではありません。上掲の「業種区分」や「通貨コード」の値を用いてロジックを書くことは、おそらく許されません。扱っている業種や通貨の体系はそれなりに変化すると考えられるためです。そのような情報については同じテーブルレイアウトで「ユーザ定義区分」といった名前のテーブルとして分離したほうがよいでしょう。「システム区分」はアプリコード中に記述することが許されるが、「ユーザ定義区分」は許されない、という違いです。

さて、グローバル変数の他に、消費税率や営業カレンダーのような情報も、共用データとして扱われます（次図）。消費税率については課税区分、営業カレンダーについてはカレンダー区分が主キーに含まれている点に注意してください。課税区分は軽減税率等を区別するため、カレンダー区分は事業部毎や工場毎の休日を区別するためのものです。これらの情報を保持している共用データ管理システムには「税率計算」や「営業カレンダーにもとづくリードタイム計算」といった共用APIが用意され、各システムがそれらを利用することになります。

図5-19　消費税率と休日カレンダーのモデル

消費税率　{開始日, 課税区分}, 税率分子, 税率分母

営業カレンダー　{カレンダー区分, 休日日付}, 摘要

データモデルとサブシステム

システム設計において「サブシステム分割」は重要なエンジニアリング課題です。的確にサブシステム分割することで、サブシステム毎のチーム編成や開発順序に関して、一定の自由裁量を確保できるようになるからです。

サブシステム分割の考え方を模式的に説明しましょう。たとえばあるシステムにテーブルが30個*1含まれているとして、まずはそれらを処理するアプリをすべて調べあげ、テーブルと関連させながら描き広げます。テーブルとアプリを結ぶ線（入出力線と呼んでおきます）の上には、CRUD（Create, Read, Update, Deleteの省略形）を示しておきます（図1）。

図1　テーブル（T01 ～ 30）とアプリ（A01 ～ 27）をサブシステムに分割する

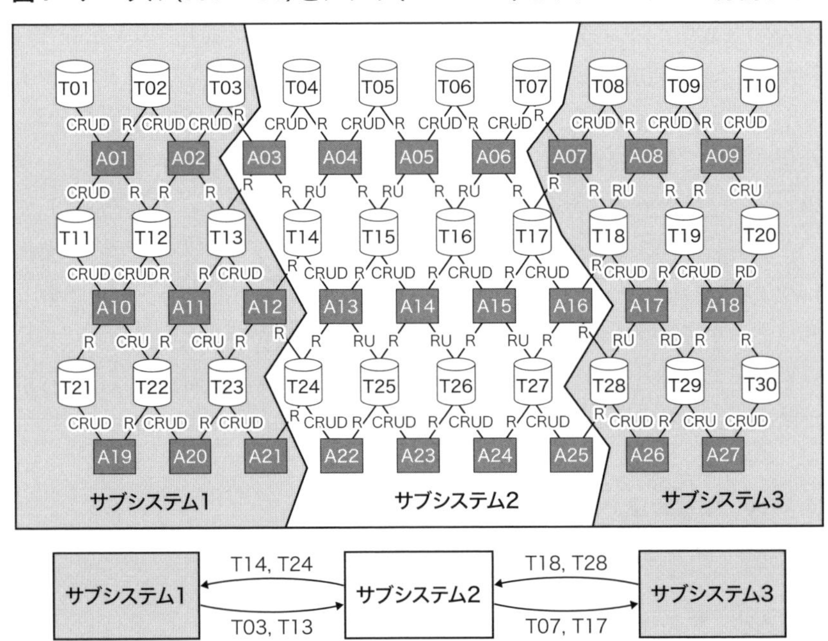

この図上のテーブル群とアプリ群を、いくつかのグループに分けることを考えます。その際に2つのルールを適用します。「1グループに含まれるテーブルは5～20個にする（アプリの数は不問）」と「グループをまたがる入出力線上にはR（Read）の操作しか示されないようにする」です。このようにして形成されたテーブルとアプリのまとまりが「サブシステム」です。入出力線上のCRUDを考慮するという意味で、この分割手順を「CRUD基準分割法」と呼んでおきます。

切り出された3つのサブシステムは、互いに他のサブシステムに所属するテーブルの一部を参照しあうだけの単純な関係になります（図1下）。この図で、たとえばサブシステム1のテーブルT13を仕様変更したとすれば、それを用いているサブシステム2が影響を受けます。しかし、サブシステム2においてそのテーブルを利用しているアプリ（A03）は、T13に対して読取操作しかしていないので、仕様変更にともなう影響は最小限で済みます。

ソフトウエア工学の用語を使って説明すると、この分割基準では「各サブシステムの高い凝集度（high cohesion）」と「サブシステム間の低い結合度（low coupling）」が考慮されています。「高い凝集度」とは、そのまとまりが「明快な役割」を持っていることを意味します。雑多な役割を持っている巨大なサブシステムの凝集度は低く、モノリシック（monolithic）と呼ばれて忌避されます。「低い結合度」とは、サブシステムの仕様変化に対して、他のサブシステムが受ける影響が少ないという意味です。あるサブシステムを仕様変更した途端に他のサブシステムの動作が一挙におかしくなるとしたら、それらのサブシステム間の結合度が高すぎるとみなされます。これらの特性はサブシステムに限らず、ソフトウエアのまとまり（モジュール）一般に対して求められます。

＊1　図解のために少なめの数を例にしましたが、30個は1基の業務システムが持つテーブル数としては現実にあり得る数値です。反対にテーブル数がたとえば200個以上含まれているとすれば、似たようなテーブルがやたらと切り出されている異常な設計をしているか、システムとしての凝集度の低さを疑えます。「500個のテーブル」を含むシステムが実在すると聞いたときは驚きました。そんなシステムの保守作業は、報われない苦行のようなものでしょう。

やっかいなことに、凝集度と結合度は「二律背反」の関係にあります。個々のモジュールの凝集度を高めようとすればモジュール間の結合度が高くなり、モジュール間の結合度を抑えようとすれば個々のモジュールの凝集度が低下します。上述した2つのルールによって、サブシステム分割においてそれらの性質をバランス良く確保できます。ではこのルール以外にどのような分割基準が考えられるでしょう。「業務のタイプ（利用部門等）で分ける」、「テーブルのタイプ（マスターかトランザクションか等）で分ける」などいろいろ考えられますが、いずれも凝集度や結合度を考慮できません。

上述した「CRUD基準分割法」はわかりやすく実践しやすい基準ではありますが、その実効性はデータモデルの品質に強い影響を受けます。たとえば、同じ意味合いのデータが別々のテーブルに重複して登録されていたり、異なる意味合いのデータが同じテーブル上に登録されたりするようなDB設計をしている場合、サブシステムを綺麗に分割できません。このことからも、DB設計者の責任の重大さがわかります。稚拙なDB構成は、その上に載るすべての定義要素を端正にデザインするためのさまざまな努力を台無しにします。

さて、最近注目されている「マイクロサービス（microservices）」の考え方は、このサブシステム分割の問題と関わっています。マイクロサービスは、システムを複数のサービスに区切って有機的に動作させるための現代的なアーキテクチャで、サービス同士をWeb-APIで連係させることで、比較的弱い結合度が確保されます。とくに、デジタルサービスを素早く変化させながら稼いでいるIT企業にとっては重要な考え方です。

各サービスはネットワーク上の独立した「ノード」とみなされ、それぞれが内部にさまざまなタイプのデータストアを包含しています。また、サービス毎に開発・保守チームがアサインされ、複数のチームがゆるやかに連係しつつシステム全体を変化・発展させるための体制が布かれます。その際に問題になるのが、サービスの粒度（りゅうど）です。サービスもソフトウエアのモジュールであることに変わりはないので、大きすぎても小さすぎてもいけません。

このサービス粒度の決定に、サブシステム分割の考え方を応用できます。すなわち、CRUD基準分割法で分けたサブシステムを１個のサービスとすることで、「各サービスの高い凝集度」と「サービス間の低い結合度」を確保できるからです。

この分割基準がもたらすとくに重要な効果が、サービス間には読取操作しか存在しないため、ネットワーク・ノードをまたがる更新操作の可能性を心配する必要がなくなる点です。もし複数ノードに対する更新操作をともなう処理が存在するとしたら、「トランザクション制御の困難」が生じます。トランザクション制御とは、複数テーブルに対する更新結果を必要に応じてコミット（更新の適用)、またはロールバック（更新の取消）して「更新整合性」を保全することをいいます（次ページ図２)。業務システムのように複雑なDB構造をともなうデータ処理では欠かせない機能です。

ところが、ひとまとまりのデータ処理において、更新対象のデータが複数のノード上に存在する場合、困ったことが起こります。それらをまたがるトランザクションの制御機構が存在しないため、コミット／ロールバックできません。業務システムは金額のような重要データをふつうに扱うため、更新整合性を保証できないのは致命的です。どうしてもやりたい場合にはファイル連係等の工夫が必要になりますが、これをやるほどアーキテクチャの意義が失われることになります。

このようにサブシステム構成は、マイクロサービスのあり方にも関わるエンジニアリング上の重大な課題なのですが、厳密に語られることがほとんどありません。せいぜい「管理しやすい適度な大きさに分割しましょう」とは説明されますが、それだけでは何の役にも立ちません。じっさい、サブシステムを正統な定義要素として扱えるモデリングツールや開発環境もほとんどないのが実情です。筆者はそれを重大な欠陥と考えて、サブシステム構成を強く意識した独自のモデリングツール（X-TEA Modeler）と、ローコード

図2　トランザクション管理のしくみ

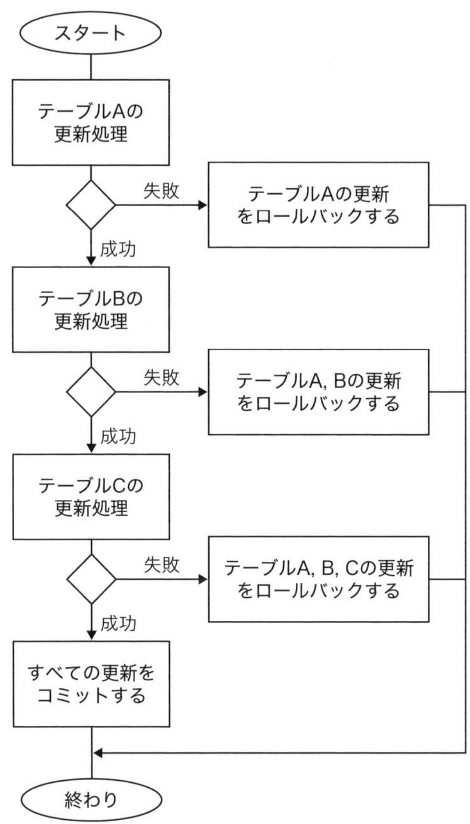

開発基盤（X-TEA Editor/Driver）を自作しました。無償で使えるものなので、興味のある読者は試してみてください。サブシステム分割の面白さと効果を味わえるでしょう。

第6章

仕訳と決算

世の中にはさまざまな事業がありますが、それらについて語るための共通言語があります。それが簿記です。これを学ぶことで、特定の業種だけでなく、すべての事業活動をシステム化の対象として扱えるようになります。じつは、簿記を初めて学ぶ際にもデータモデリングの知識が役に立つし、すでに簿記の資格を持っているとしても、データモデルを知ることでより実践的な理解が得られます。

簿記を理解することの意義

前章で、「会計パッケージ」が次図の財務データ管理システム（b）と決算システム（d）をカバーし、「給与パッケージ」が給与データ管理システム（c）をカバーするゆえに、それらについては本書の説明から除外すると述べました。しかし、（d）については事情が異なります。企業システム開発に携わる者にとって、（d）の枠組みである「簿記」が必須の知識であるからです。じっさい簿記を理解しないと、事業データ管理システム（a）と（d）とのインタフェース（連係様式）を設計できません。また、簿記は業務・業種を横断する共通言語といえるもので、それを理解していないようではユーザとのヒアリングで会話になりません。

図6-1　企業システムの基本構成（再掲）

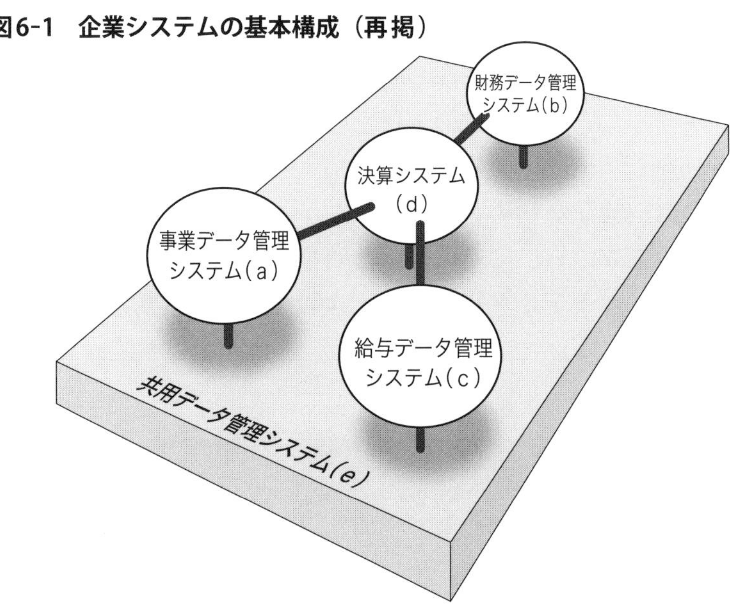

簿記とは、企業活動にともなうさまざまな価額（金額で示される値打ちのこと）の変化を記録する行為、およびその枠組みのことです。単式簿記と複

式簿記の２種類がありますが、簿記と言えばふつうは複式簿記を指します。その何が「複式」かというと、取引（なんらかのお金の動きをともなう活動のひとまとまりのこと）を複数の「勘定」の組み合わせとして捉える点にあります。いっぽう単式簿記では、各取引が１種類の勘定の変化として記録されます（家計簿やこづかい帳がこれに相当します）。本章では簿記（複式簿記）をデータモデルとセットで学んでいきましょう。簿記の本質を「データ処理の形」として把握するためには、まずは「データの形」を理解する必要があるからです。

勘定科目とは何か

簿記のデータモデルを「勘定科目」から見ていきます。勘定科目（たんに勘定や科目ともいう）とは、金額換算される価値を分類・集計するための「枠」のようなものです。価値の変動を、ある価値Ａの枠から別の価値Ｂの枠への移動として解釈し（仕訳）、ある時点での枠毎の価値構成を示すこと（決算）が、簿記の基本的な目的です。ときには100個以上の科目が利用されますが、経理担当者でもない限りそれらを覚える必要はありません。代表的な科目や仕訳パターンとともに、仕訳や決算の意味合いを理解すれば業務システム開発者としてはじゅうぶんです。

図6-2　勘定科目のモデル

勘定科目　{科目C}, 科目名, 勘定区分, 貸借区分, 科目レベル, 上位科目C, 出力順序, …

モデル上に示された科目の属性項目「上位科目Ｃ」に注目してください。これが主キーである「科目Ｃ」に対する参照キー（外部キー）となって「自己参照」のテーブル関連が形成されています。図５－３の部門が自己参照を持っていたように、科目も部門と同様のツリー構造をなすということです。ただし、ツリー上のどの階層に置かれているかによって、仕訳（後述）において指定可能かどうかが決まります（つまり、どんな科目でも仕訳上で指定できるわけではありません）。

科目の属性「貸借区分」には“貸方”、“借方”のいずれかが設定されます。“借りる”とか“貸す”とかいった日本語の意味にこだわる必要はなく、ようするに互いに逆の関係にあると理解してください（その意味では“陰陽区分”とか“左右区分”でもかまわないわけです）。「勘定区分」には、“B/S資産勘定”、“B/S負債勘定”、“B/S資本勘定”、“B/S決算勘定”、“P/L売上勘定”、“P/L費用勘定”、“P/L決算勘定”のいずれかが設定されます*1。後述するように、その設定によって勘定科目毎の残高がどの決算書のどの位置に出力されるかが決まります。

仕訳とは何か

続いて「仕訳」について見ましょう。仕訳とは「発生した取引を、いくつかの勘定科目の組み合わせとして解釈すること」、またはその結果のことです。決算システムで仕訳を登録することで、勘定科目の残高（後述）が変化します。そのモデルを見ると、仕訳見出し／明細として階層化されていることがわかります。

図6-3　仕訳のモデル

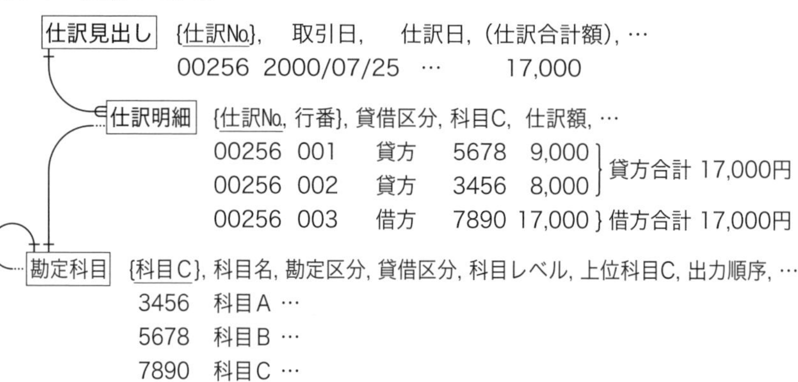

＊1　実際はもっと細かい分類なのですが単純化してあります。なお、勘定区分に従って貸借区分が自動的に決まると思われがちですが、「貸倒引当金」のように資産勘定に含まれる貸方科目や、「自己株式」のように資本勘定に含まれる借方科目も例外的ながら存在します。なお、B/Sとは貸借対照表（Balance Sheet）、P/Lとは損益計算書（Profit-Loss Statement）の意味で、合わせて決算書と呼ばれます。

モデル上でとくに重要な項目が、仕訳明細上の「貸借区分」です（勘定科目にも同じ項目がありましたが、それらの関係については後述）。1件の仕訳見出しに対して仕訳明細は複数件対応することになりますが、借方とされた行の合計額と貸方とされた行の合計額は一致していなければいけません。したがって借方行と貸方行は最低1行存在していなければいけません。それぞれが何件あっても、借方合計額と貸方合計額が一致します。これを簿記における「貸借一致の原則」といいます。仕訳見出し上の論理フィールドである「仕訳合計額」は、借方側仕訳額の合計（＝貸方側仕訳額の合計）を表します。

仕訳明細上では貸借区分の他に科目が指定され、対応する勘定残高が変化します。では、ひとまとまりの取引を2つ以上の勘定残高の動きとして認識することの意義は何なのでしょう。たとえば会社に1億円が入金されたとして、ただのこづかい帳（単式簿記）では「入金1億円」と記録されます。いっぽう複式簿記では、たとえば「“売掛勘定”が1億円減ると同時に、“現預金勘定”が1億円増えた」などと2つ以上の科目残高の動きとして記録されます。

このように、ひとまとまりの取引が「複数の勘定残高の動き」として認識される仕組みであるゆえに、その動きをごまかすことは簡単ではなくなります。あえてやろうとするなら、あちこちの勘定残高をつじつま合わせしなければいけません。なにしろ残高を調整するには、貸借一致の原則にしたがう仕訳を登録する以外の手段がありません*2。手続きのシンプルさと不正のしにくさが絶妙にバランスされた優れた会計記録の枠組み、それが複式簿記です。

勘定残高の変化

つづいて、仕訳を追加することで各勘定科目の「残高」がどのように変化するかを見ましょう。次図のデータモデルに添えた具体値を見てください。仕訳明細の仕訳額が、対応する「勘定科目別年次サマリ」の「借方仕訳合計

＊2　複式簿記だからといって不正が不可能なわけではありません。たとえば実際の取引の意味を歪曲した仕訳を登録したり、外部業者と結託して存在しない仕訳を登録するといった不正は排除できません。

額」と「貸方仕訳合計額」に加算されています（実際には各科目の「上位科目」に対する集計も同時に起こります）。

図6-4　勘定残高の増減

ここで、仕訳上に「貸借区分」があるだけでなく、勘定科目上にも「貸借区分」があったことを思い出してください。便宜上、前者を「仕訳貸借」、後者を「勘定貸借」と呼んでおきます。じつはある科目が借方勘定（勘定貸借が“借方”であるような科目）であるからといって、常に“借方”に仕訳されるとは限りません。ある科目が仕訳されたとして、勘定貸借と仕訳貸借が一致している場合、その科目の残高は仕訳額に応じて増えます。反対に勘定貸借と仕訳貸借が異なる場合、残高額は減ります。勘定科目別年次サマリの「現残高」はこの規則にしたがって算出されるもので、式で表すと次のようになります。

「借方B/S科目」の現残高 = 期首残高 + 借方仕訳合計額 − 貸方仕訳合計額

「貸方B/S科目」の現残高 = 期首残高 + 貸方仕訳合計額 − 借方仕訳合計額

「借方P/L科目」の現残高 = 借方仕訳合計額 − 貸方仕訳合計額

「貸方P/L科目」の現残高 = 貸方仕訳合計額 − 借方仕訳合計額

ここで出てきた「期首残高」は、「前回の決算（後述）時点での残高」を意味します。よく見ると、P/L科目（売上や費用等の科目を含みます）の現残高計算に期首残高は含まれていません。これはB/S科目とP/L科目の意味の違いゆえで、B/S科目の残高は次の会計期間向けに延々と「繰り越し」されてゆきますが、P/L科目はそうでないからです。

すなわち、B/S科目には「資産」、「純資産*3」、「負債」といった勘定が含まれますが、これらの残高は決算したからといって消えてなくなるものではありません。企業活動が続く限り、翌期に持ち越されます。いっぽうP/L勘定は「売上」や「費用」等で構成されますが、これらは「一定期間における業績値」とみなされる数値なので、翌期に持ち越す意味がありません。

仕訳における「貸借一致の原則」と残高の変化との関係は少しわかりにくいので、具体的なイメージで説明しましょう。それぞれの仕訳は「いくつかのオモリ（科目名が印字されていて仕訳額にしたがって重さが異なる）がぶら下がりつつ左右均衡しているヤジロベエ」に喩えることができます。そのヤジロベエを図6-5のような“勘定残高ボード”に載せ、オモリを科目名にしたがって下げていくことを想像してみてください（科目名が濃いほうの側がその科目の勘定貸借を示します。たとえば現預金は左側が濃いので借方勘定です）。個々の仕訳（ヤジロベエ）において貸借が釣り合っているので、仕訳をいくつ載せようが全体でも釣り合います（図6-6）。

*3 かつては“資本”と呼ばれていましたが、2005年の企業会計基準の改定にともなって、このように呼ばれるようになりました。“純資産”は“資産”から“負債”を差し引いた金額に相当するので、“資産”を「名目上の資産」、あるいは「総資産」の意味合いとして理解できます。

図6-5　勘定残高ボード

借方		貸方
借入金	負債	借入金
買掛金		買掛金
支払手形		支払手形
資本金	純資産	資本金
現預金	資産	現預金
受取手形		受取手形
売掛金		売掛金
繰越商品(商品)		繰越商品(商品)
固定資産		固定資産
当期損失	B/S決算	当期利益
売上(商品販売益)	収益	売上(商品販売益)
営業外収益		営業外収益
特別利益		特別利益
仕入(売上原価)	費用	仕入(売上原価)
販管費		販管費
営業外費用		営業外費用
特別損失		特別損失
当期利益	P/L決算	当期損失

図6-6　勘定残高ボード上での仕訳と勘定残高の関係

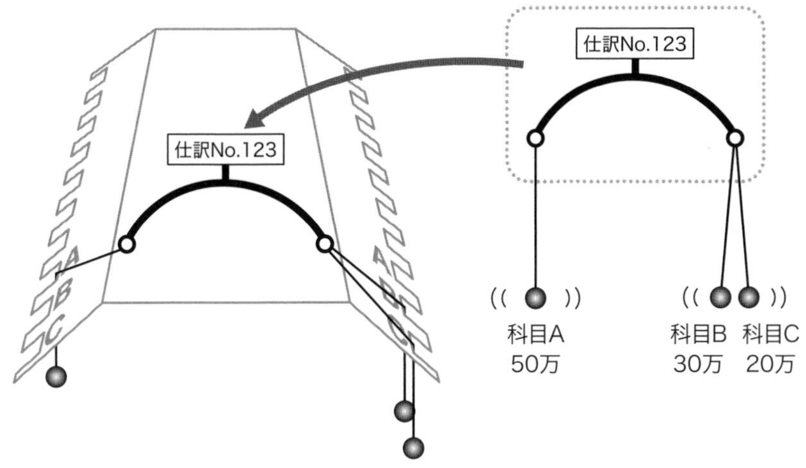

ここで、オモリがぶら下がっているボードから特定の科目だけを切り出すことを想像してみてください。上述したように、たとえば勘定貸借が"借方"であるような科目が"貸方"として仕訳された場合、その仕訳額は科目残高から減算されるように作用します。したがって、ひとつの科目の残高に注目した場合、そこにはさまざまな仕訳から下げられた仕訳額（オモリ）が関わりますが、勘定貸借と仕訳貸借が一致するかどうかにしたがって残高が増減されます。つまりボード上では、ある科目の勘定貸借が"借方"だとすると「借方側に置かれたオモリの合計重量」から「貸方側に置かれたオモリの合計重量」を差し引いた値が、その科目の総重量（残高）となります。大量にオモリ（仕訳）がぶら下げられたボード全体として釣り合いながらも、個々の科目の貸借は釣り合っていません。その差額が科目残高です。

参考までに、簿記用語としての「振替」の意味を説明しておきます。たとえば次図のように、ある借方科目Ａ（勘定貸借が"借方"であるような科目）の現残高が100万円だとして（図中では現残高のオモリは省略されています）、そのうちの30万円分を別の借方科目Ｂに移したいとしたら、どのような仕訳を追加すればよいでしょう。次図のように、科目Ａに貸方30万円、科目Ｂに借方30万円であるような仕訳を追加すれば、30万円の残高が科目Ａから科目Ｂに移ります。このように科目間で残高を移動させる仕訳を「振替（振替仕訳)」といいます。仕訳を追加すれば常に科目間の振替が起こるので、すべての仕訳は振替であるともいえます。しかし、現実に起こった取引を受け身的に解釈して仕訳するのではなく、最初から特定科目の残高を他の科目に移そうとする意図をともなう仕訳をとくに振替というと考えてください。定義としてはやや曖昧ですが、よく使われる言葉なので覚えておきましょう。

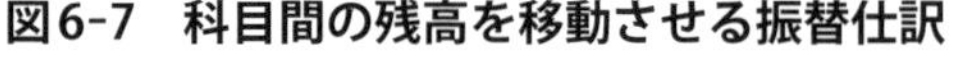
図6-7　科目間の残高を移動させる振替仕訳

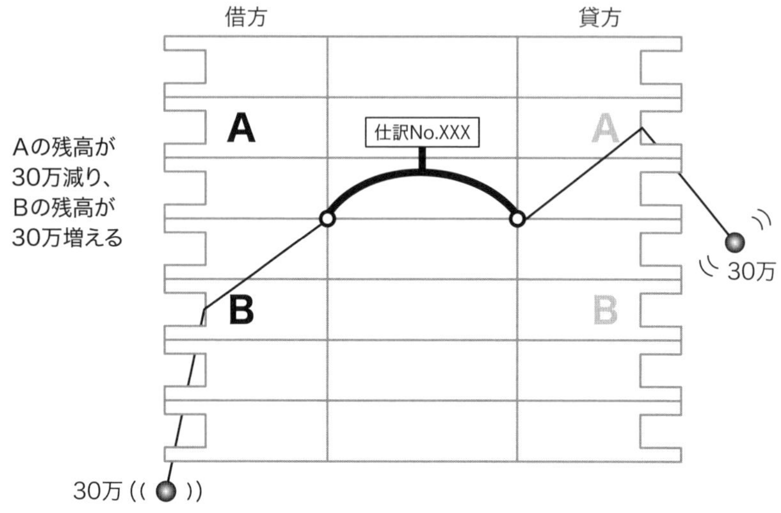

決算とは何か

仕訳と勘定残高の関係がわかったところで、いよいよ「決算」について見ましょう。ある会計期間においてさまざまな仕訳が登録され、それぞれの科目の残高が決定しているとします。期間の最後に、大量のオモリ（仕訳明細）がぶら下がっている勘定残高ボードを、「勘定区分」にしたがって「B/S科目群（BS資産勘定、B/S負債勘定、B/S資本勘定、B/S決算勘定）」と「P/L科目群（P/L売上勘定、P/L費用勘定、P/L決算勘定）」とに（図6-5の鋏マークのところを）切り離すことを想像してみてください（図6-8）。

図6-8　勘定残高と決算の関係

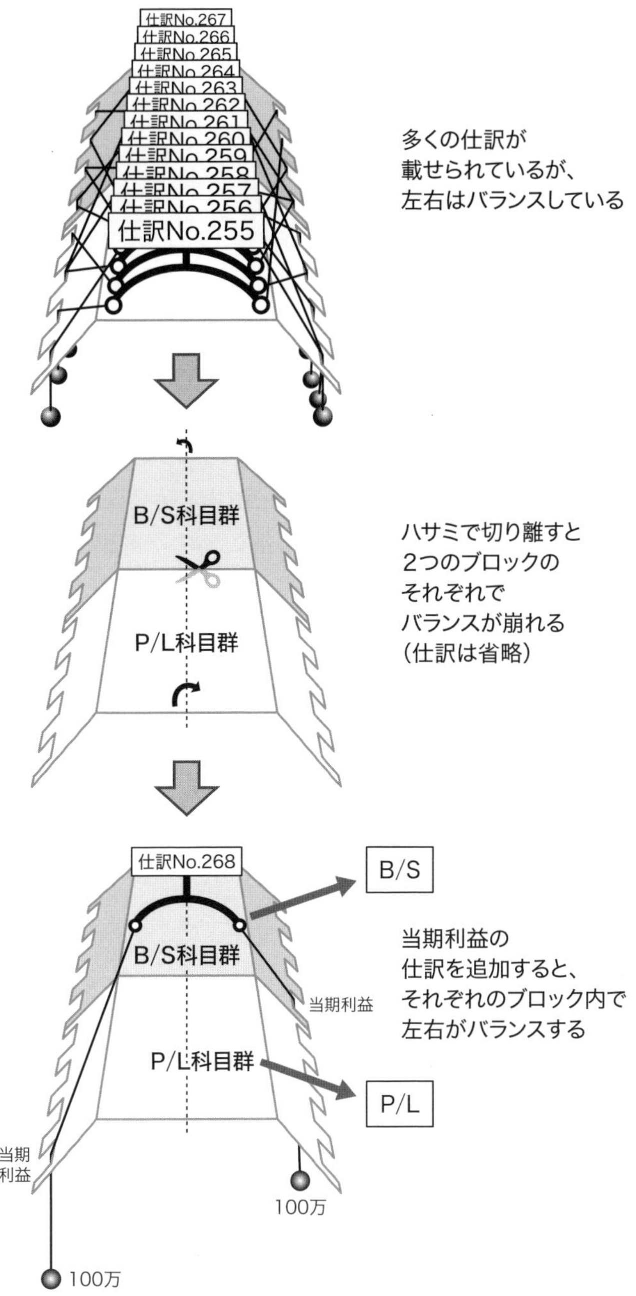

B/S科目群とP/L科目群のブロックを強制的に切り離すと、それまで釣り合っていた左右のバランスが崩れます（たまたま均衡することはありますが、ふつうは不均衡になります）。このとき、B/S科目群における不均衡額が100万円だとすれば、P/L科目群での不均衡額も100万円です。なぜなら、切り離す前には左右が釣り合っていたからです。ここで、２つのブロックがそれぞれ独立して均衡するような仕訳（№268）を、ブロックをまたいだ形であらたに追加することを考えます。使えるのは「当期利益」または「当期損失」の科目です。その仕訳額が、この会計期間における「損益（税引前利益または損失)」となります。

ではなぜそれが「損益」になるのでしょう。勘定残高ボード全体として釣り合っていることも、それを２つのブロックに切り離せばそれぞれが釣り合わなくなることも、単純な幾何的事実でしかありません。ところが、企業活動に関わるさまざまな価値を勘定科目として体系化することで、２つのブロックが釣り合わなくなったその重さが「損益」の意味を帯びることになります。この巧妙さゆえに、ドイツの文豪ゲーテは複式簿記を「人類の最大の発明のひとつ」と称えました。

この偉大な発明の起源については諸説あってはっきりしませんが、15世紀にはイタリアで実用化されていたことがわかっています。それ以来、人類が英知を注いできた簿記の枠組みを、企業システムに関わるわれわれが学ばない手はありません。

続いて「決算書」について見ましょう。損益仕訳を追加してそれぞれのブロック（B/S科目群とP/L科目群）の貸借が独立してバランスした時点で、各科目の残高をブロック毎に独特な様式で並べて出力したものが決算書、すなわち「貸借対照表（B/S)」と「損益計算書（P/L)」です＊4。「当期損益を含めた財産の状況」を表すための様式が貸借対照表で、「収益からさまざまな費用を差し引いた当期損益」を表すための様式が損益計算書です。図６-９はその出力例で、慣れないと読みにくいものですが、ここでは双方の様式で当期損益が示される点を理解しておいてください。図では２つの決算書上の「税引前利益」の値（2,000円）が一致しており、それらが当期利益に相当します。

＊4　2000年からは、キャッシュフロー計算書（C/F）も決算書として正式に導入されました。キャッシュ相当とみなされる勘定について、残高の変化をわかりやすくまとめたものです。上場企業等以外では義務化されていないので、ここでは扱いません。

図6-9　貸借対照表と損益計算書

【第XX期 貸借対照表】

資産の部		負債の部	
流動資産	10,000	流動負債	3,000
現預金	8,000	買掛金	3,000
受取手形	200	支払手形	0
売掛金	1,500		
商品	300	純資産の部	
固定資産	5,000	資本金	10,000
固定資産	5,000	税引前利益	2,000
資産合計	15,000	負債・純資産合計	15,000

【第XX期 損益計算書】

営業収益		
売上高	100,000	
営業費用		
売上原価	60,000	
販管費	30,000	
営業利益		10,000
営業外収益	0	
営業外費用	8,000	
経常利益		2,000
特別利益	0	
特別損失	0	
税引前利益		2,000

決算とはようするに「期末において損益を明らかにし、決算書を出力するプロセス」のことですが、正確に言えば、損益を明らかにするだけでなく、その「処分方針」までが決められます。利益は「配当金」、「任意積立金」、「資本剰余金」、「次期繰越利益」等に振り分けられ、損失であれば（前年度から繰り越された）それらからの振替によって補填されます。このような操作を「利益処分（損失処理）」といい、その方針が株主総会において承認されるこ

とになります。

なお、図6-9のP/L上にはさまざまな利益が示されています。利益は収益から費用を差し引いた額のことですが、そもそも収益と費用にもさまざまなものがあるので、どの収益からどの費用を差し引くかで利益の意味合いは変わります（図6-10）。たとえば「売上総利益（a）」は“粗利”の別名で、売上額から売上原価を差し引いたものです。ここからさらに販管費を差し引けば「営業利益（b）」になります。これらを含めた6種類の利益は基本的な経済用語でもあるので、言葉だけでも覚えておきましょう。

図6-10　P/L上に示されるさまざまな利益

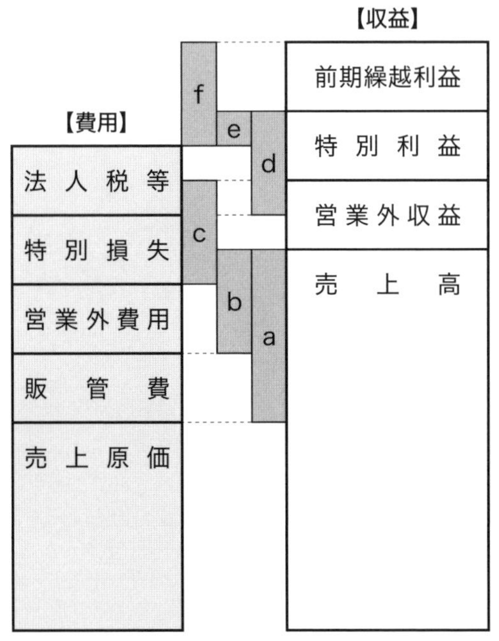

a＝売上総利益
b＝営業利益
c＝経常利益
d＝税引前利益
e＝当期純利益
f＝当期未処分利益

基本3モジュールと決算システム

「企業システムの基本３モジュール」から、どのような情報が決算システムに渡されるかを見ましょう（次表）。これらが決算システムにおいて「仕訳の元ネタ」として解釈され、科目残高を変動させせます。

表　企業システムの基本３モジュールが決算システムに渡す情報

事業データ管理システム	事業上の取引実績と事業運営に必要な資産状況（①）
給与データ管理システム	人件費に関する取引実績（②）
財務データ管理システム	財務活動に関連する取引実績と資産状況（③）

実際にはこのように綺麗に分かれるわけではありません。たとえば、業者に支払うべき代金が残っているとして、それが事業活動に直接関わる商品やサービスの“仕入”にもとづくとすれば「買掛金勘定」とみなされるし、そうでなければ“経費”として「未払金勘定」とみなされます。後者は③に含まれそうなものですが、ほとんどの場合、発注システムは「事業データ管理システム」上に構築されるため、未払金勘定を増減させる取引実績の一部は①にも含まれることになります。また人件費については、事業活動への関わりによって間接部門向けの「給与手当」、工員向けの「賃金」、パート向けの「雑給」等に区別されます（これらはすべて②に含まれます）。これらを区別できる形で、決算システムは仕訳の元ネタを受け取ります。

では、仕訳の元ネタはどのようなタイミングで決算システムに渡されるのでしょう。短い間隔（たとえば日次）であるほど、事業活動に役立ちそうに思われがちですが、実際には月次でじゅうぶんです。なぜなら簿記の枠組みは、必ずしも日々の事業活動をガイドするものではないからです。

決算システムにおいて作成される報告書は国が定めた会計基準にもとづいているので、こういった会計のことを「制度会計」といいます（財務会計とも言われますが、財務データ管理システムと紛らわしいので本書では制度会計とします）。これはあくまでも株主等の第三者が企業業績を理解するための枠組みです。いっぽう、経営者が日々の状況をモニターしながら俊敏に意志決定するためには、売上やコストや利益に関する予実（予算と実績）を含めた計数管理のしくみが必要になります。そこで用いられるのが、制度会計から独立した予実管理の仕組み（管理会計）で、業務システムが果たすべき役割として重要性が高まっています。本書の第10章では、管理会計で扱われる予実集計のモデルが説明されています。

プロセス指向で簿記をシステム化すると

第４章で、現実の業務をコンピュータを用いて合理化する際の設計方針には、大きく分けて２つの流儀があると説明しました。ひとつは現行の業務やそれを支援するアプリのあり方を調べて、そこからデータの形を導くやり方、もうひとつはシステムが扱う「あるべきデータの形」を考案し、そこから業務やアプリのあり方を導くやり方です。前者が「プロセス指向（手続き指向）」で、後者が「データ指向」でした。プロセス指向の弊害を、簿記を例にしてあらためて説明しましょう。

筆者は業務システム開発に携わるIT技術者に、簿記３級の資格を取ることを勧めています。２級は無駄にややこしいのでお勧めしませんが、３級は簡単だし社会常識といっていいほど重要なので、資格を取るかどうかに関係なく学ぶ意義があります。簿記３級用の教材を読んでみればわかるのですが、いまどき会社の経理業務でPCを使わないことはほとんどあり得ないにもかかわらず、手作業での簿記が説明されています。そのことの是非はさておき、たとえば仕訳から決算の手作業での流れは次のように説明されます。

手順１．適宜に仕訳伝票を起票する
手順２．各月度末に仕訳伝票の内容を仕訳帳に転記する
手順３．各月度末に仕訳伝票の内容を総勘定元帳に転記する
手順４．年度末に総勘定元帳から試算表を作成する
手順５．年度末に総勘定元帳から精算表を作成する

手順6．試算表と精算表の内容にもとづいて決算仕訳を登録する
手順7．決算書を作成する

プロセス指向では、これらの「現行業務体制」についての調査・分析を出発点とします。その結果として業務フローや、以下のようなプログラム（機能）の一覧が導き出されることになります。

・手順1と6を支援するための「仕訳登録プログラム」
・手順2を支援するための「仕訳帳作成プログラム」
・手順3を支援するための「総勘定元帳作成プログラム」
・手順4を支援するための「試算表作成プログラム」
・手順5を支援するための「精算表作成プログラム」
・手順7を支援するための「決算書作成プログラム」

これらのプログラムの仕様が詳細化される過程で、それぞれに必要なテーブルが設計され、最終的に以下のような定義要素が生み出されるでしょう。これらのプログラムを用いることで、上掲の手作業1～6は「コンピュータを使った現代的な事務作業」に生まれ変わります。

プログラム	入力テーブル	出力テーブル
仕訳登録プログラム	なし	仕訳テーブル
仕訳帳作成プログラム	仕訳テーブル	仕訳帳テーブル
総勘定元帳作成プログラム	仕訳帳テーブル	総勘定元帳テーブル
試算表作成プログラム	総勘定元帳テーブル	試算表テーブル
精算表作成プログラム	総勘定元帳テーブル	精算表テーブル
決算書作成プログラム	総勘定元帳テーブル	決算書テーブル

しかしながらこれは噴飯モノというべき設計で、これで「ITを駆使して業務を合理化できた」とは到底言えません。なぜならコンピュータ会計における仕訳～決算業務は、以下のように簡略化されることがわかっているからです。上掲の手順1～7と比べるとはるかに単純化されています。

手順１．適宜に日々の活動を捉えた仕訳を登録する
手順２．年度末に決算のための調整仕訳を登録したうえで、決算書を出力する

じっさい図６-４を見るとわかるように、簿記のデータモデルには仕訳帳テーブルも試算表テーブルも精算表テーブルも決算書テーブルも含まれません。なぜでしょう。仕訳帳テーブルはモデル上の仕訳見出し／明細テーブルのビューに過ぎないし、試算表テーブル、精算表テーブル、決算書テーブルは勘定科目別年次サマリ（総勘定元帳テーブル）のビューに過ぎないからです。ようするにコンピュータ利用を前提とすれば、仕訳データさえ登録すれば、総勘定元帳まで論理的には出来上がってしまうのです。手作業時代の帳簿組織をそのままテーブル化して、伝統的プロセス（前ページの手順１～７）を支援するためのアプリを生み出すことに意味はありません。それどころか、無駄な事務コストゆえにユーザ企業の競争力を低下させることになりかねません。

現行のプロセス（業務やアプリのあり方）を緻密に調べて、それを基礎としてシステム仕様を構想する。まさにそれゆえに、現行の業務体制やDBやアプリの仕様が温存されやすい。それが「プロセス指向」の問題だと第４章で説明しました。現状を尊重すればするほど、プロジェクトは現行踏襲の罠にはまります。簿記を例にして説明するとこのやり方の異様さがよくわかるのですが、同じ発想で設計されているシステムがじつは少なくないのです。

ところがそういった仕事に対して、設計者が「ユーザの要望に従っただけ」と説明することがあります。建設途中で崩壊した高層ビルの設計について責任を問われて「施主の言うとおりに作っただけ」と言い訳するようなものです。システム設計者に期待される役割はまさに、簿記の枠組みの理解から、図６-４のように抜本的なデータモデルを生み出すことです。そのモデルを見れば、専門性や経験にもとづく補完や創造的飛躍が求められていることは明らかです。まずは広域の「あるべきデータモデル」を創造し、業務体制やアプリ構成についてはデータモデルにもとづいてゼロベースで考え直す――それが「データ指向」であり、システム刷新の基本姿勢です。

第7章

商品と契約

本章以降では、事業データ管理システムの内部を見ていきます。本章ではとくに商品やサービス、およびそれらを扱う契約のデータモデルを検討しますが、フィーチャ・オプションやシングルレベル部品表の考え方は応用の利くノウハウなので、確実に理解しましょう。

商品と仕様特性

共用データ管理システム（e）と決算システム（d）に続いて、本章以降ではシステム開発の本丸というべき事業データ管理システム（a）について見ていきましょう（次図）。第５章では契約先としての「取引先」のモデルを見ましたが、契約を成立させるためには、提供される商品やサービスのあり方が明らかでなければなりません。本章では商品やサービス、およびそれらを扱う契約のデータモデルを見ていきます。

図7-1　企業システムの基本構成（再掲）

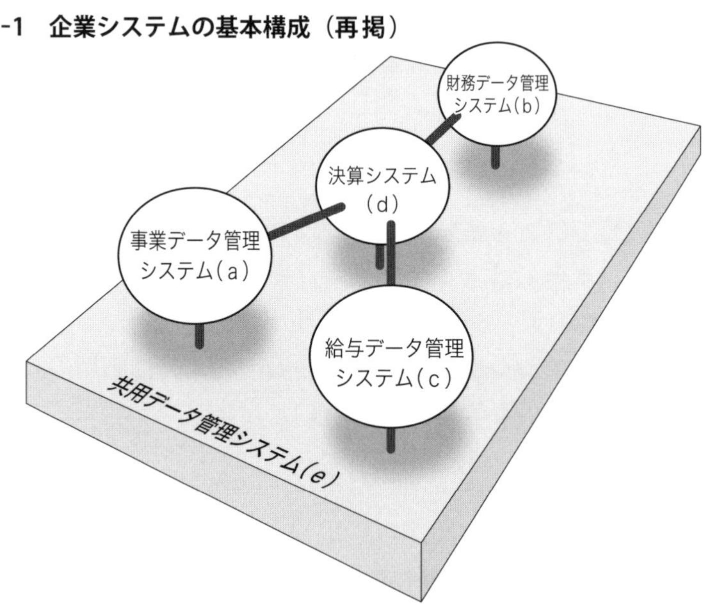

まずは物販事業における商品を考えます。もっとも単純なモデルを見てください（図７－２）。40ページで説明したように、本来は「商品ID」を主キーとして、「商品Ｃ」についてはユニーク制約を付与された属性項目とすべきでしょうが、ここでは煩雑化を避けるために「商品Ｃ」を主キーとしてあります。

図7-2　管理属性の少ない商品

商品 {商品C},	商品名,	サイズ,	素材,	標準売価,…
100001	焼肉溶岩プレート大山塊M	M	玄武岩	5,500
100002	焼肉溶岩プレート大山塊L	L	玄武岩	9,500

商品の属性がここではサイズ、素材、標準売価になっていますが、それらだけで全商品の仕様特性を管理できるとしたら今どき幸運と言うべきでしょう。現代の物販事業では、種々雑多な仕様特性を持つ品種が扱われるからです。“焼肉溶岩プレート”の他に、たとえば“幼児用テーブル椅子”を扱うようになれば、管理したい属性はかなり違ってきそうです。

しかし、だからといって商品特性を思いつく限り属性として並べるわけにはいきません。たとえば「色」や「重量」といった属性をあらたに置くとしても、それらが営業上問題になり得ない商品に対してその値を登録する意味はありません。そもそも今後、サイズや素材といった属性を持たない商品はいくらでも現れるでしょう。

そこで、商品テーブル以外の場所に商品属性を保持することを考えます。つまり、どんな商品であっても、必ず定義しておかねばならない「必須属性」を商品テーブルに置いて、商品によって自由に組み合わせられる「オプショナル属性」を別のテーブルに登録できるようにします。ここでは必須属性を「標準売価」だけとして、それ以外を「オプショナル属性」としましょう。その結果が次図です。

図7-3　商品とオプショナル属性を分離したモデル

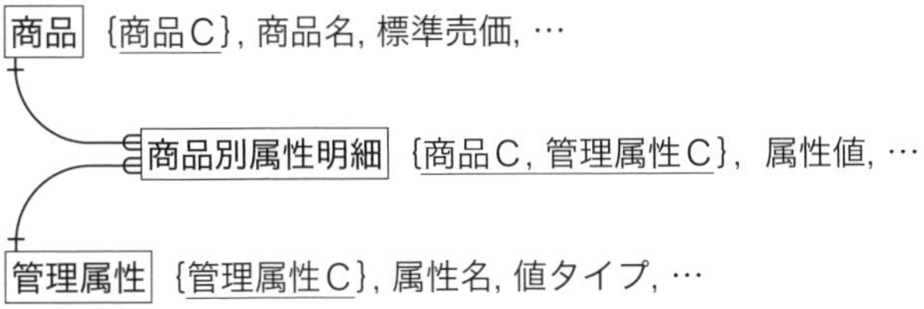

商品 {商品C}, 商品名, 標準売価, …

商品別属性明細 {商品C, 管理属性C}, 属性値, …

管理属性 {管理属性C}, 属性名, 値タイプ, …

こうすることで管理属性の付与に制限がなくなるので、商品毎に固有かつ多彩な属性を管理しやすくなります。たとえば「商品別属性明細」を商品横断で検索することで、属性名や属性値の手がかりから商品を効果的に絞り込めます。インスタンス付きで示すと次図のようになります。

図7-4　商品とオプショナル属性を分離したモデル（インスタンス付き）

商品 {商品C}, 商品名, 標準売価, …

商品C	商品名	標準売価
100001	焼肉溶岩プレート大山塊M	5,500
100002	焼肉溶岩プレート大山塊L	9,500
100003	幼児用テーブル椅子CT200	4,500

商品別属性明細 {商品C, 管理属性C}, 属性値, …

商品C	管理属性C	属性値
100001	SizeSML	M
100001	Material	玄武岩
100001	WeightKg	5
100001	DimWDH	500*45*800
100002	SizeSML	L
100002	Material	玄武岩
100002	WeightKg	8
100002	DimWDH	600*45*900
100003	Color	WHIte
100003	Material	スチール
100003	WeightKg	1.5
100003	DimWDH	300*300*500

管理属性 {管理属性C}, 属性名, 値タイプ, …

管理属性C	属性名	値タイプ
Color	色	文字
SizeSML	サイズ(S/M/L)	文字
Material	素材	文字
WeightKg	重量(kg)	数値
LengthMm	長さ(mm)	数値
DimWDH	サイズ(W*D*H)	数値文字
Brand	ブランド	文字

しかしこのやり方では、商品毎にどの属性を関連させるかはデータ管理者の判断にまかされます。似たような商品でも特定の属性が付与されたりされ

なかったり、似たような管理属性がいくつも定義されたり、といった不備も起こり得ます。

そういった問題を避けるために、似たような商品の集まりとして「品種」を想定し、品種毎に「属性の組み合わせ」をあらかじめ決めてしまうやり方を考えます。同じ品種に含まれる商品であれば同一の属性の組み合わせが強制されるので、品種が多すぎない業態であれば効果的でしょう。なお、ここでの品種区分の属性項目は名称だけなので、品種についてはシステム区分テーブル（126ページ）上で扱えます（図7-5）。

図7-5　品種別に管理属性が決まるモデル

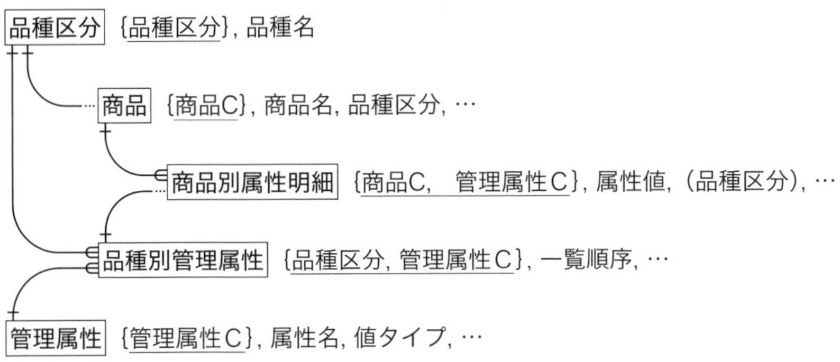

このモデルに新たに導入された「品種」は、「オプショナル属性の組み合わせが同一であるような商品グループ」くらいの意味合いですが、それまでユーザ企業の誰も想像したことのない概念である可能性があります。ここらへんはまさにデータモデリングの醍醐味といっていいところで、新たな概念を創出して既存の概念（テーブル）と組み合わせることで、より合理的な情報管理の枠組みが生み出されます。

インスタンス付きのモデルを見ておきましょう。“焼肉溶岩プレート大山塊M”と“焼肉溶岩プレート大山塊Ｌ”の２つの商品が“焼肉プレート”の品種に、“幼児用テーブル椅子CT200”の商品が“幼児用テーブル椅子”の品種に分類されています。それぞれの品種毎に必要十分な属性の一覧が「品種別管理属性」としてあらかじめ決められ、「商品別属性明細」上に商品別の属性値が登録されています。

図7-6　品種別に管理属性が決まるモデル（インスタンス付き）

フィーチャ・オプション

このように対象の属性群を別テーブルで保持する考え方のことを「フィーチャ・オプション（feature options）」といいます。フィーチャとは、「顔」における“輪郭”や“目”、“耳”、“口”、“髪型”といった要素を表します(featureの訳語としては「顔の造作」や「特徴」があてられています)。“タレ目”や“ツリ目”や“パッチリ目”は、「目」のフィーチャが取り得る「オプション（選択肢）」です（図7-7）。このモンタージュ写真のような枠組みで情報管理するやり方がフィーチャ・オプション（略してFO）です。

図7-7　顔におけるフィーチャ「目」が取り得るオプション

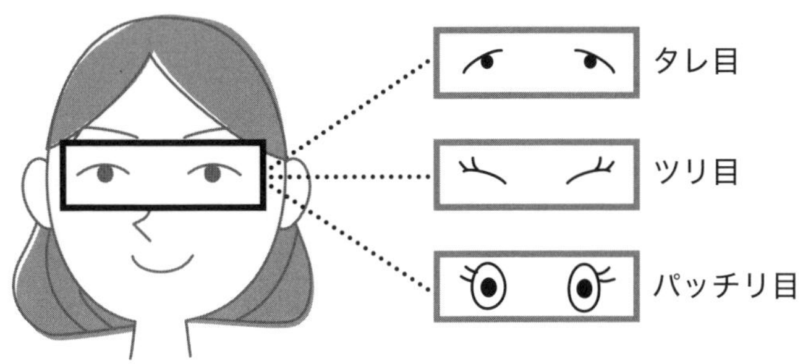

図7-6では、それぞれのフィーチャが取る値は商品別に自由に設定できる形になっていましたが、より精密なFOではフィーチャが取り得る値（オプション構成）までがあらかじめ規定されます。これを商品管理に適用してみましょう。

まずは品種毎に、フィーチャの一覧とそれぞれのフィーチャが取り得るオプション値の体系を定めておきます。つまり、同一の品種に含まれる商品は、同一のFO体系における類型とみなされます。定義される個々の商品は「それぞれのフィーチャに固有のオプション値（略してOPT値）をあてがった仕様上のバリエーション」として認識されることになります。図7-8のモデルを見てください。

図7-8 精密なFOのモデル

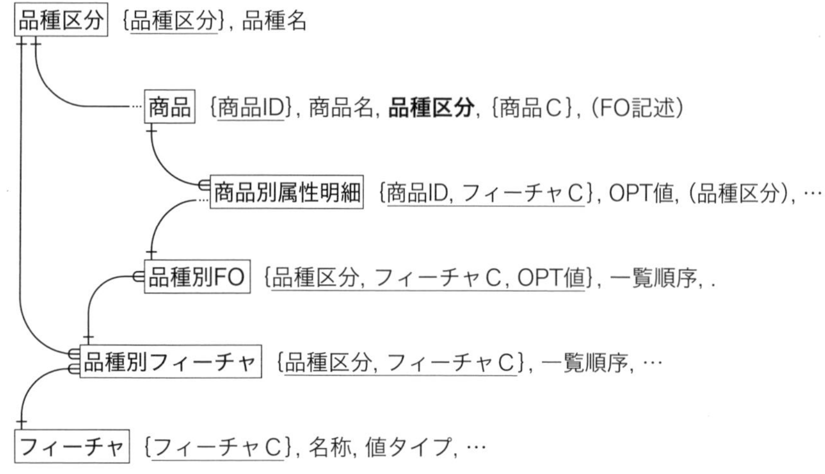

このモデルではサロゲートキーが効果的に使われています。商品の品種区分の値が変更されることは考えにくいため、その本来の主キーは{品種区分, FO行番}のようなものと考えられます（主キーの値は変更できないことを思い出してください）。もし品種区分がこのモデルのように商品の属性項目であるとすると、その値が変更可能となって、変更されるたびに商品のFOの洗い替えが必要になってしまいます。かといって、商品のような基本情報の主キーが{品種区分, FO行番}のようなものであるとしたら、データの取り回しが不便です。そこで「商品ID」をサロゲートキーとして導入しつつ、品種区分を「強属性（65ページ参照。変更不可項目のこと）」としてあります。

図7-4と異なり、このモデルでは品種毎の管理属性（フィーチャ）の一覧だけでなく、それぞれのフィーチャが取り得る値（オプション）までがあらかじめ決められます。FO体系を定めるのが面倒ですが、いったん決めてしまえば、商品の特性情報を効果的に管理できます。インスタンスを添えたモデルを見れば、その便利さを実感できるでしょう（次図）。なお、この図での“内径”と“版”のように、オプション値のリストが登録されないフィーチャについては、商品毎の固有値が与えられるとみなされます。

図7-9　精密なFOのモデル（インスタンス付き）

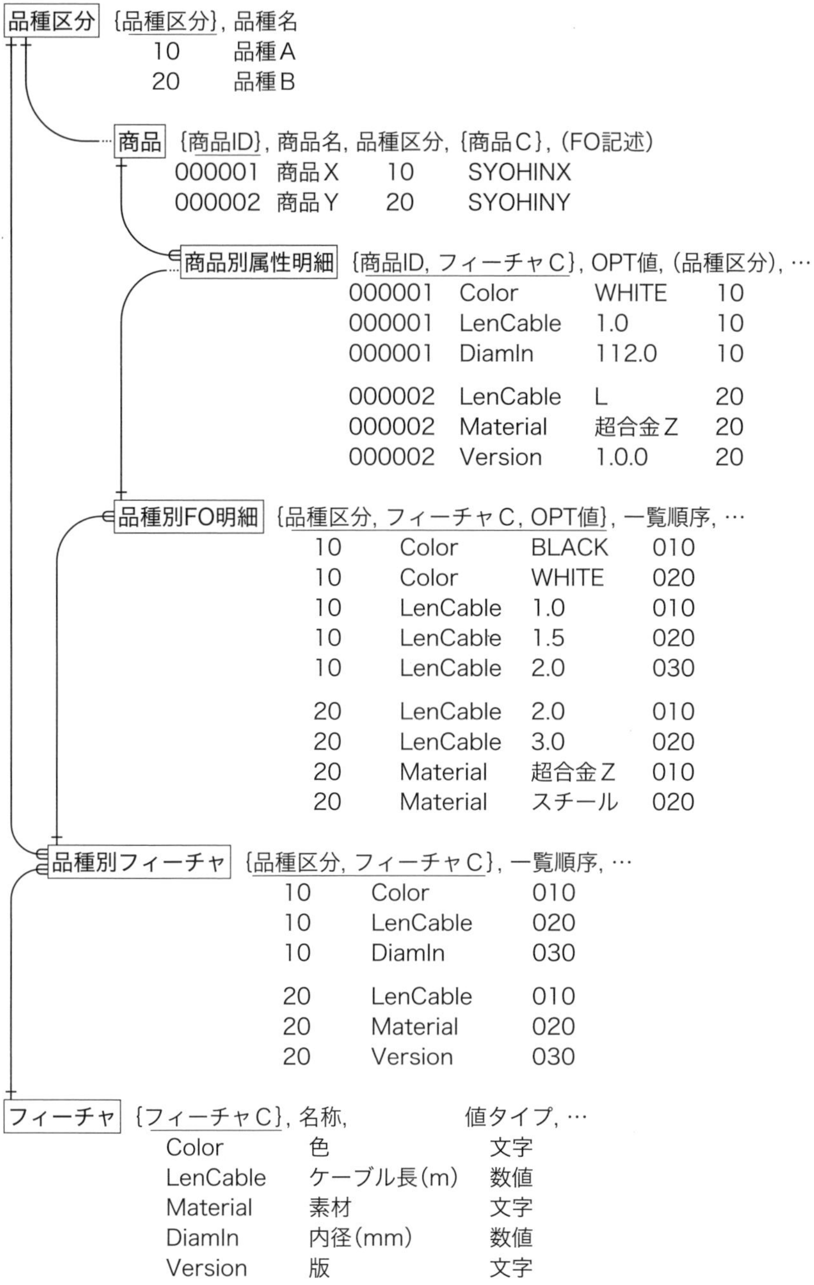

品種区分 {品種区分}, 品種名

10	品種A
20	品種B

商品 {商品ID}, 商品名, 品種区分, {商品C}, (FO記述)

000001	商品X	10	SYOHINX
000002	商品Y	20	SYOHINY

商品別属性明細 {商品ID, フィーチャC}, OPT値, (品種区分), …

000001	Color	WHITE	10
000001	LenCable	1.0	10
000001	DiamIn	112.0	10
000002	LenCable	L	20
000002	Material	超合金Z	20
000002	Version	1.0.0	20

品種別FO明細 {品種区分, フィーチャC, OPT値}, 一覧順序, …

10	Color	BLACK	010
10	Color	WHITE	020
10	LenCable	1.0	010
10	LenCable	1.5	020
10	LenCable	2.0	030
20	LenCable	2.0	010
20	LenCable	3.0	020
20	Material	超合金Z	010
20	Material	スチール	020

品種別フィーチャ {品種区分, フィーチャC}, 一覧順序, …

10	Color	010
10	LenCable	020
10	DiamIn	030
20	LenCable	010
20	Material	020
20	Version	030

フィーチャ {フィーチャC}, 名称, 値タイプ, …

Color	色	文字
LenCable	ケーブル長(m)	数値
Material	素材	文字
DiamIn	内径(mm)	数値
Version	版	文字

品種毎の「仕様変数」をその変数域（変数の取り得る値）とともに自由に定義できるようになりましたが、このモデルには限界があります。妥当なオプション値をせいぜい「リスト形式」でしか定義できません。たとえば“ケーブル長”や“内径”といった数値系のフィーチャについては「範囲指定」できたほうがいいし、“版”の値には固有の編集形式（たとえば1.3.24のような形式）が求められるかもしれません。はたまた、ある種のフィーチャには他のフィーチャの値に関連した独特な制約が存在する可能性があります。属性のそういった特性は値リストの形式では表現できません。

FO評価式の組み込み

そこで、FOのモデルに「評価式」を組み込むことを考えます。評価式にはたとえば以下のような値が設定されます。リスト指定や範囲指定ができるだけでなく、“Script”のキーワードを指定した場合にはJavaScript等の軽量言語で書かれたコードセグメント（スクリプト）を埋め込めます。コードの中で他のフィーチャの値や他のテーブルレコードにアクセスすることまで可能にしてしまえば、オプション値の妥当性検査に関してほぼ制限はありません。「他のフィーチャの値次第で指定できない値」のように複雑な妥当性検査も、指定値を規定様式に編集するための手順も丁寧に記述できます。

評価式の例（リストからの選択）

List（1.0, 1.5, 2.0）

評価式の例（数値範囲からの選択）

Range（0.1, 999.9）

評価式の例（スクリプトを用いた評価）

Script（if（featureMap.get(‘COLOR’)== ‘BLACK’){...}...）

データに対する評価式をデータ項目とする場合、評価式を用意する手間は増えますが、データモデルはシンプルなもので済みます（図7-10)。商品レベルでフィーチャのオプション値を設定すると、フィーチャ自身に組み込まれた評価式が値の妥当性を判定してくれます。これで、品種区分に定まったFO体系にもとづく属性値を確実に付与できるようになりました。

図7-10　スクリプトによる評価式を組み込んだFOのモデル

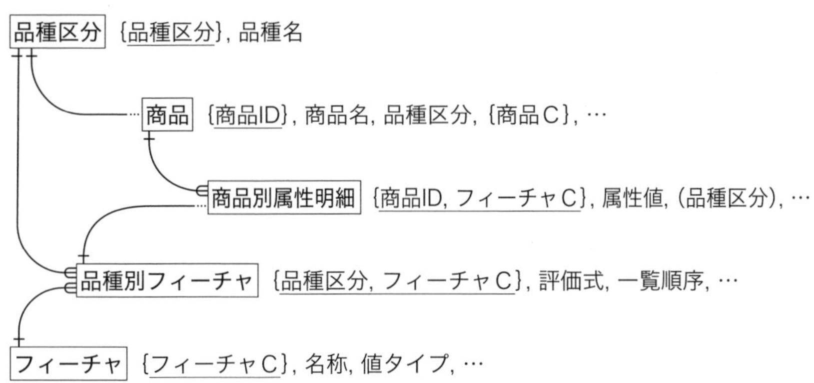

データ項目としての「評価式」はフィーチャに関数従属する概念ではありますが、それをDB上の属性として置くような設計はこれまでなされませんでした。それが可能になったのは、スクリプトの実行エンジンが扱いやすくなったおかげです。データモデルが実装技術の発展にともなって豊かになり得ることを示す好例といえるでしょう。もともとFOは、多品種を扱う製造業の世界で生まれた考え方ですが、強力かつ発展的なモデリングパターンで、さまざまなシステム化案件で応用できます（本書でもこれ以降に何度も出てきます)。

FOの威力の一端を、具体的なUIとして眺めてみましょう。図7-11は「商品属性明細」上のレコードを「フィーチャ名」や「オプション値」に含まれる文字列の一部を指定して絞り込むためのアプリです。複雑なFO構成を持つ商品が膨大に登録されている場合でも、フィーチャ名やオプション値に含まれるうろ覚えの文字列を指定するだけで、お目当ての商品にたどりつけます。似たような商品を重複定義してしまうことも防げます。

図7-11　フィーチャ名とオプション値で商品を絞り込む

商品の一覧 <属性検索>

品種区分　商品名　フィーチャ名　オプション値　検索

No.	品種区分	商品C	商品名	フィーチャC	フィーチャ名	オプション値
1	品種A	ABC100	マニュピレータABC100	COLOR	色	BLACK
2	品種A	ABC100	マニュピレータABC100	DIAEX	外径	42.00
3	品種A	ABC100	マニュピレータABC100	DIAIN	内径	20.50
4	品種A	ABC100	マニュピレータABC100	SIZEN	数値サイズ	128.00
5	品種A	G13	G型コントローラ13	COLOR	色	NAVY
6	品種A	G13	G型コントローラ13	DIAEX	外径	92.00
7	品種A	G13	G型コントローラ13	DIAIN	内径	55.00
8	品種A	G13	G型コントローラ13	SIZEN	数値サイズ	202.00
9	品種A	KLM125	コントローラKLM125	COLOR	色	WHITE
10	品種A	KLM125	コントローラKLM125	DIAEX	外径	87.00
11	品種A	KLM125	コントローラKLM125	DIAIN	内径	35.00
12	品種A	KLM125	コントローラKLM125	SIZEN	数値サイズ	194.00
13	品種B	XYZ200	アクチュエータXYZ200	COLOR	色	BLUE
14	品種B	XYZ200	アクチュエータXYZ200	SIZEA	文字値サイズ	M

＊処理は正常に完了しました。

F3 閉じる　F12 出力　0000308 100-0-BF030

行を選択してエンター

商品と関連情報の確認

商品C KLM125　コントローラKLM125　品種区分 品種A　商品ID 00003

商品別属性明細

No.	フィーチャC	フィーチャ名	値タイプ	オプション値
1	COLOR	色	文字値	WHITE
2	DIAEX	外径	数値	87.00
3	DIAIN	内径	数値	35.00
4	SIZEN	数値サイズ	数値	194.00

＊検索結果を確認してください。各列の欄見出しをクリックすれば列値順に並び替えされます。

F3 閉じる　F6 一括編集　F8 商品保守　F12 出力　0000310 300-0-BF021

ちなみにデータモデルを読むことに慣れてくると、モデルがどのようなアプリ（UI）や業務体制を導くかを一瞬でイメージできるようになります。これは「アプリや業務のあり方がデータモデルに規定される」ゆえです。あるべきデータモデルは、現行のアプリや業務のあり方をこまごまと分析して導かれるものではありません。第４章で説明したように、ユーザの不定形な思いとシステム設計者の知識や経験が融合されることで、あるべきデータモデルは生み出され、そこからあるべきアプリや業務のあり方が導かれます。とりあえずここでは図７-10のモデルから図７-11のアプリを仕様化できることを想像してみてください。それが適切なシステム設計の「気分」です。

製造品目

製造業においてFOを取り入れることで得られる具体的な効果として、仕様特性の組み合わせから生じる「品番コード体系の破綻」を防げるという点が挙げられます。次のモデルを見てください。

図7-12　製造業向けFOのモデル

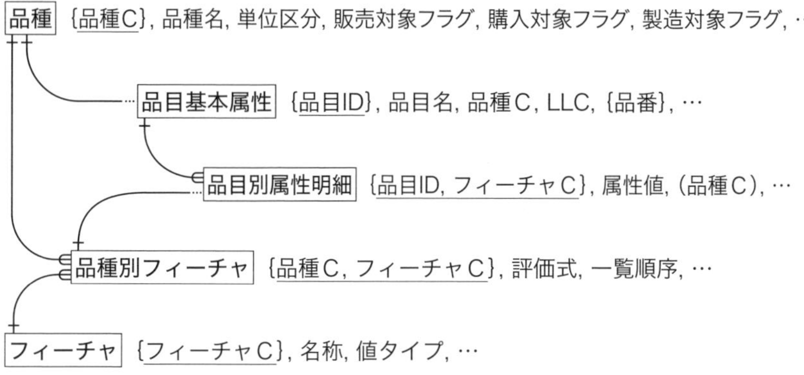

かつての「品番」には各桁に意味があって、個々の品番の値を見ればその仕様特性がわかるようになっていました。しかしそのやり方では、遅かれ早かれ品番の桁数が足りなくなるだけでなく、各桁が表す意味の体系が破綻します。そこで、特性情報をFOとして外出しすることで、品目登録時にカウントアップされるような単純な品目IDを主キーとして置けます。いっぽうこのモデルでは、端的で覚えやすくかつ変更可能な“源氏名”としての「品番」を二次キーとして置いています。

なお、このモデルは図7-8の「商品」の表現を「品目」に置き換えたものですが、もう一点違いがあります。品種について、システム区分テーブルで管理していたものから、独自のマスターテーブルに切り替えてあります。システム区分テーブルでは名称の属性しか保持できないためで、このモデルの「品種」には販売対象フラグ等の属性が付加されています。

そして、品種上の3種類のフラグに従って、品目基本属性に以下のような「サブタイプ」が付属します。つまり「品目」は販売品、購入品、製造品を抽象化した概念で、それらの属性が付属するかどうかが独立したフラグによって制御されます。もしも「品種扱い区分（販売品種, 購入品種, 製造品種）」のような項目で制御するとすれば、3種類の属性は相互排他的に付属することになります。いっぽうこのモデルのように3種類のフラグを使えば、どの属性を付属させるかを自由に決められます。極端に言えば「販売され、購入され、製造される品目」さえ定義可能です（想像しにくいかもしれませんが、その種の品目は“需要次第で外作もされる製品”としてふつうに存在します）。

図7-13　品目と3つのサブタイプ

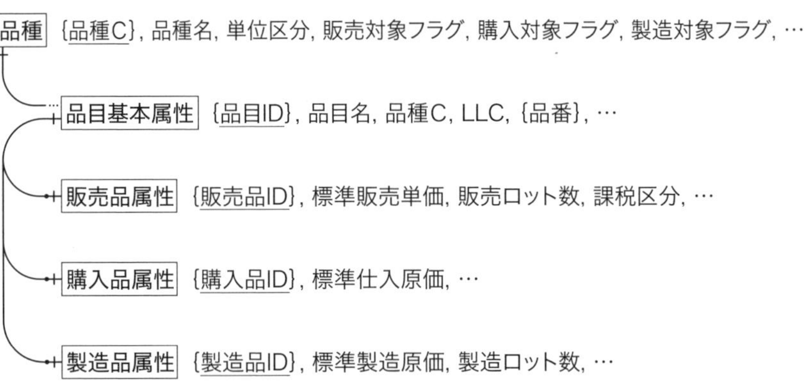

部品表と工程表

ではそもそも、わざわざ販売品、購入品、製造品を抽象化した「品目」を導入したのはなぜなのでしょう。製造に欠かせない「部品表」や「工程表」と連係するためです。「製品がどんな品目の組み合わせで出来ているか」が部品表で、「製品がどんな手順で製造されるか」が工程表です。次図を見てください。

図7-14　部品表と工程表のモデル

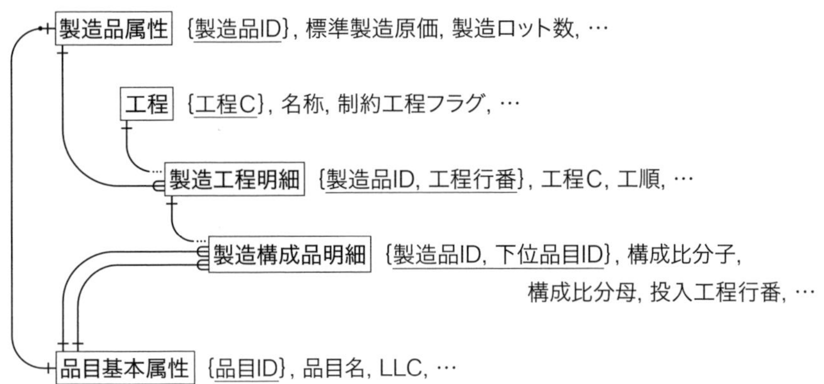

モノを製造するには工程と部品に関する情報が必要ですが、それらに関するテーブル群が示されています。まず工程についてですが、品目に対して複数の工程が並びます。製造工程明細（工程表）の主キーが、{製造品ID, 工程C} ではなく {製造品ID, 工程行番} になっているのは、特定製品に対して同一の工程が複数回実施されることがあるためです。主キーを {製造品ID, 工程C} にすると、品目に対して同一の工程を工順違いで複数レコード並べることができなくなります。

製造構成品明細（部品表, BOM, Bill of materials）の主キーは、{製造品ID, 下位品目ID} です。これは「製造品」に対して「品目」が複数個並ぶことを意味します。じつはこの主キーも工程表と同様に、同一の子品目が並ぶことを許した {製造品ID, 構成行番} などとして、下位品目IDを属性としたほうが応用が利くのですが、ここではわかりやすさを優先して {製造品ID, 下位品目ID} としてあります。

製造構成品明細と製造工程明細が参照関係で結ばれている点にも注意してください。製造品を製造するためには、工順（工程順序）にしたがって実施される、1個か複数の「工程」が決まります。同時に、関連する下位品目をどの工程で投入するかが決まります（次ページ図）。{製造品ID, 工程行番} を参照キーとする参照関係がその関係を示しています。図の下から上に向かって時間が流れているイメージなので、工順が先行する工程が下側に並んでいる点に注意してください。なお、×２の数字は上位品目を１単位作るために必要な構成品目の必要数（員数）です。小数や整数で持つより、このモデルのように分子・分母の形で持つほうが便利です。たとえば構成品３単位を投入して製品１単位を作れるとしたら、小数形式の構成比では0.33333単位などとしなければなりません。

図7-15　工程表と部品表の具体例

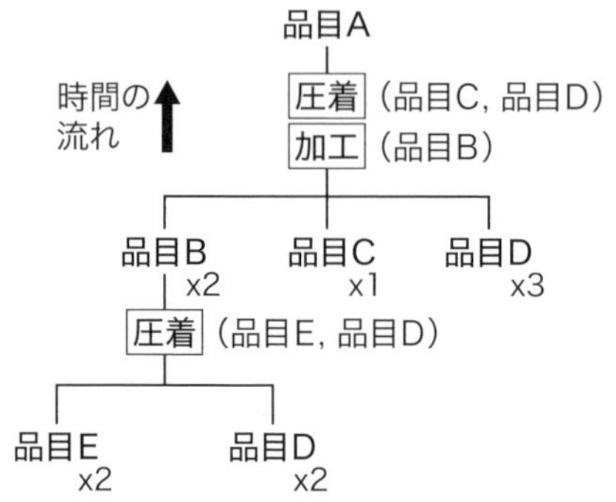

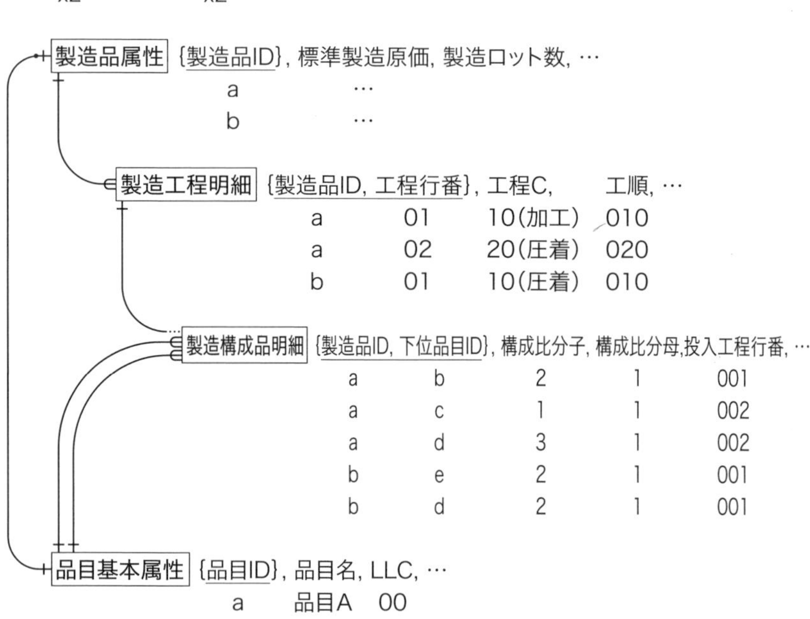

部品表は「階層」を表すための典型的なモデリングパターンですが、これは第5章で説明した部門階層のパターンとどこが違うのでしょう。部門階層ではどの部門にとっても「上位部門」は最大1個でしたが（図7-16)、部品表では「上位品目」が複数存在し得ます。いろいろな製品の下位品目となる「共通部品」があり得るためです。この例での“品目D”は“品目A”と“品目B”の共通部品で、“品目D”にとっての上位品目は“品目A”と“品目B”ということになります。図7-16と図7-15とはまとめて「再帰構造」を持つモデリングパターンと呼ばれることがありますが、論理的には似て非なるものです。

図7-16　部門階層の例

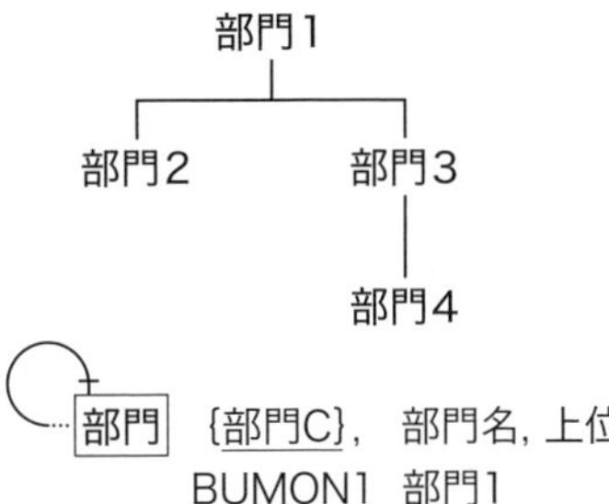

さて、部品表のモデリングパターンといっしょに覚えておいてほしい概念が「LLC（ローレベルコード, low level code)」です。図7-15にもあるように、階層化される要素（この場合なら品目）の属性として与えられるもので、「全階層中でのもっとも低い位置」が記録されます。上述したように、共通部品のような要素はさまざまな階層に配置されることになりますが、それらの階層のうちのもっとも低い値がLLCです。この例では、共通部品である品目Dは01階層と02階層に置かれているので、LLCは“02”ということになります。いっぽう、下位を持ちながら上位のない品目Aは「最上位」なのでLLCは“00”だし、下位も上位も持たない品目があるならばそのLLCはブランクです。それらの値が構成情報が保守されるたびに洗い替えされます。

では、そもそも何のためにLLCはあるのでしょう。部品表を用いた「原価積み上げ」で活用されます。原価積み上げは、全品目について直下の構成品の原価を上位品目に合算してゆくデータ処理で、標準原価の算定に欠かせません。その際に「下の階層に置かれている要素」から順に上方向へ積み上げていかねばなりません。そうでないと、せっかく積み上げた原価がその上の階層に集計されないことが起こるからです。

たとえば図７-17で、品目Ａの原価集計が品目Ｂの原価集計に先行したら困ったことになります。その時点で品目Ｂの原価積み上げは未完なので、製造原価（ここでは材料費だけを考慮していますが、実際には製造費も考慮されなければなりません）が¥０として品目Ａに積み上げられてしまいます。そのような事態を避けるためには、どうしても品目Ｂの原価積み上げを先行させなければなりません。その手がかりこそが品目の属性であるLLCで、それを逆順にして品目を読み出せば正しい順序で集計できます（この場合の品目ＡのLLCは00で、品目Ｂは01なので、品目Ｂが先行して処理されます）。

図7-17　原価積み上げとLLC

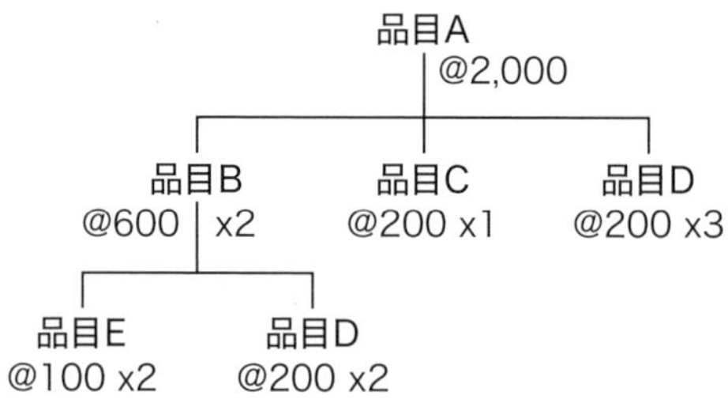

なお、LLCの考え方は部品表（シングルレベル部品表）の考え方とともに生まれました。それまでの部品表は「集約部品表」といわれるもので、製品毎に全構成品を集約的に登録する形でした。それを親部品と子部品の組み合わせ毎に保持する形にすることで、階層をスマートに表現できるようになり、共通部品としての中間品（“品目Ｂ”のように上下に構成を持つ製造品）を矛盾なく定義できるようになりました。さらに、工程に関する情報を部品表と統合できるようになりました。まさにシングルレベル部品表は「部品表とはそもそもどんな形をしたデータなのか」を抜本的に考えることで創造され

るアイデアです。両者を並べると、集約部品表がシングルレベル部品表から導かれるビューでしかないことがよくわかります（図7-18）。

図7-18　2つの部品表の考え方

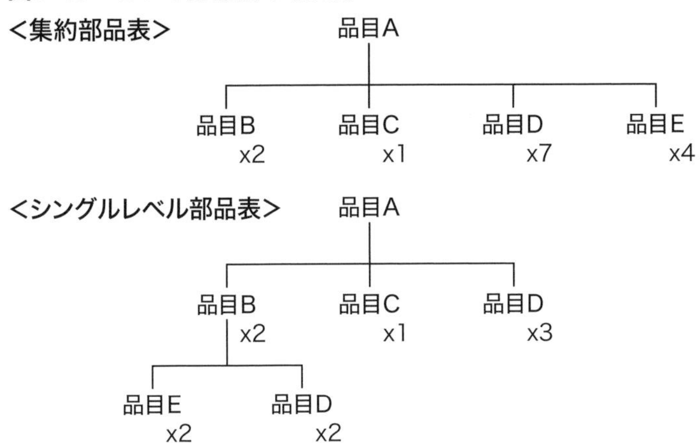

参考までに、「販売品属性」や「購入品属性」に付属する典型的な情報も示しておきます。販売品には販売単価に関わる情報が、購入品には購入単価に関わる情報が付属します。販売品属性の「課税区分」には、"通常税率"か、食料品等向けの"軽減税率"が指定されます[*1]。サブクラスに適宜分割することで、モデルがわかりやすい形になっています。

図7-19　販売品と購入品に付属する情報

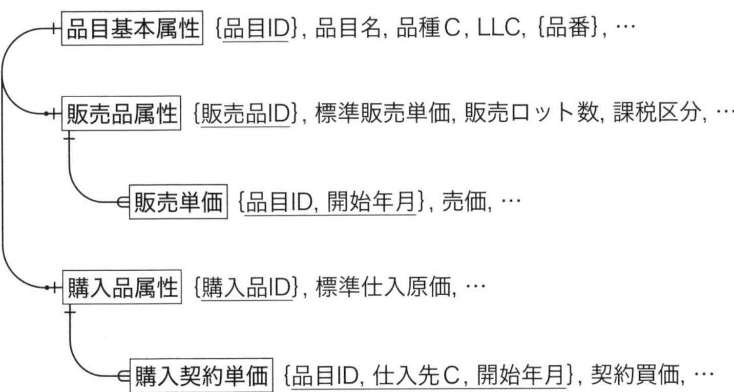

＊1　店内飲食が可能な業態では、持ち帰りも可能であるような商品には"取引別指定"が設定されます。その場合、どちらの形態で販売されたかにしたがって売上明細上の課税区分に"通常税率"か"軽減税率"が明示的に指定されることになります。

受注生産

現在、ほとんどのメーカーはカスタム品（受注毎に仕様が異なる製品）を扱うようになっており、それらについてもFOを活用できます。まずは、標準品（仕様が決まっている製品）に関する品目定義を次の形で登録します（図7-20）。

図7-20　部品表・工程表・FOの組み合わせ

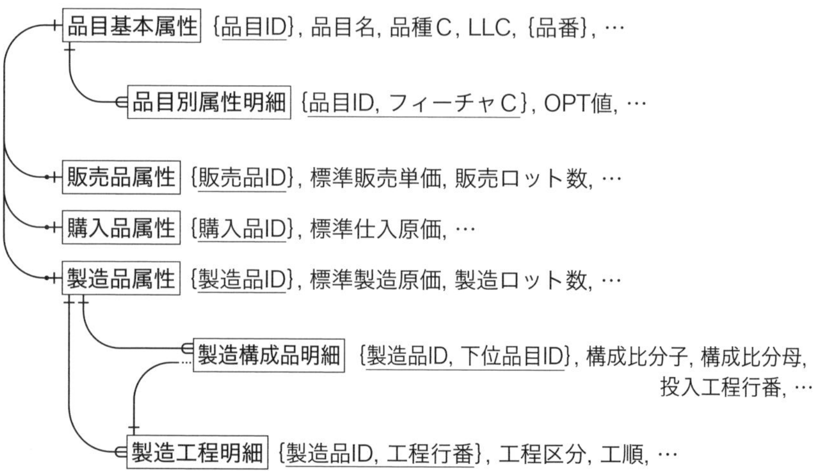

標準品を登録し終えたら、カスタム品を標準品の構成を複写する形で登録します。カスタム品は構成明細や工程明細が微妙に異なるので、複写後に微調整することになります。基本的には異なる構成明細や工程明細を要求するようなカスタム品については、ひととおり登録される必要があります。ただし、あり得るFO構成毎にすべてを品目定義するのは大変なので、受注品の8割方をカバーすればじゅうぶんです。

このように整備されたマスター情報を基礎として、受注情報が登録されます（図7-21）。その際、その品目に付属する品目別FO明細が受注に複写され、受注別FO明細となります。必要ならば受注担当者が受注別FO明細の内容を編集して派生させます。そのようにして受注品の仕様情報が確定すると、その品目に付属する製造指示工程明細や製造構成品明細が読み出され、１セットの製造指示が構築されます。受注別FO明細が編集されている場合には、必要に応じて製造管理者によって製造指示上の工程明細や構成品明細も編集される必要があります。

図7-21　受注生産のモデル

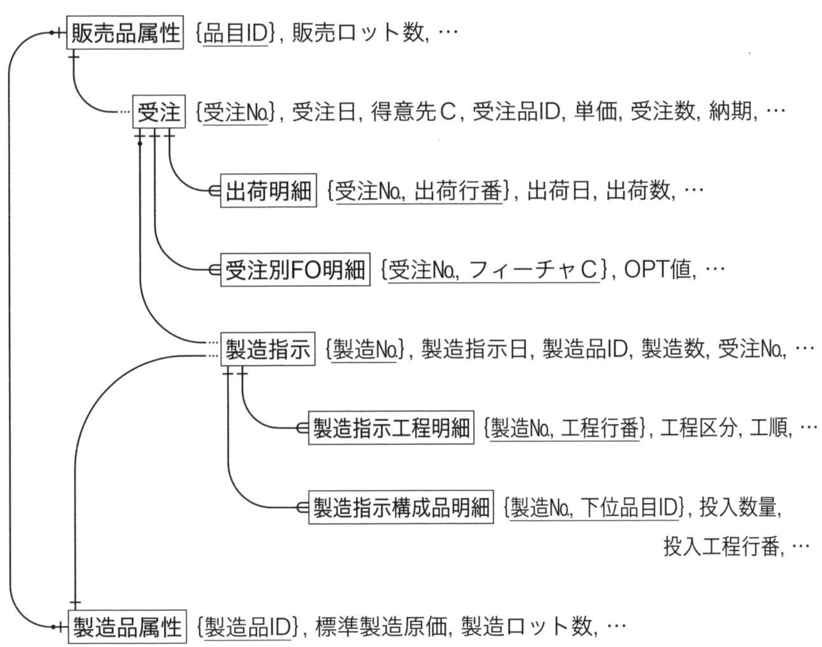

ここで、製造指示と受注の関係に注意してください。まずそれが参照関係であるということは、１セットの受注に対して製造指示は１セットとは限らないということです。じっさい、不良品が生じた場合等に、２セット目の製造指示が登録されることがあります。また、製造指示は受注№がブランクのままで登録されることがあります。標準品については、受注がなくてもあらかじめ作り置きしておくことがあるためです。他の理由として「確実に売れていく標準品」を生産することで、工程の稼働率を落とさずに済むという利点もあります。また、一般に標準品のほうが利幅が大きいことも知られてい

るので、受注生産が主体であっても標準品が多いほど事業は安定します。

なお、製造指示が出来上がれば製造可能になるとは限りません。工程をまかなう作業場の負荷が大きすぎたり、必要な構成品の在庫が揃っていなかったりするからです。これらを管理しながら製造指示を実行することは、生産管理システムの重大な役割です。第８章では工程負荷に関するモデルを、第９章では構成品の在庫を管理するためのモデルを説明します。

サービスと契約

つづいて、物理的な実体を扱わない「サービス業」におけるFOの用例を見ましょう。とくに保険等の金融商品を扱う業界や、複雑なデジタル系サービスを扱う業界にとって、FOは商品や契約の管理体制を合理化するための鍵といってもいいでしょう。図７-22はサービス体系のモデリング例です。基本的にはこれまで説明したFO体系のモデルと同じですが、基本料金やオプション単価が付加されています。ここでは省略されていますが、オプション単価には何らかの取引量のレンジで決まる単価（従量単価）が付加されることもあります。サービス別フィーチャに評価式が置かれているのは、リスト形式以外のオプション値の妥当性やそれらの組み合わせに対する複雑な制約を盛り込むためです。

図7-22　サービス体系のモデル

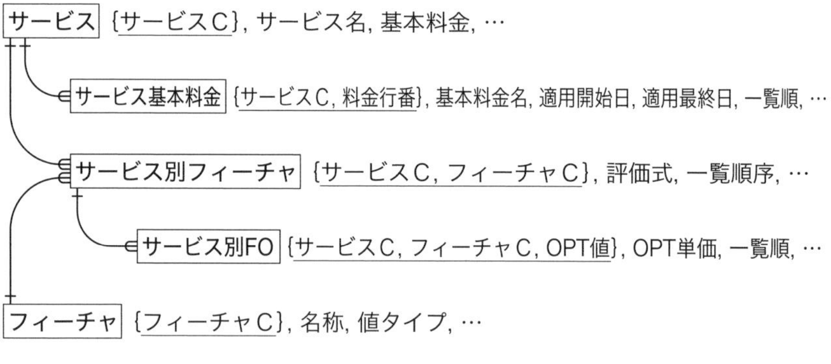

サービス　{サービスC}, サービス名, 基本料金, …

サービス基本料金　{サービスC, 料金行番}, 基本料金名, 適用開始日, 適用最終日, 一覧順, …

サービス別フィーチャ　{サービスC, フィーチャC}, 評価式, 一覧順序, …

サービス別FO　{サービスC, フィーチャC, OPT値}, OPT単価, 一覧順, …

フィーチャ　{フィーチャC}, 名称, 値タイプ, …

このような構造でサービス体系が定義されているとすれば、契約のデータモデルはたとえば図7-23のようになります。契約明細に対してサービスを指定して登録操作をすれば、契約FO明細がオプションのデフォルト値（一覧順の最上位）の組み合わせとして初期設定され、契約管理者が直ちにそれを編集することになります。特定契約に対するFO構成の変更が必要になった場合には、新しい契約No.を付与した新規契約として作り直して、その先行契約No.には変更前の契約No.をセットするようにしたほうがよいでしょう。

図7-23　サービスとサービス利用契約の関係

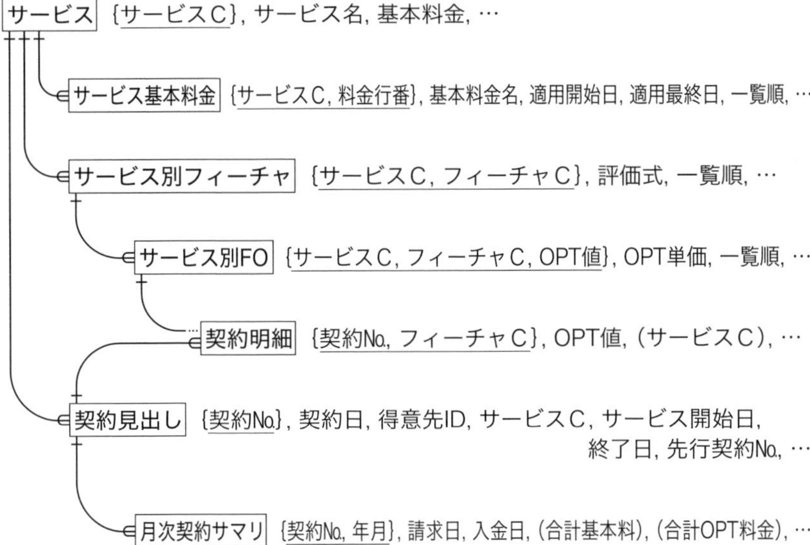

110ページで説明した「サービス管理システム」は、この契約情報を読み出しつつ動作します。すなわち顧客からのリクエストに応じて、関連する契約のFO設定が業務システムから読み出され、サービス管理システムによって顧客に対するサービスのふるまいが微調整されます。最終的に顧客の利用実績はサービス管理システムによって売上実績に変換され、請求機能を持つ業務システムに渡されます（図7-24）。この構成によって、サービス管理システムの凝集度が高められるとともに、業務システムとの結合度も良好に維持できます。

図7-24　サービス管理システムと業務システムの連係

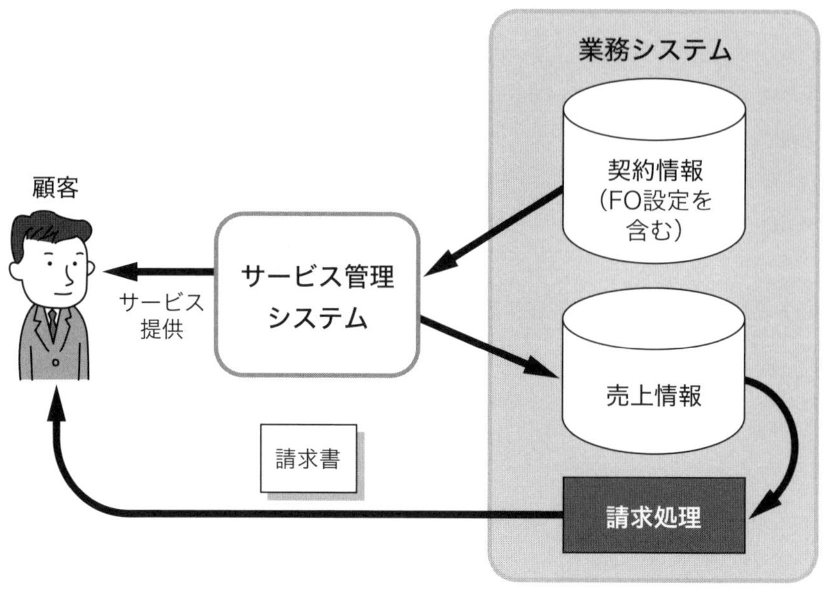

じっさいのところFOのような工夫を取り入れないと、さまざまな無駄が生じます。たとえば、取引量の多い顧客用にサービス管理システムを個別開発する羽目になったりします。相手が上得意であればあるほど特殊なカスタマイズ要求を拒否できないためで、たいていは既存のサービス管理システムを「コピペ」することで対応され、似たようなシステムの乱立を招きます。

いっぽうFOを取り入れているのであれば、特殊なカスタマイズ要求については新規フィーチャの付加（または既存のフィーチャに対する新規オプションの付加）とみなして受け入れ可能です。こうすることで、新たなシステムを開発するよりもはるかに低コストかつ迅速に対応できます。しかも、特定顧客からの要望を汎用的なサービス仕様として取り入れることで、サービスの魅力を高める効果も期待できます。

とはいえ、そもそも本来であれば「顧客が要望するから」ではなく、営業戦略にもとづいて継続的に強化されてゆくFO体系に沿って、サービス管理システムの改善が主体的に進められなければなりません。そうでもしないと、サービスの魅力を顧客にアピールし続けられないからです。顧客からの要求ベースでしかサービスを改善・発展させられないとしたら、サービス提供企業としては本末転倒です。この意味でも、企業にとっての稼ぎの源泉である商品やサービス体系のモデリングの重大さは、どんなに強調しても足りません。

発注と入荷

つづいて、物販業向けの一般的な発注・入荷に関するモデルを見ましょう。まずは、プロセス指向的なモデリング例を見てください。

図7-25 発注業務と入荷業務別にテーブルを用意した例

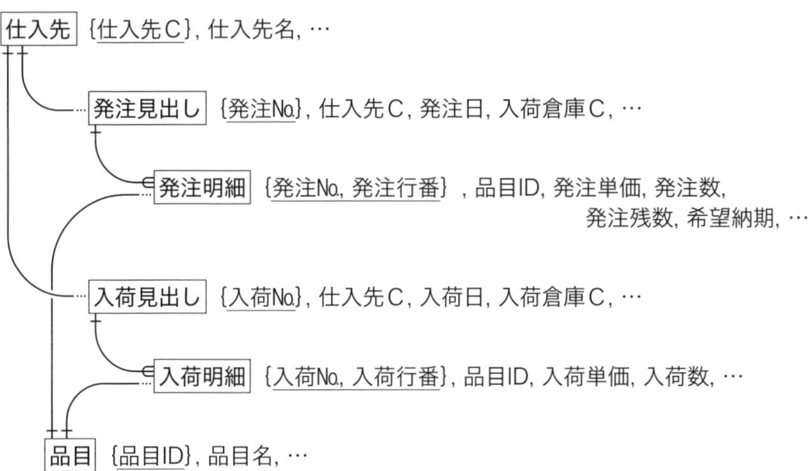

いかにも、現行の業務体制をそのままスケッチしただけという感じのモデルです。発注明細上にある「発注残数」は「発注数から入荷数を差し引いた値」を意味する業務上重要な情報ですが、それがどのようなロジックで設定されるかわかりません。また、異なる発注にもとづいて同一品目の数量がまとめて入荷されたときの動きも見えません。現状分析を先行させて「誠実」にモデリングすると、しばしばこのようなモデルが完成します。似たような

親子関係が何度も現れるので、筆者はこれを「親子頻出」のアンチパターンと呼んでいます。

このようなアプローチでは、データモデルに先行して業務構成やUIがすでに出来上がっていたりします。この場合であれば、たとえば「仕入先別の入荷実績の一覧表を見ながら、発注残数を手入力する」という業務が識別されていて、それを支援するUIが「発注残エントリー」のような名称で設計されていそうです。これではコンピュータを用いてデータ管理することの意義が生かされていません。

現行業務というものはしばしば、昔からの延長線上で実施されています。それを無批判に尊重し続ける限り、抜本的なデータモデルは生まれないし、DXなど夢のまた夢でしょう。

図7-26は、同じような物販事業において、発注・入荷について掘り下げた結果として得られる抜本的なモデルの例です。発注・入荷データが本来とるべき形や在庫システムとの連係が強く意識されており、その洞察が現行の業務体制や現行システムのアプリ構成をすっかり変えてしまう可能性があります。

図7-26　発注・入荷の抜本的なモデリング例

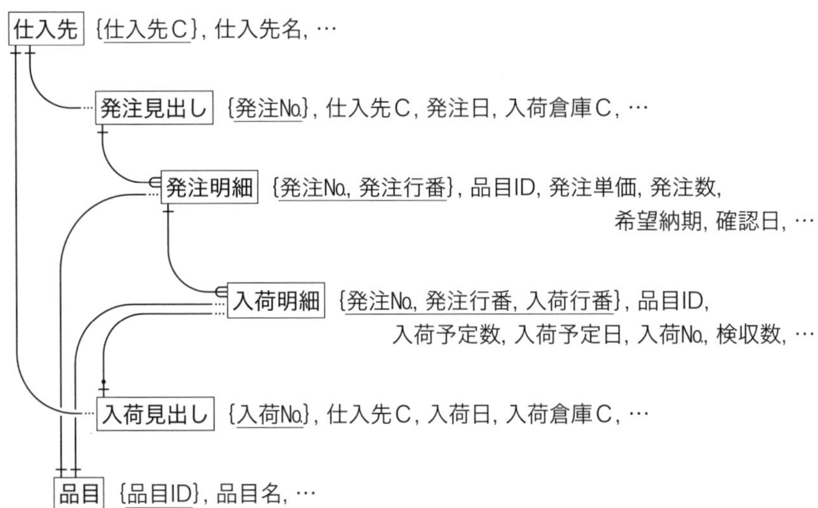

このモデルを前提とした場合の発注業務の流れを見ましょう。まず、発注担当者が在庫状況にもとづいて発注登録すると、発注明細毎に1件ずつ入荷明細が希望納期どおりに追加されます（図7-27)。ただし、この時点では発注明細の「確認日」がブランクなので、入荷明細は厳密な意味の入荷予定とはみなされません。

図7-27　発注登録直後のデータ状況

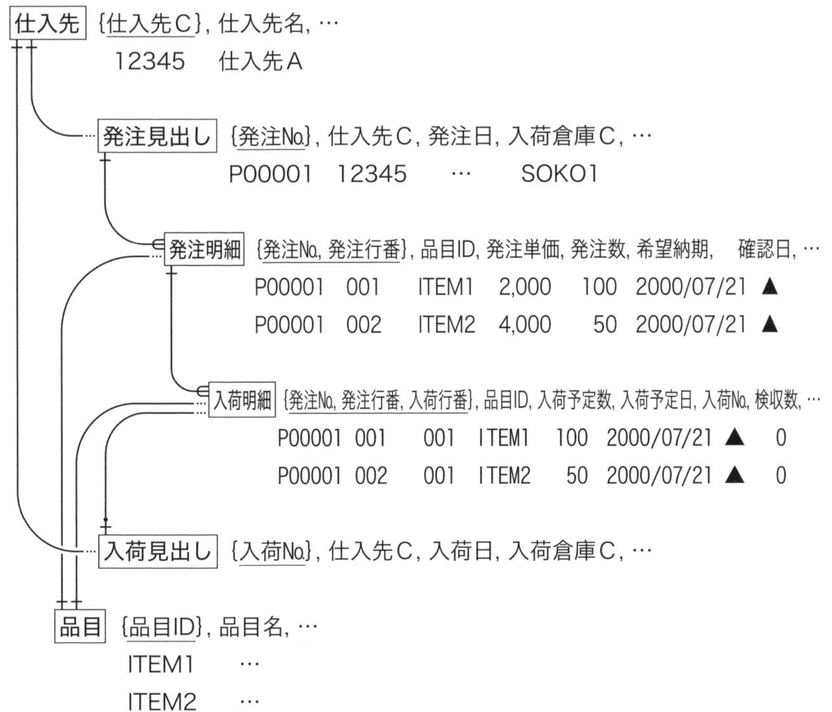

発注書を仕入先に送った後で、発注担当者は仕入先からの納期回答にもとづいて入荷明細を編集します（図7-28)。このときに発注明細の確認日が当日日付で設定され、入荷明細は仕入先が認めた正式な入荷予定とみなされます。第9章で説明するように、これらの入荷明細は、将来の在庫を変動させる要素（受払予定）として扱われます。したがって、「入荷予定が変わったときには、入荷明細上の入荷予定数や入荷予定日をすかさず更新する。その

結果が在庫推移に与える影響を見ながら、必要なアクションをとる」——これが発注担当者の役割ということになります。なお、入荷明細上に「品目ID」が置かれている点に注意してください。これは、発注側にとって許容可能な"代替品"を含む納期回答がなされることがあり得るためです。

図7-28　入荷予定編集後のデータ状況

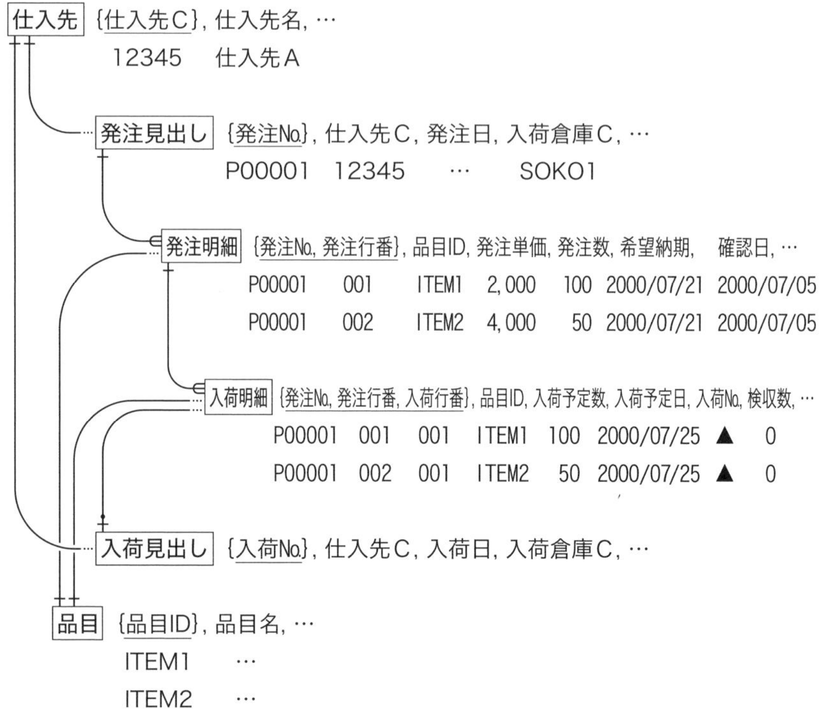

入荷作業の流れを見ましょう。まずユーザは、入荷のあった仕入先向けに存在する入荷明細を、タブレット等の上で入荷予定日順に一覧します。該当する入荷明細を選ぶと、入荷No.が発番されて入荷見出しが追加されます。同時に、選択された入荷明細の入荷No.が更新されます（図7-29）。この例では、同じ発注No.を持つ入荷明細が入荷見出しのまとまりとして括られていますが、発注No.が異なっていてもかまわない点に注意してください。発注のまとまりと入荷のまとまりが異なりつつも、発注明細と入荷明細とが関連付けられて

いる点が、図7-25との決定的な違いです。入荷見出しの追加と同時、または後追いで検収数が入力され、これと発注単価にもとづいて仕入計上と在庫計上が起こります（第9章参照）。

図7-29　入荷実績登録後のデータ状況

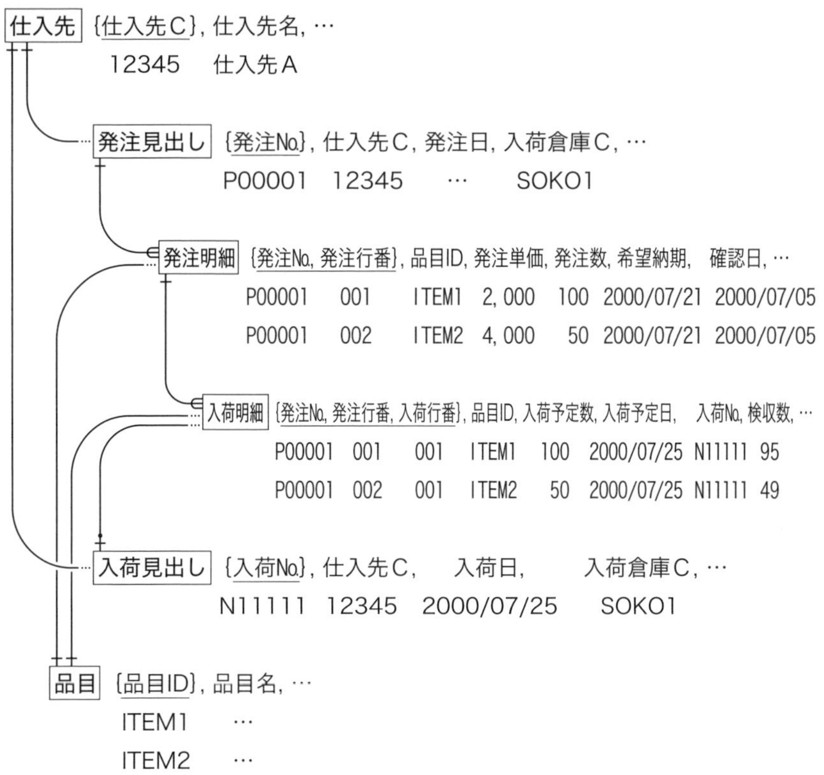

このモデルに、図7-25にあった「発注残数」が存在しない点に注意してください。それは「その発注明細において、買い手と売り手の双方が納得している未入荷分の入荷予定数の合計」が発注残数に相当するゆえです。発注数に対して入荷数の合計がその時点で不足していようが過剰であろうが、「未入荷分の入荷明細がそれ以上存在しない」と両者が認めているのであれば、発注明細は仕入先に対する需要のきっかけとしての役目を終えたとみなされます。

このように、抜本的なデータモデルは業務体制やUIのあり方を抜本的に変えます。だからこそ、有効なデータモデルは現実の発注・入荷業務をつぶさに観察するだけでは得られません。現行業務は「データモデリングの起点」ではなく、せいぜい「抜本的なデータモデルを微調整するためのネタ」でしかありません。にもかかわらず多くのプロジェクトは、膨大な工数をかけて現状分析を先行させつつ、図7-25のような現状を引き写しただけのモデルしか生み出せていません。

そういうわけなので、システム刷新後も業務体制やUIが現状とたいして変わらないとしたら、抜本的なデータモデルを生み出せなかった可能性を疑ってください。もちろんデータモデルが常に抜本的であるべきという話ではありませんが、いつも現状維持を旨とするモデルしか生み出せないとしたらシステム開発者としては失格です。顧客からシステム刷新が求められることがないとは限らないし、じっさい昨今では、デジタル化に沿った事業の全面的見直しが求められているからです。

発注・入荷を見たついでに、発注単価の決まり方も見ておきましょう。上のモデルでは発注の都度で発注単価を指定するようになっていましたが、発注単価を事前に契約することがあります。次のモデルは発注数毎に決まる契約仕入単価の例です。販売契約単価についても同じような形をとると考えてください。

図7-30　契約発注単価のモデル

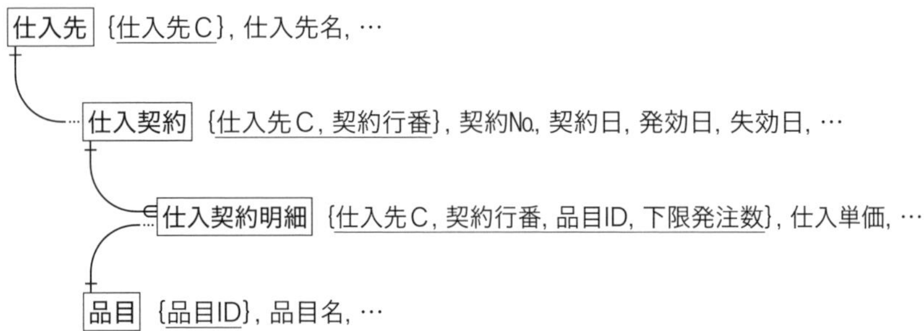

受注と出荷

続いて受注・出荷について見ましょう（図7-31)。基本的に図7-26の「裏返し」ではありますが、微妙に違っています。発注の場合、「入荷元（どこから入荷されるか)」はほぼ問題になりませんが、受注の場合は「出荷先」に関する情報を管理する必要があります。

図7-31　受注・出荷のモデル

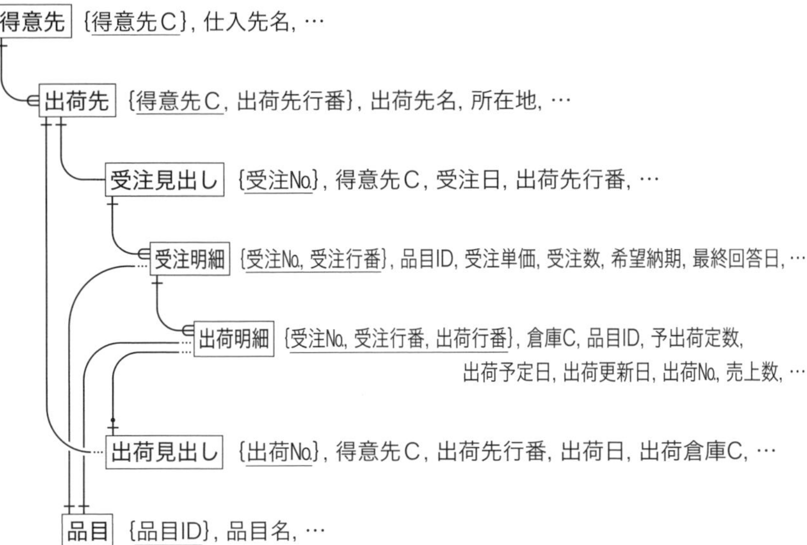

出荷先指定でいくつかの品目について受注すると、受注見出しと受注明細が追加されます。このとき、受注数と希望納期にもとづく出荷明細が受注明細毎に自動的に追加されます（出荷No.はブランクのまま)。出荷明細は後述する「受払予定」として扱われ、在庫推移の変動をもたらします。その在庫推移が許容できるものであれば出荷明細の内容は受け入れられ、要望どおりに出荷する旨の「納期回答」がなされます。もし許容できないものであれば(たとえば出荷予定日に在庫数がマイナスになるとしたら許容できません)、

新たな発注や製造指示を追加したり、出荷明細を複数回の分納に編集するといった調整がなされたうえで納期回答されます。なお、出荷明細上の更新日よりも受注明細の最終回答日が古いとしたら、最新の出荷予定が得意先に通知されていないことがわかります。

つづいて出荷作業に関わるデータ処理の流れを見ましょう。まずは、毎日の一定時刻になると「出荷指示」がなされます。すなわち、直近の出荷予定日を持つ出荷明細が出荷先毎に検索され（それらのまとまりには同一の出荷先に対する異なる受注№が含まれる可能性があります）、このまとまり毎に出荷№が発番され、出荷見出しが追加されます。同時に、検索された出荷明細の出荷№が発番された値で更新され、出荷指示に対する出荷明細のまとまりが完成します。この出荷指示にもとづいて倉庫から商品をピッキングし、荷捌（にさばき）場で荷造りすれば、現場作業は完了です。最終的にシステムに対して出荷実績が報告され、在庫の引き落としと売上計上が起こります。

発注・入荷と同様に受注・出荷のモデルも、在庫システムにおける「最新の入出荷予定にもとづく在庫推移を監視する」という管理体制（第９章参照）と統合されています。受注してから得意先に納期回答するまでの時間を「納期回答リードタイム」といいますが、その平均値や納期回答に対する順守率を計算することで、業務システムとしての総合的な性能がわかります。上掲のモデルは、納期回答のリードタイムを短縮し納期回答順守率を高めるための「コンピュータ利用を前提とする出荷作業合理化」に対するソリューションに他なりません。このような枠組みは、現行の発注・入荷業務、受注・出荷業務を誠実に分析して洞察できるとは限りません。なぜならそれらはしばしば、手作業を前提とした過去の延長でしかないからです。

「データモデルの美しさ」を確保する

データモデルの美しさには３つの次元があります。①グラフィックな美しさ、②言語表現の美しさ、そして③構成上の美しさです。優れたモデルは内容が的確であるだけでなく、それらの美しさがバランス良く盛り込まれています。それぞれを見ましょう。

まず、データモデルが工学図面の一種であるからには、グラフィックな美しさを具えているのは当然のことです。厳密に言えば「グラフィックな不快さのないこと」が求められるのですが、じっさい、見てくれが悪いと内容まで侮られる恐れがあります。この意味で、モデルの見た目の良さは「お箸の正しい持ち方」のようなものです。たかがお箸の持ち方で人の育ちが値踏みされるという社会通念があるのなら、それと闘うよりはさっさと取り入れて「利用」したほうが賢明です。

中には、内容の悪さを隠すためにわざと読む気が起こらないようにしているとしか思えないモデルもあります。しかしそのような図面は、「ピンボケ写真を載せている釣書（お見合い用プロフィール）」のように不合理なものです。手に取って検討したい気持ちを相手に持ってもらうためにも、まずはモデルの見た目の良さにこだわりましょう。

グラフィックな美しさを補強するためにも、専用のモデリングツールを使う意義があります。モデリングツールにはたいていテーブルのレイアウトルールが組み込まれており、ルールにしたがってレイアウトを自動調整できるようになっています。そういった機能を駆使するだけで美しいモデルが手に入るわけではありませんが、初学者には良いガイドになるでしょう。

次に、データモデルは工学図面であると同時に「言葉の構築物」でもあり、ある種の「論文」とさえいっていいものです。必然的に、言語表現の美しさ

（端正さ）が求められます。テーブル名やフィールド名として的確な表現を選ぶだけでなく、同じ概念には一貫した呼び方を、異なる概念には異なる呼び方をあてがうといった配慮も必要です。

モデリングツールにはたいてい、シノニム（異音同義語）やホモニム（同音異義語）を確認するための機能が搭載されています。拙作のモデリングツールであるX-TEA Modelerでは、「同じデータタイプを持つフィールド」を一覧できるようになっています。ここでいうデータタイプとは「定義域（ドメイン）」のことで、どのようなタイプのデータが載るかを示しています。日付型や整数型はSQLで扱えるドメインですが、これらの他に、たとえば「従業員№」として5桁の文字型を独自ドメインとして定義できます。そのうえで、このドメインを持つフィールドを一覧して、“従業員№”以外の表現、たとえば“社員C”等の異質な表現を含むフィールドが混在していないかどうかをチェックできます（社員Cの表現を従業員№に一括置換することもツールを使えば簡単です）。

データモデルに限らず、開発過程で生み出されるさまざまな資料には、これでもかというくらいに言語表現が含まれます。それらを手早くかつ的確にまとめるには、一流の言語センスが求められます。簡にして要を得た表現を語彙から選び出したり、場合によっては新たな表現を創案しなければいけません。この意味でシステム開発の仕事は「文筆業のはしくれ」です。

そのために必要な言語センスを鍛えるための王道は明らかで、「本好き」になることです。筆者は年間100冊以上読むほど本好きなのですが、高校時代に身についたその習慣が、職業生活でどれだけ役立ったかわかりません。まわりを見渡しても有能なIT技術者は例外なく読書家です。ぜひ学生時代のうちに、遅くても20代までに読書を習慣化することをお勧めします。5年もたてば、その習慣を持たない同僚と明確な差がつくでしょう。

モデルの美しさの3つめの次元が「構成上の美しさ」です。ちょっとわかりにくいうえに、おそらく3つの中でもっとも難度の高い課題です。ここでは「複雑な内容を効果的に受け入れてもらうための作りの巧妙さ」くらいの意味合いで理解してください。

コラム3で説明した「サブシステム構成」は、データモデルの「構成上の美しさ」の基礎を成しています。X-TEA Modelerではサブシステム毎にデータモデルが与えられます（図）。1枚のデータモデルには多くて20個以内のテーブルを置けば、理解しやすいモデルになります。いっぽう、サブシステム毎のデータモデル（サブシステムも多くて20個程度です）をひととおり見てゆくと、全体が有機的に連係して複雑なデータ要件を支えていることがわかります。それが構成的な美しさの現れ方の例です。反対に、すべてのテーブルが載った「大規模集積回路」のようなデータモデルには、構成上の配慮が欠けています。

図　個々のデータモデルはシンプルでも、全体で複雑なデータ要件を支えている

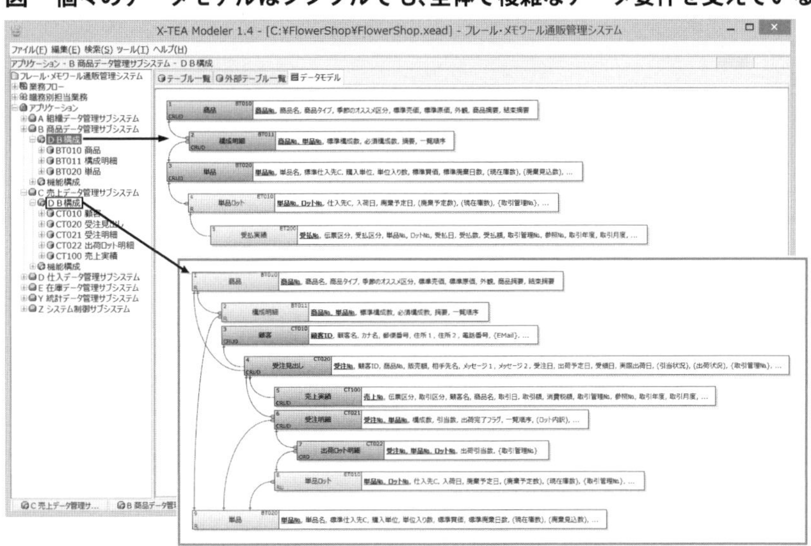

ツールやテンプレートを活用することで、3種類の美しさを補強することは可能ですが、仕上げの段階ではやはり書き手自身のセンスや美意識が問わ

れます。そこらへんは生まれつきの才能と思われがちですが、それを磨く方法がひとつだけあります。設計図面や報告書やメール、あるいはカジュアルな板書や語りを含め、仕事上で生み出すものすべてを「自分の作品」とみなすことです。それによって「他人の評価眼」を意識せざるを得なくなるからです。

ファッションセンスが優れている人は、自分の装いを「（他人から見つめられ、美しさを値踏みされる）作品」とみなしています。かれらと同じ姿勢を、データモデルを含めた仕事上のすべての表現に適用しましょう。その際に値踏みされる価値が、グラフィックな美しさ、言語表現の美しさ、構成の美しさです。日々の仕事でそういった意識を持つだけで、DB設計者としてのセンスは自然と磨かれていくでしょう。

第8章

設備と能力

商品やサービスのカタログが整備され、顧客からの要望を契約として登録できたとしても、設備をはじめとするリソースが適切に管理されていなければ、契約にしたがったアクションを起こせません。そのために、本章では設備やその能力に関するモデルを見ていきます。能力を「タイムバケット」毎に日程化することで、需要を負荷として監視できるようになります。

減価償却資産

工程や能力といった設備に関する情報の管理様式を見ていきますが、まずは、設備の特殊な側面に関して学んでおきましょう。ある種の設備は高額であるため、会計でいう「減価償却（たんに償却とも）」の対象になります。購入単価が10万円以上、かつ購入後に継続利用される物品です。具体的には、建物、車両、工具・器具、建物付属設備、およびソフトウエア等で、これらは「減価償却資産」と呼ばれます。本来なら財務システムにおいて扱われる情報ですが、設備管理の重要な論点となるため、基本的な業務知識として理解しておく意義があります。

たとえば少額の文房具を買ったとすると、その「効用」はせいぜい１年以内に消えるので、その代金は購入時点で費用計上できます。ところが、50万円の車両を買ったとすれば、廃車にするまで長期間にわたって効用をもたらすはずです（図８-１）。

図8-1　効用の持続期間の違い

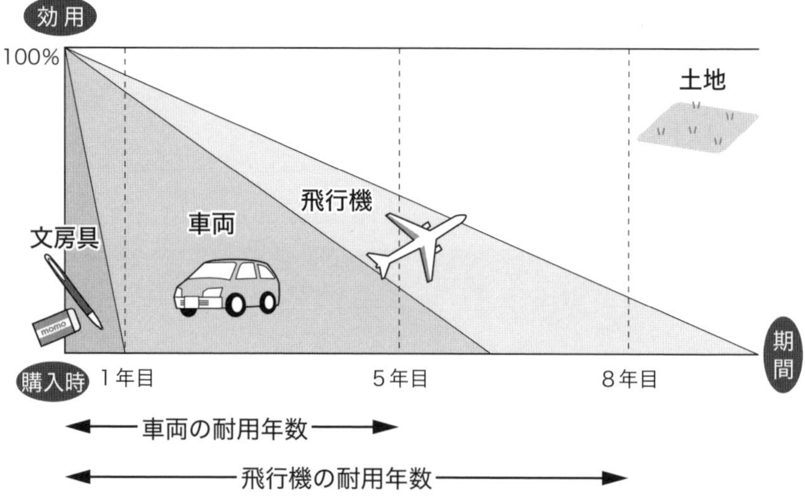

こういった「効用の持続期間」の違いゆえに、ある種の設備は購入時に“費用勘定”ではなく“資産勘定”に計上され、その残高は何年かかけて少しずつ（定額または定率にて）費用勘定に振り替えられます。この会計上の操作を「減価償却」といいます。費用化される期間は「耐用年数」と呼ばれ、品種毎に細かく決められています。たとえば自動車であれば５年程度、飛行機は機種によって８年から10年です。規定の耐用年数を過ぎた後も使えているとすれば、会計的には優良資産ということになります。ちなみに土地は資産勘定に算入されますが、効用がいつまでも減少しないので償却資産ではありません。

データモデルを見ましょう。償却資産にはその「償却資産区分」にしたがって、車両属性や建物属性等のサブタイプが相互排他的に付属します。それらの定義を参照しつつ、手動あるいは自動でさまざまな償却取引が追加されます。償却取引の「償却取引区分」には、“取得”から始まって、年次の“償却”、“売却”、“除却（簿価を意図的にゼロにすること）”といった値が設定され、それぞれの取引は決算システムによって仕訳に変換されます。

図8-2　償却資産と償却取引のモデル

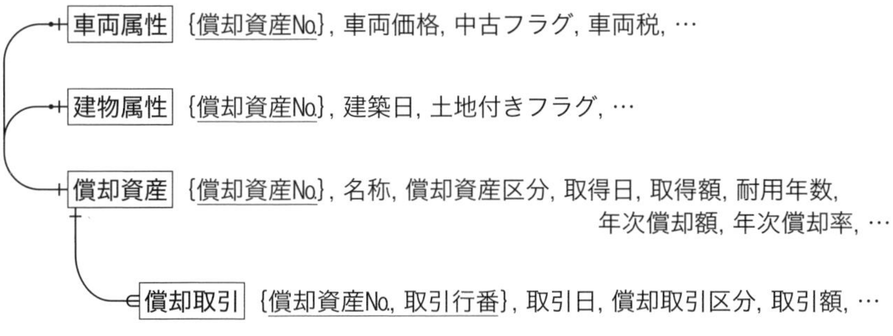

車両属性　{償却資産No.}, 車両価格, 中古フラグ, 車両税, …

建物属性　{償却資産No.}, 建築日, 土地付きフラグ, …

償却資産　{償却資産No.}, 名称, 償却資産区分, 取得日, 取得額, 耐用年数, 年次償却額, 年次償却率, …

償却取引　{償却資産No., 取引行番}, 取引日, 償却取引区分, 取引額, …

なお、減価償却は業務知識としては重要ですが、いわゆる管理会計に減価償却を持ち込むべきではありません。ある設備に償却資産としての簿価（帳簿上の価値）が残っているとしても、それをコストとして利用者に賦課する形で原価計算すべきではありません。減価償却額は制度会計上の概念的なコストであって、日常的な事業運営とは無関係であるからです。ここらへんを見誤ると、減価償却額をコストとして引き受けたくないばかりに、耐用年数が過ぎていない設備の利用を避けるといった奇妙な判断が現場でなされます。設備は必要ならばどんどん利用すべきものであって、管理会計上のルールから利用に消極的になっているとすれば本末転倒です。

システム構成管理

つづいて、企業活動をインフラレベルで支えるさまざまなハードやソフトに関する設備情報管理のモデリング例を見ましょう。一般に「システム構成管理」と呼ばれる課題で、管理される要素が多種多様であるゆえのややこしさがあります。多くの企業がExcelで管理していますが、登録するだけで満足してしまうのが実情で、情報が有効活用されているとはいえません。特定バージョンのソフトウエアがどのコンピュータで利用されているかとか、特定設備の障害がどのような影響を及ぼすかがわかるくらいでないと、苦労して情報管理する意味はありません。この課題にフィーチャ・オプションと部品表を応用することで、使いやすいDB構造になります（次図）。

図8-3　システム構成管理のモデル

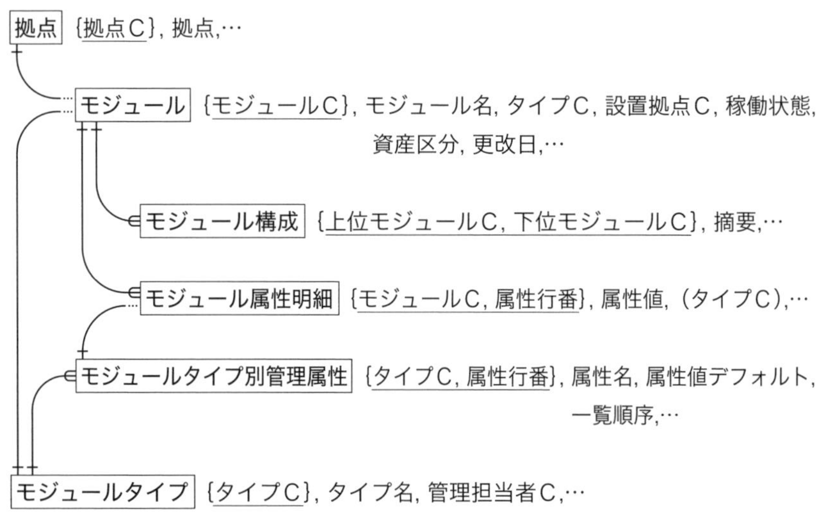

この図での「モジュール」が、個々の設備に相当します。モジュールそのものは多種多様ですが、それらは“サーバ”、“クライアント”、“ネットワーク機器”、“システム”、“管理ソフト”といった「モジュールタイプ」に分類されます。そしてモジュールタイプ毎に、管理されるべき属性の一覧が決まり（モジュールタイプ別管理属性）、その一覧にもとづいてモジュール毎に管理属性の値が付与されます（モジュール属性明細）。これだけでも効果的ですが、このモデルではモジュールの構成情報を登録できるようになっています（モジュール構成）。

実際の構成例を使って説明しましょう。次図のようなシステム構成要素の情報を管理したいとします。カッコ書きされているのが「モジュールタイプ」で、それぞれ毎に管理属性が違っています。この種の多彩な要素が階層を成していると考えてください。この内容を登録した結果が、次ページの図8-5です。

図8-4　多彩なシステム構成とモジュールタイプ

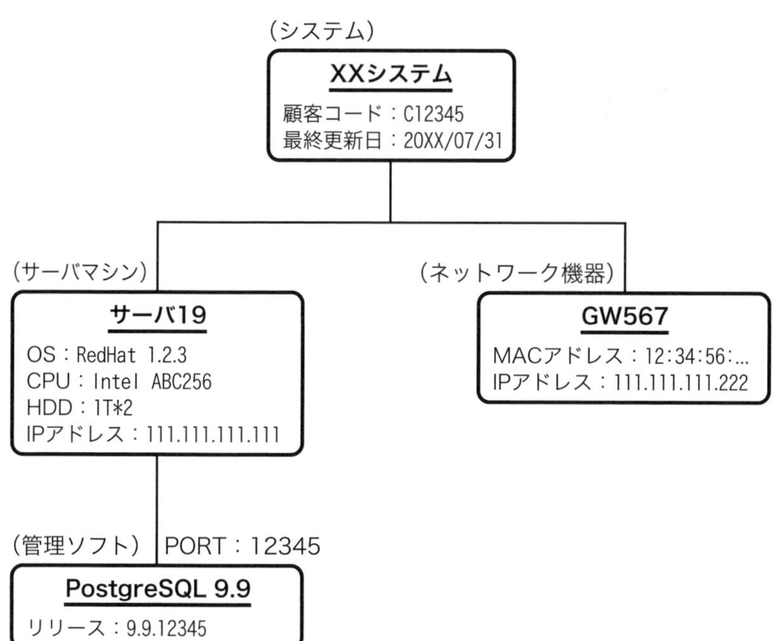

図8-5　システム構成管理のモデル（インスタンス付き）

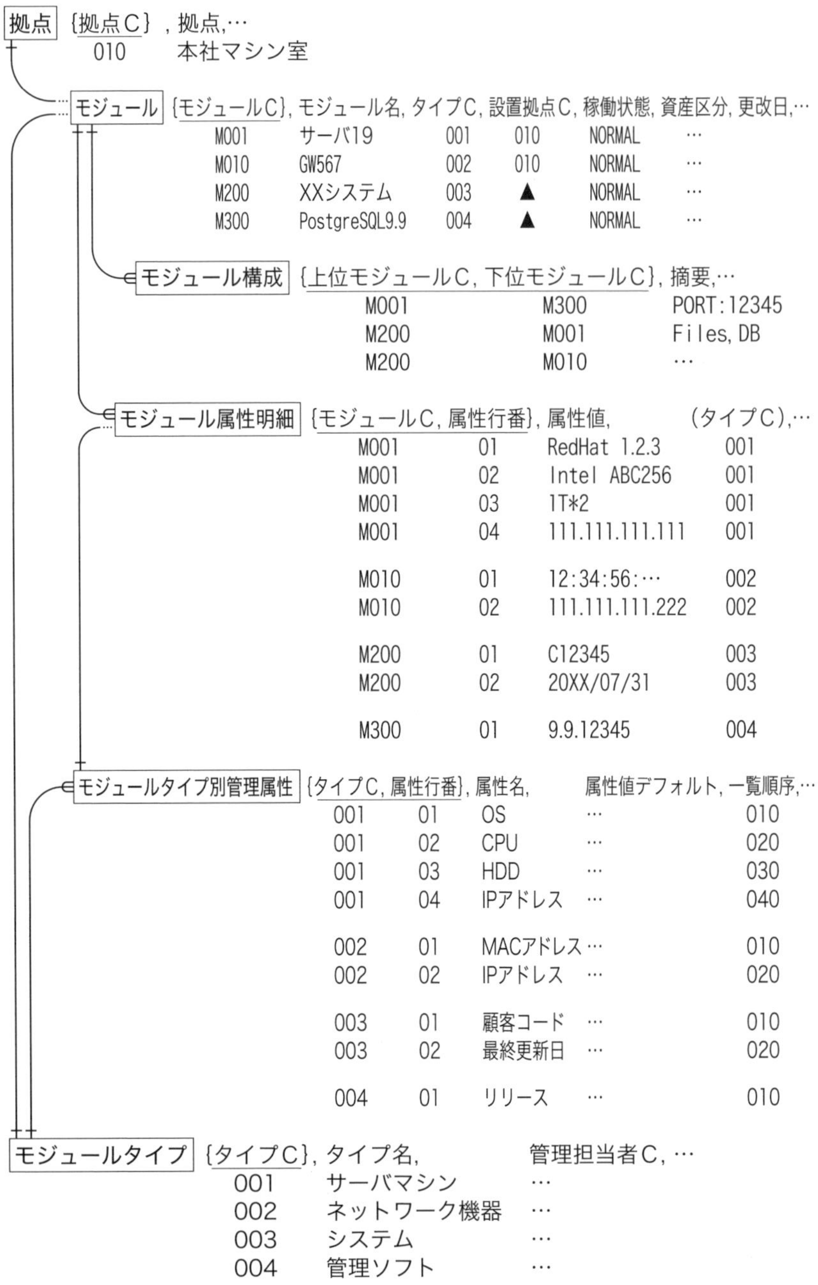

拠点　{拠点C}，拠点,…

拠点C	拠点
010	本社マシン室

モジュール　{モジュールC}, モジュール名, タイプC, 設置拠点C, 稼働状態, 資産区分, 更改日,…

モジュールC	モジュール名	タイプC	設置拠点C	稼働状態	…
M001	サーバ19	001	010	NORMAL	…
M010	GW567	002	010	NORMAL	…
M200	XXシステム	003	▲	NORMAL	…
M300	PostgreSQL9.9	004	▲	NORMAL	…

モジュール構成　{上位モジュールC, 下位モジュールC}, 摘要,…

上位モジュールC	下位モジュールC	摘要
M001	M300	PORT:12345
M200	M001	Files, DB
M200	M010	…

モジュール属性明細　{モジュールC, 属性行番}, 属性値,　(タイプC),…

モジュールC	属性行番	属性値	(タイプC)
M001	01	RedHat 1.2.3	001
M001	02	Intel ABC256	001
M001	03	1T*2	001
M001	04	111.111.111.111	001
M010	01	12:34:56:…	002
M010	02	111.111.111.222	002
M200	01	C12345	003
M200	02	20XX/07/31	003
M300	01	9.9.12345	004

モジュールタイプ別管理属性　{タイプC, 属性行番}, 属性名,　属性値デフォルト, 一覧順序,…

タイプC	属性行番	属性名	属性値デフォルト	一覧順序
001	01	OS	…	010
001	02	CPU	…	020
001	03	HDD	…	030
001	04	IPアドレス	…	040
002	01	MACアドレス	…	010
002	02	IPアドレス	…	020
003	01	顧客コード	…	010
003	02	最終更新日	…	020
004	01	リリース	…	010

モジュールタイプ　{タイプC}, タイプ名,　管理担当者C, …

タイプC	タイプ名	管理担当者C
001	サーバマシン	…
002	ネットワーク機器	…
003	システム	…
004	管理ソフト	…

システム構成情報をこのような形で管理することで、さまざまな効果を期待できます。まず、多種多様なモジュールを属性名や属性値の部分文字列でスキャンすることで効果的に検索できるようになります（162ページ図7-11参照）。また、特定のモジュールに障害が発生したときに影響範囲を特定するのも簡単です。そのモジュールを「下位構成」として含んでいるモジュール（つまり障害モジュールにとってのすべての上位モジュール）だけが影響を受けると考えられるからです（次図）。

図8-6　障害モジュールの影響範囲

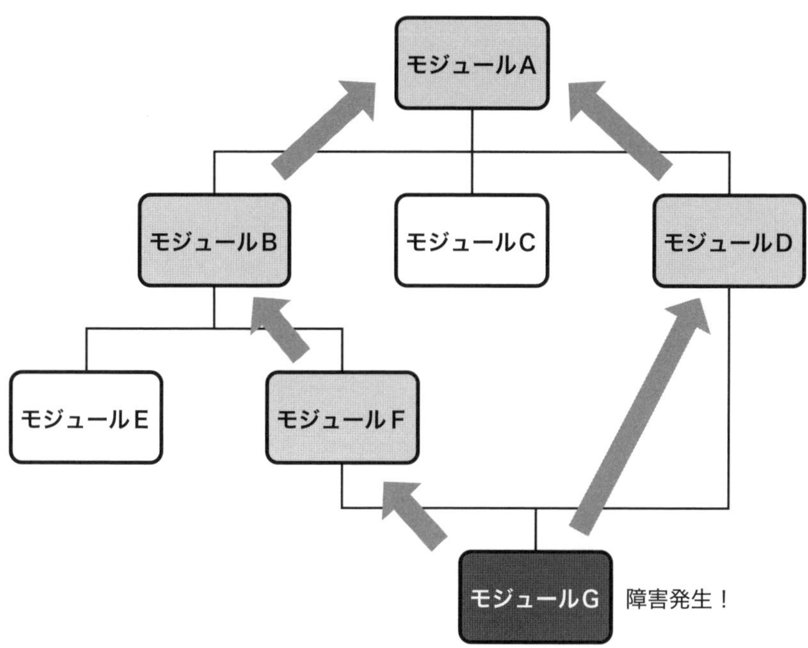

言い換えると、モジュール階層は「問題が生じたらその上位モジュールが影響を受ける」という意味合いで認識されることになります。それらを調べて登録することは簡単なことではありませんが、いったん登録してしまえば、ハードウエアの故障や特定ソフトウエアのセキュリティ問題といったさまざまな事態（インシデント）に素早く対応できるようになります。

さてここで図8-5のモデルを、第7章で説明した「FOと部品構成を伴う製造品」のモデルと比べてみましょう（図8-7）。細かい部分や用語は違っているものの*1、形としてはほぼ同じであることがわかります。このように、情報管理課題としては似ていなくても、データモデルとして同型をなすケースがしばしばあります。データ項目の具体的な意味を離れ、記号としてモデルを眺めることの意義はそこらへんにあります。具体的な意味に縛られずに、データの論理構造がもたらす情報管理上の効果を異なる分野に応用できるようになるからです。システム設計者にとってこの役割はとくに重要で、ある業界で日常的になされているプラクティスを他の業界に転用するためのきっかけとなります。さまざまな業種・業務を経験することの意義は、こういうところにもあります（コラム5参照）。

図8-7　FOと部品構成を伴う製造品のモデル

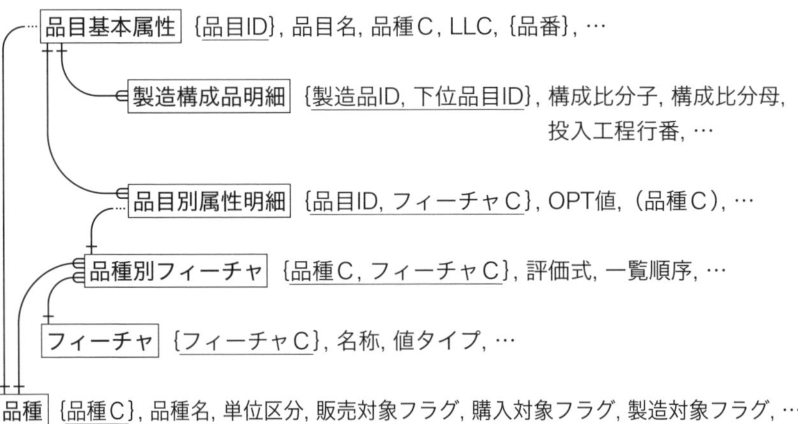

工程と作業場

第7章で「製造指示」について説明しましたが、製造指示を登録すれば製造予定日に製造できるとは限りません。必要な構成品の在庫が揃っていなかったり、工程をまかなう設備に余力があるとは限らないためです。在庫を確

＊1　「フィーチャ」に相当するテーブルが図8-5には存在せず、属性（フィーチャ）の一覧がモジュールタイプ毎に定義されるようになっているという違いがあります。モジュールタイプ横断で適用される属性が例外的にしか存在しないと考えられるためです。

保しつつ、また設備の負荷を平準化しつつ製造指示を確実に実行することが、生産管理システムの重大な役割です。第９章で構成品の在庫を管理するための「在庫推移監視法」の枠組みを説明するので、ここでは設備の負荷管理に関するモデルを見ましょう。ここらへんは生産管理に特有な管理課題ではなく、さまざまな業種・業態における能力計画を仕様化する際の基礎となります。

ここでいう「設備」は事業活動に直接関わるリソースの一種で、生産管理では作業場（work center）といいます。具体的には工作機械（号機）や区画、あるいは技能を持つ要員のことです。それらの能力（capacity）をあらかじめ定義して、それを超える負荷が生じないように監視する過程を能力計画（capacity planning）といいます。

工程と作業場に関するモデルを見てください（図８-８）。「作業場」のテーブルには能力を表す属性がいくつか載っています。「生産性」は単位時間あたりの生産量（単位は工程の製造単位区分）を、「段取時間数」は別の製造指示への切り替えにかかる時間を表します。「バケット時間数」とは、負荷状況を見るための時間の長さを表し、ふつうは数時間、場合によっては数日間にわたることがあります。

図8-8　工程と作業場

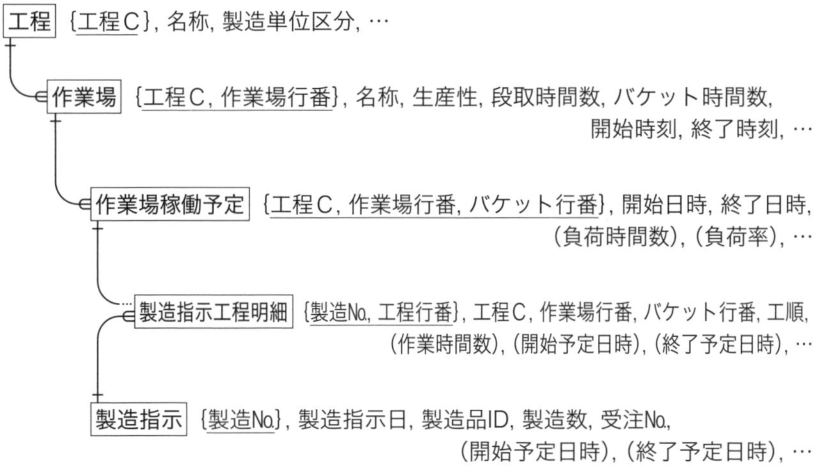

工程　{工程C}, 名称, 製造単位区分, …

作業場　{工程C, 作業場行番}, 名称, 生産性, 段取時間数, バケット時間数, 開始時刻, 終了時刻, …

作業場稼働予定　{工程C, 作業場行番, バケット行番}, 開始日時, 終了日時, (負荷時間数), (負荷率), …

製造指示工程明細　{製造No., 工程行番}, 工程C, 作業場行番, バケット行番, 工順, (作業時間数), (開始予定日時), (終了予定日時), …

製造指示　{製造No.}, 製造指示日, 製造品ID, 製造数, 受注No., (開始予定日時), (終了予定日時), …

「作業場稼働予定」には、作業場毎にバケット時間数で展開される期間（タイムバケット）が保持されます。たとえば、9時開始18時終了の作業場に対して3時間のバケット時間数を設定すれば、それぞれの営業日向けに9:00～12:00、12:00～15:00、15:00～18:00、の3つのタイムバケットが展開されます。それぞれの能力（3時間）に対して、関連する製造指示工程明細の作業時間数の合算値を比較すれば、負荷率が得られます。

なお、このモデルでは「生産性」や「段取時間数」が作業場毎に決まる形になっていますが、厳密に言えば、それらの値は扱う製造品毎に異なるはずです。{工程C, 作業場行番, 製造品ID} を主キーとする「作業場別製品属性」のようなテーブルを用意してそこでそれらの値を管理すればより正確に計算できるでしょうが、そこまでやるとマスター整備の手間がかかりすぎるかもしれません。

さて、1つのタイムバケットに複数の製造指示工程明細が関連付けされるわけですが、タイムバケット内でどんな順番で製造指示工程明細を流すかについては製造現場に任せてかまいません。製造品の特性によって作業場に投入される順序が微妙に制約されることがあって、そこらへんは製造の事情に詳しい現場担当者に任せたほうがいいからです。

したがって、ある製造指示工程明細に対して特定の作業場稼働予定をあてがえば、その工程向けの作業は「そのタイムバケットの開始日時から始まり、終了日時に終わる」とみなされます（そのバケットにあてがわれているすべての製造指示工程明細がそのように扱われる点に注意してください）。必然的に、タイムバケットあたりの単位時間を短くすれば、きめ細かいスケジュール管理ができるいっぽうで、負荷管理されるタイムバケットが増えて管理の手間が増えます。短すぎず長すぎないバケット時間を各作業場に設定する必要があります。

このように、製造指示工程明細に対して利用可能な作業場稼働計画を指定することが、製造指示の日程管理であると同時に、作業場に対する負荷計画となります。具体例で確認してみましょう（図8-9）。

図8-9　作業場の負荷状況の例

工程　{工程C}, 名称, 製造単位区分, …

工程C	名称	製造単位区分
10	加工	個
20	組立	個
30	仕上げ	個

作業場　{工程C, 作業場行番}, 名称, 生産性, 段取時間数, バケット時間数, 開始時刻, 終了時刻, …

工程C	作業場行番	名称	生産性	バケット時間数	開始時刻	終了時刻
10	01	加工マシン1号	20	180	09:00	18:00
20	01	組立マシン28号	10	120	09:00	18:00
30	01	仕上げ区画	10	540	09:00	18:00

作業場稼働予定　{工程C, 作業場行番, バケット行番}, 開始日時, 終了日時, (負荷時間数), (負荷率), …

	工程C	作業場行番	バケット行番	開始日時	終了日時	(負荷時間数)	(負荷率)
①	10	01	0083	7/21 09:00	7/21 12:00	60	33%
②	20	01	0123	7/21 10:00	7/21 12:00	200	167%
③	20	01	0124	7/21 12:00	7/21 14:00	0	0%
④	30	01	0055	7/21 09:00	7/21 18:00	160	30%

製造指示工程明細　{製造No., 工程行番}, 工程C, 作業場行番, バケット行番, 工順, (作業時間数), (開始予定日時), (終了予定日時), …

	製造No.	工程行番	工程C	作業場行番	バケット行番	工順	(作業時間数)	(開始予定日時)	(終了予定日時)
⑤	M00256	01	10	01	0083	010	40	7/21 09:00	7/21 12:00
⑥	M00256	02	20	01	0123	020	110	7/21 10:00	7/21 12:00
⑦	M00256	03	30	01	0055	030	80	7/21 09:00	7/21 18:00
⑧	M00289	01	10	01	0083	010	20	7/21 09:00	7/21 12:00
⑨	M00289	02	20	01	0123	020	90	7/21 10:00	7/21 12:00
⑩	M00289	03	30	01	0055	030	80	7/21 09:00	7/21 18:00

製造指示　{製造No.}, 製造指示日, 製造品ID, 製造数, 受注No., (開始予定日時), (終了予定日時), …

製造No.	…	(開始予定日時)	(終了予定日時)
M00256	…	7/21 09:00	7/21 18:00
M00289	…	7/21 09:00	7/21 18:00

2つの製造指示が載っていますが、"組立マシン28号"の"0123"のタイムバケット（②）の負荷が100％を大幅に超えています。この場合、製造指示工程明細の⑥か⑨を③のタイムバケットに振り替える必要がありそうです。切り替えると、負荷状況と製造工程の日程が図8-10のように変化します。

図8-10　工程明細の稼働予定を切り替えた結果

作業場稼働予定 {工程C, 作業場行番, バケット行番}, 開始日時, 終了日時, (負荷時間数), (負荷率), …

	工程C	作業場行番	バケット行番	開始日時	終了日時	(負荷時間数)	(負荷率)
①	10	01	0083	7/21 09:00	7/21 12:00	60	33%
②	20	01	0123	7/21 10:00	7/21 12:00	110	92%
③	20	01	0124	7/21 12:00	7/21 14:00	90	75%
④	30	01	0055	7/21 09:00	7/21 18:00	160	30%

製造指示工程明細 {製造No, 工程行番}, 工程C, 作業場行番, バケット行番, 工順, (作業時間数), (開始予定日時), (終了予定日時), …

	製造No	工程行番	工程C	作業場行番	バケット行番	工順	(作業時間数)	(開始予定日時)	(終了予定日時)
⑤	M00256	01	10	01	0083	010	40	7/21 09:00	7/21 12:00
⑥	M00256	02	20	01	0123	020	110	7/21 10:00	7/21 12:00
⑦	M00256	03	30	01	0055	030	80	7/21 09:00	7/21 18:00
⑧	M00289	01	10	01	0083	010	20	7/21 09:00	7/21 12:00
⑨	M00289	02	20	01	0124	020	90	7/21 12:00	7/21 14:00
⑩	M00289	03	30	01	0055	030	80	7/21 09:00	7/21 18:00

製造指示 {製造No}, 製造指示日, 製造品ID, 製造数, 受注No, (開始予定日時), (終了予定日時), …

製造No	…	(開始予定日時)	(終了予定日時)
M00256	…	7/21 09:00	7/21 18:00
M00289	…	7/21 09:00	7/21 18:00

この例では工程明細の日程は変化しましたが、M00289の製造指示としては開始予定日時と終了予定日時が変わらない点に注意してください。本来であればタイムバケットを切り替えるたびに製造日程も変化していいはずなのですが、すべての工程がバケット管理されているゆえに、製造指示そのものの開始／終了予定日時は各工程のタイムバケットに規定されたざっくりした値をとらざるを得ません。これを解決するためのアイデアが「制約工程」です。

制約工程の導入

制約工程は「日常的に負荷率が高くなりがちな工程」、あるいは「常に負荷状況を心配しなければいけない工程」のことです。制約工程でないとしたら、それは「常に能力に余裕がある工程」です。制約工程は工場全体の生産能力を規定するものであると同時に、工程負荷計画を合理化するための鍵となります。すなわち、制約工程でないような工程については基本的に負荷を心配する必要はないので、負荷集計は制約工程についてだけやっておけばよいことになります。制約工程でない工程については、製造指示数から求められるリードタイムにしたがって、タイムバケットの始まりと終わりの時刻から前後に実行予定日時をずらす（これを手番ずらしといいます）ことで、製造指示の予定時刻が決定されます（図8-11）。

図8-11　制約工程だけをバケット展開して負荷管理する

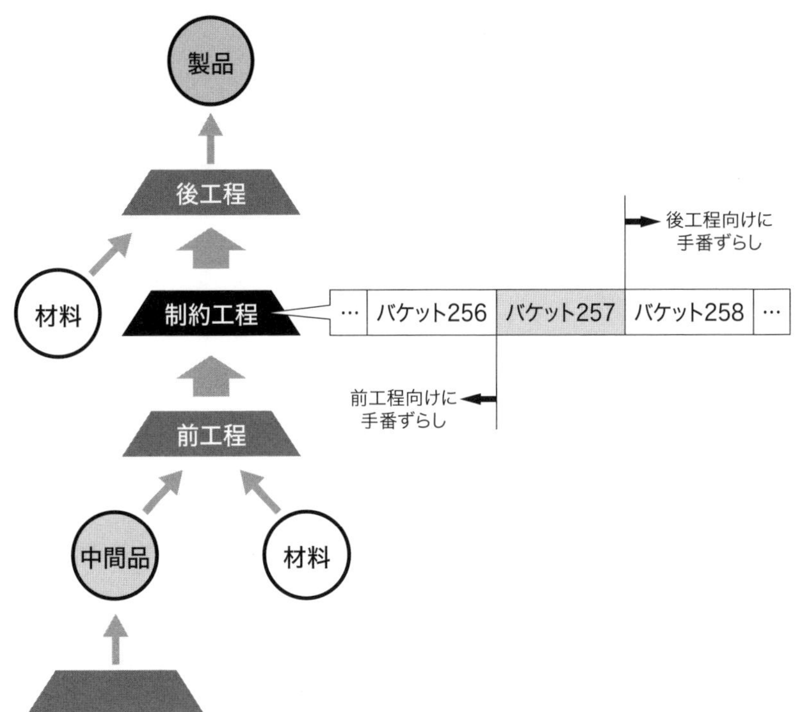

この考え方は1984年にイスラエルの物理学者であるゴールドラット博士によって提案されたもので、その大枠は「制約理論（TOC,Theory of constaints)」と言われています。

図８－９、10ではすべての工程についてバケット展開と負荷集計がなされていましたが、「制約工程」の作業場についてだけにそれをするように考え直したモデルが図８－12です。

図8-12　制約工程を取り入れた負荷状況の例

工程　{工程C}, 名称, 製造単位区分, 制約工程フラグ, …

工程C	名称	製造単位区分	制約工程フラグ
10	加工	個	false
20	組立	個	true
30	仕上げ	個	false

作業場　{工程C, 作業場行番}, 名称, 生産性, 段取時間数, バケット時間数, 開始時刻, 終了時刻, …

工程C	作業場行番	名称	段取時間数	バケット時間数	開始時刻	終了時刻
10	01	加工マシン1号	20	180	09:00	18:00
20	01	組立マシン28号	10	120	09:00	18:00
30	01	仕上げ区画	10	540	09:00	18:00

作業場稼働予定　{工程C, 作業場行番, バケット行番}, 開始日時,　終了日時,（負荷時間数）,（負荷率）, …

	工程C	作業場行番	バケット行番	開始日時	終了日時	（負荷時間数）	（負荷率）
②	20	01	0123	7/21 10:00	7/21 12:00	110	92%
③	20	01	0124	7/21 12:00	7/21 14:00	90	75%

製造指示工程明細　{製造No., 工程行番}, 工程C, 作業場行番, バケット行番, 工順,（作業時間数）,（開始予定日時）,（終了予定日時）, …

	製造No.	工程行番	工程C	作業場行番	バケット行番	工順	（作業時間数）	（開始予定日時）	（終了予定日時）
⑤	M00256	01	10	01	0083	010	40	7/21 09:20	7/21 10:00
⑥	M00256	02	20	01	0123	020	110	7/21 10:00	7/21 12:00
⑦	M00256	03	30	01	0055	030	80	7/21 12:00	7/21 13:20
⑧	M00289	01	10	01	0083	010	20	7/21 11:40	7/21 12:00
⑨	M00289	02	20	01	0124	020	90	7/21 12:00	7/21 14:00
⑩	M00289	03	30	01	0055	030	80	7/21 14:00	7/21 15:20

製造指示　{製造No.}, 製造指示日, 製造品ID, 製造数, 受注No.,（開始予定日時）,（終了予定日時）, …

製造No.	…	（開始予定日時）	（終了予定日時）
M00256	…	7/21 09:20	7/21 13:20
M00289	…	7/21 11:40	7/21 15:20

図８－９と同じデータ状況であるにもかかわらず、製造指示工程明細のタイムバケットを振り替えたことで製造指示全体の日程に変化が生じている点に注意してください。それは、制約工程の前後にある工程については、作業

時間にもとづいて前後に機械的に時刻をずらして日程化しているからです（なぜなら、制約工程でない作業場については負荷を心配しなくていいからです）。このように制約工程に着目することで、負荷計画の手間が減ると同時に、よりきめ細かな日程化が可能になります。

なんらかの成果を生み出すシステムがあるとして、その中の制約工程（ボトルネック）を明らかにしてこれを集中管理すれば、少ない手間でシステムのスループット*2を最大化できる。そういった一般的な特性を示した点が、制約理論の成果です。

これをわれわれの仕事にあてはめるとどうなるでしょう。業務システム開発におけるボトルネックは「仕様の実装（プログラミング）」ではなく、今も昔も「仕様の確立」の過程にあります。実装にはたいへんな手間がかかる印象がありますが、その過程は年々楽になるばかりです。いっぽう、的確な仕様を生み出すことの難しさは昔と変わりません。そして、「あるべきシステム仕様」の核となっているものがDB構造です。

ということは、DB設計の工程をボトルネックとみなして強化・集中管理すれば、開発プロジェクトのスループットは増えます。本書でデータモデリングや数多くのモデリング事例を学ぶのはそのためで、システム開発のビジネスで「最小限の努力で顧客に貢献しながら稼ぐ」ためのコツです。システム開発を専業とする企業であれば、DB設計を安心してまかせられる社内要員の育成を優先させなければなりません。

要員シフト計画

「作業場」の主体が“技能を持つ要員”である場合、その稼働計画は一般的な「要員シフト計画」とみなせます。これは昔から「看護師のスケジューリング問題」と呼ばれている情報管理課題で、タイムバケットは｛日付，シフト区分｝で、作業場能力によって充当されるべき製造指示は「バケット展開された病棟」に相当します（図8-13）。

＊2　時間単位あたりで処理される価値やデータの量のこと。throughput。

図8-13　看護師のシフト管理モデル（1）

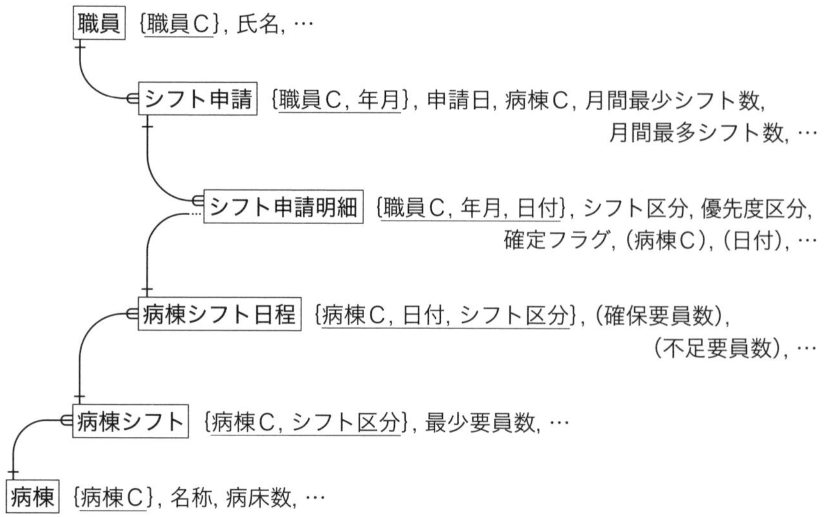

データ管理の流れを見ましょう。まず、シフト勤務の場合、職員本人によって当直可能なシフトが事前申請されます。「シフト申請明細」の「優先度区分」には“良”、“可”、“不可”のいずれかが設定され、管理者は“不可”の申請明細を除外しつつシフト毎の要員を確保します（確定フラグをオンにすれば確保されたことになります）。最少要員数に満たない場合は、職員に打診してシフト申請明細の調整・充当を図ります。

なお、夜勤をともなう病棟では日勤（昼の8.5時間）と夜勤（深夜を含む16.5時間）の組み合わせが主流ですが、昼の8.5時間、夕方から夜の8.5時間、深夜の8.5時間の３シフトのこともあります。どちらもシフトの合計時間が24時間を超えていますが、これはシフト間の「申し送り」を確保するためです。夜勤がない病棟でも、２シフト（日勤と夜診）に分けることがあります。

適切な答えを導く過程は本質的には「巡回セールスマン問題*3」の解法に相当するものですが、ある程度は自動化可能です。まずは「優先度区分」が“良”であるような申請を組み合わせて、次に“可”の申請を組み合わせて機械的に充当します。その結果として埋まらなかったシフトについて、計画担当者が要員確保を進めます。それぞれの段階で、職員別に事前申請されている月間最少・最多シフト数の条件を満たさねばなりません。

---

*3　複数の都市をまわって最短距離で営業活動をするための経路を算出する問題のこと。組み合わせ爆発ゆえに、“NP困難”と呼ばれるタイプの問題として有名。

最適化が難しいとはいえ、図８-13の形で各シフト毎に要員を確保できそうです。しかしこれだけでは、病棟向けはおろか、居酒屋のような一般の店舗営業向けにさえ適用することは難しいでしょう。なぜならこのモデルには「最少要員数を満たせば、誰であっても大丈夫」という特殊な前提があるからです。

現実には、業務遂行に必要な最低限のスキルセットがシフト毎に確保されていなければなりません。産科病棟であれば、助産師の資格を持つ職員が最少１名はシフトに含まれる必要があります。居酒屋さんであれば、調理要員と接客要員が最少１名ずつは必要でしょう。この点に関して「要員が持つ技能」を組み込んだモデルが図８-14です。

図8-14　看護師のシフト管理モデル（2）

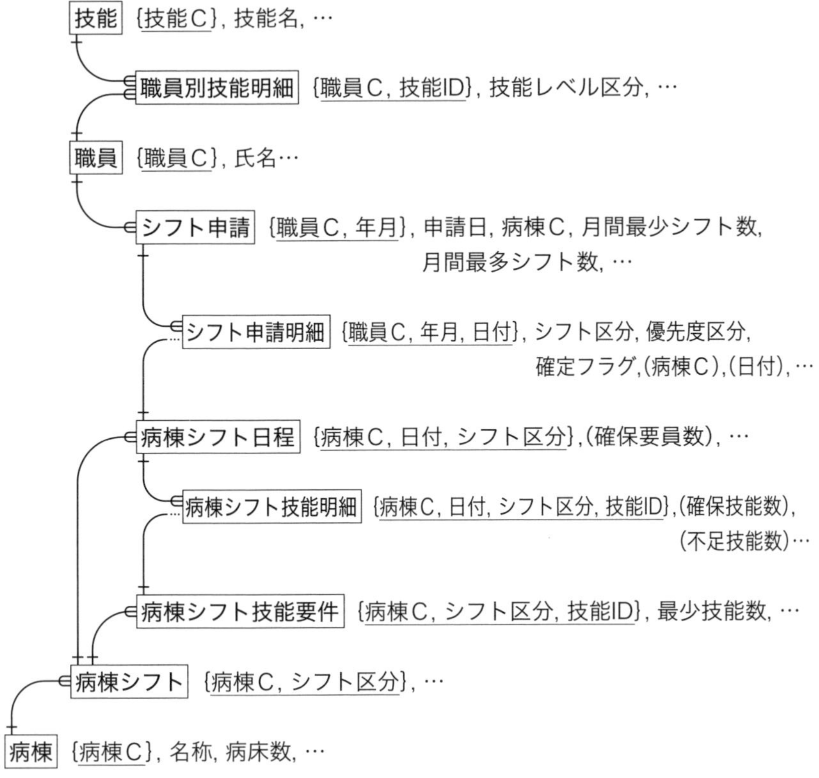

図８-13ではシフト毎に最少要員数が規定されていましたが、図８-14ではシフト毎の技能別の最小確保数が規定されています。まず、職員が保有する技能、および病棟シフト別に必要な技能要件があらかじめ登録されます。病棟シフトに対してシフト申請明細を充てると、病棟シフト技能明細の技能数が集計され、規定の最少数と比較されます。シフト毎に確保されるべきなのは「要員数」ではなく「(業務遂行に必要な）スキルセット」だったということです。頭数を揃えることばかりに熱心な某業界には参考になるのではないでしょうか。

じつは図８-14のモデルでも、病棟向けの本格的なシフト管理は賄えません。「指導職員の確保」と「職員同士の相性」の制約が考慮されていないためです。まず、職員が新人である場合、特定の指導職員（プリセプタ）がシフトに含まれる必要があります。また、相性の悪い職員の組み合わせがシフトに含まれていてはいけません（冗談のようですが、人命を預かる業務ではそこまで留意されます)。これらの制約を考慮すると、モデルは図８-15のようになります。

上掲の制約はどのように考慮されているのでしょう。職員別に指導期間と指導職員が登録され、病棟シフト技能明細のデータの妥当性が評価されます。データモデルの形式上でその制約は示されていませんが、簡単なロジックを介して判定可能です。いっぽう「相性」の制約については「制約職員ペア」で形式的に表現されています。そこには“回避されるペア”だけでなく“推奨されるペア”も登録できるようになっています。つまり、回避相手が含まれていたとしても、推奨相手が含まれていればそのシフトは受容可能とみなされます。「Ａと働くのは気が進まないけど、Ｂといっしょなら大丈夫」というわけです。

こういった複雑な制約をともなう自動最適化は簡単ではありませんが、事前にデータ構造を明らかにしない限り、AIや量子コンピュータを使っても解決できません。この意味でも「データの扱われ方（業務やUIのあり方)」を先行して定義しようとする「プロセス指向」の誤謬（ごびゅう）は明らかです。データの処理様式を考えるには、「処理されるデータの形」が事前に定義されている必要があります。考えてみれば当たり前なのですが、業務システム開発では見落とされていることが多いのが実情です。

図8-15　看護師のシフト管理モデル（3）

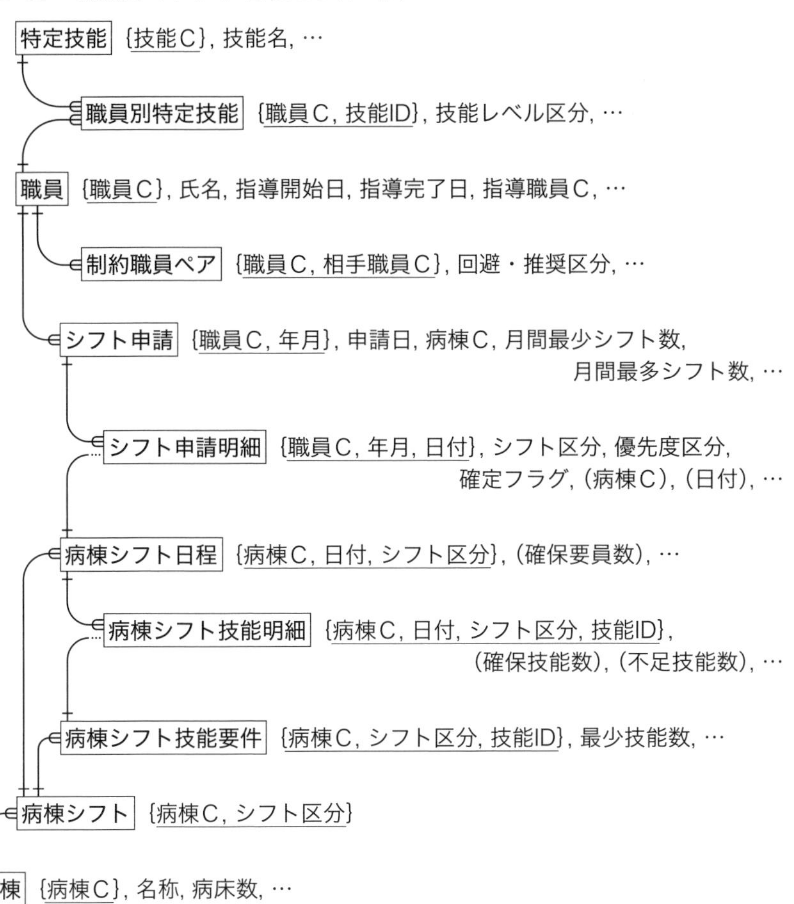

搭乗予約管理

「航空機の機体」を「作業場」とみなせば、航空機の搭乗予約におけるタイムバケットは「日程化されたフライト」に相当します。生産管理とは異質でありながらも負荷計画としては同じ考え方にもとづいており、一般的な「席予約」の応用です。本章の仕上げとして、搭乗予約管理のデータモデルを確認しましょう（図8-16）。

図8-16　搭乗予約のデータモデル

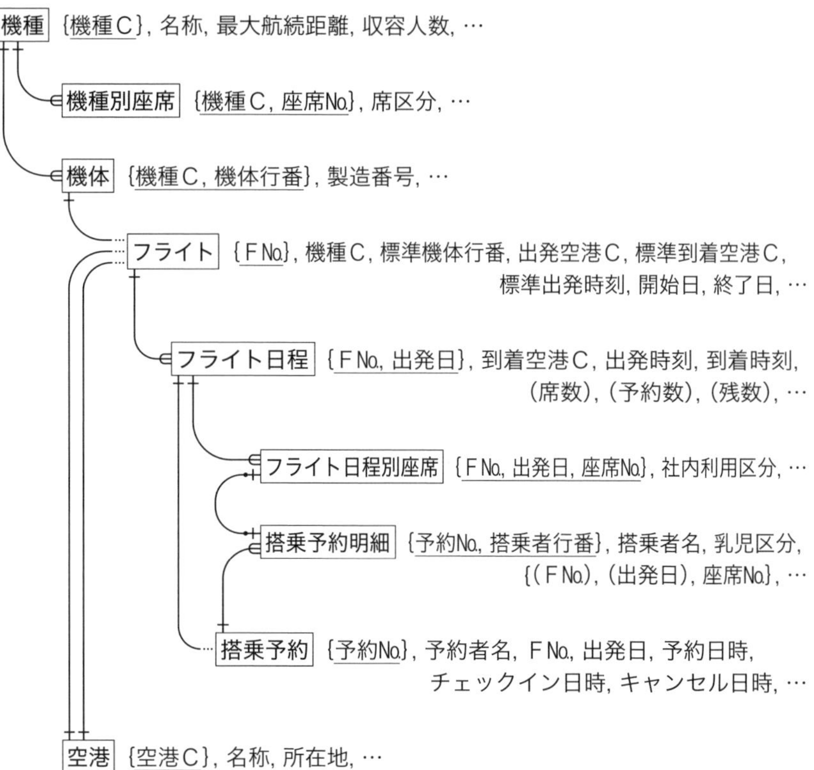

これまでのモデルは基本的に「需要ありきで設備の稼働を確保する」ためのものでしたが、このモデルは「設備の稼働ありきで需要を確保する」ためのものです。設備、すなわち物理的な航空機は「機体」として定義されます。機体毎に機種が決まり、機種毎に座席の内訳が決まります。機体に対して航路や運行期間を付与したものが「フライト」で（F No.はフライトNo.の意味）、それを出発日で展開したものが「フライト日程」です。「フライト」を「(企画された）製品」に喩えれば、「フライト日程」は「(製造されて需要を待つ）製品在庫」に相当します。

フライト日程を追加する際には「機種別座席」が読み込まれ、「フライト日程別座席」が自動展開されます。それらについて社内利用のための座席を確保するなどの調整を施せば、予約受付の準備が整います。なおフライト日程に「到着空港C」が置かれているのは、天候などの関係で到着空港が急きょ変更される可能性があるためです。

顧客が予約すると、特定のフライト日程に対して、搭乗予約1件と搭乗者分の搭乗予約明細が登録されます。搭乗予約と同時、または空港でのチェックインの際に座席が指定され、フライト日程別座席と搭乗予約明細とが1：1に対応します。なお、搭乗予約明細の二次キー｛フライトNo.,出発日,座席No.｝は、座席No.がブランクでない場合に成立する独特なユニーク制約です。座席指定していない状態だけでなく、キャンセル待ちや搭乗者が乳児の場合にも座席No.がブランクであるためです。

続いて、目的地までいくつかのフライトを乗り継ぐ「トランジット」を予約できる形にモデルを改善してみましょう。同じ航空会社のフライトを組み合わせてトランジットできるケースばかりではないので、現実にはそこまで考える必要はなさそうです。ここではモデリングの練習として考えてみましょう（図8-17）。「搭乗者明細」と「搭乗フライト明細」との子が「登場フライト席明細」として置かれ、これが「フライト日程別座席」と対応しています。

図8-17 「トランジット」を考慮した搭乗予約のデータモデル

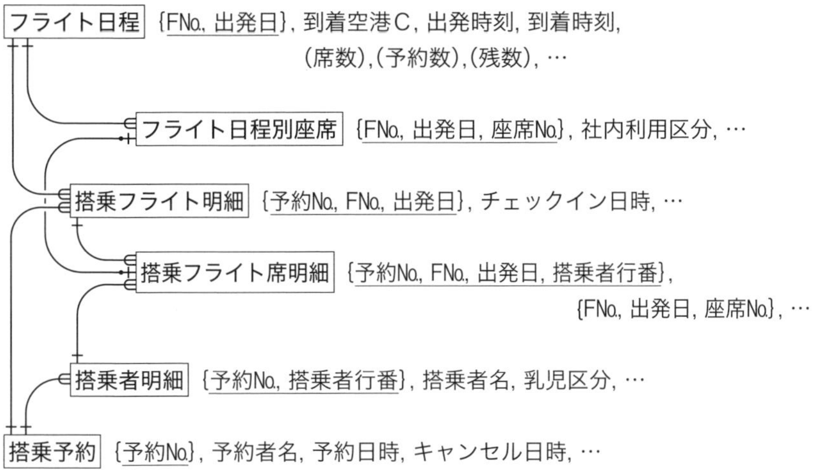

さて、実際に飛行機に搭乗するためには決められた「出発ゲート」に案内されるはずですが、これまでのモデルにはその情報が含まれていません。図8-16を出発ゲートを含む形で修正したモデルが図8-18です。

図8-18　出発ゲートを組み込んだモデル

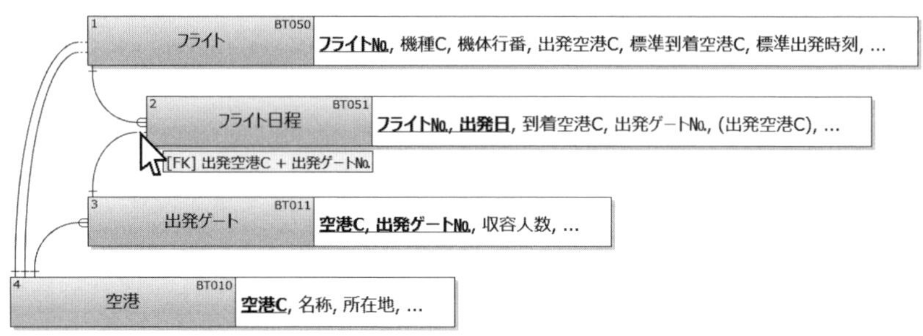

空港の子テーブルとして「出発ゲート」を組み込んであります。また、フライト日程に「出発ゲートNo.」を追加して、さらに「出発空港C」を「フライト」からの継承論理フィールドとして置きました。それらを含む参照キー{出発空港C, 出発ゲートNo.}が、「出発ゲート」の主キー{空港C, 出発ゲートNo.}に対応する形で動的参照関係が引かれています。フライト日程に出発空港Cを置かないとしたら、既存の到着空港Cと結びついて「到着空港の出発ゲート」が参照キーになっているように見えてしまうでしょう。

とはいえ、このモデルでは参照関係が{出発空港C, 出発ゲートNo.}にもとづいていることが明示されていません。そこらへんについては、モデリングツールが適宜に示してくれるか、テーブル定義を見ればわかるようになっていると考えてください。ちなみに拙作のモデリングツール（X-TEA Modeler）では、図のように参照関係の起点となるアイコンにマウスポインタを置くと、どのような参照キーで関係付けられているかがバルーン表示されるようになっています。

第9章

残高と取引

事業データ管理システムで「残高」と言った場合、在庫残高、買掛残高、売掛残高のいずれかで、それらの変化は決算システムに渡されて「勘定残高」の変化として翻訳されます。事業データ管理システムにとって代表的な管理課題となる3つの残高と、それを変化させる取引のモデルを見ていきましょう。

在庫のモデル

物販業や製造業において、在庫レベルは適切に維持されなければいけません。在庫が多すぎるとコストが嵩むし、少なすぎると機会損失が生じるからです。変化し続ける状況に応じて、多すぎず少なすぎない在庫レベルが維持される——それは人とコンピュータが連係することでもたらされる果実のひとつですが、ここでも的確なデータモデルが鍵になります。

典型的な在庫の「論理モデル」を示します。37ページで示した『かね玄』のデータモデル（図２−２）と比較してみてください。受払履歴（単に受払とも）は、在庫残高の変化をもたらした取引をすべて記録したものです。

図9-1　典型的な在庫の論理モデル

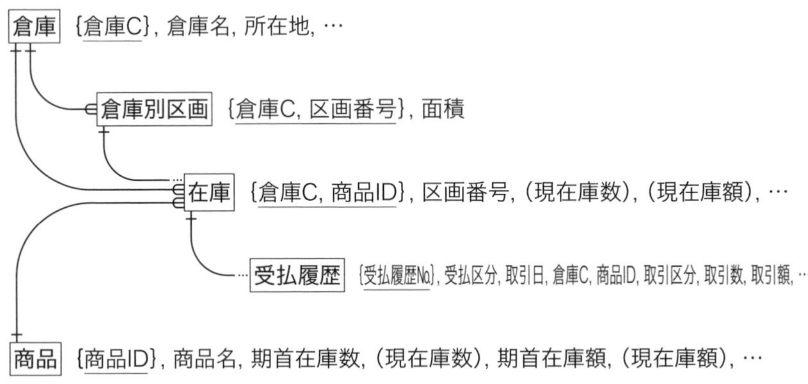

『かね玄』のデータモデルでは単純化されていましたが、在庫の値には「在庫数」と「在庫額」の２種類があります。「在庫数」が商品の実物を扱う日常的な取引に欠かせない情報であるいっぽう、「在庫額」は決算や資産管理上欠かせない情報です。ただし、在庫額については商品横断で合計することに意味がありますが、在庫数を合計することに意味はありません。

そもそも、なぜ数量と金額を別々に管理しなければならないのでしょう。もし商品の原単価（物販では基本的に仕入単価）が恒常的に変わらないのであれば、数量だけを保持して、それに原単価を掛け合わせれば在庫金額が得られます。ところが、仕入単価は時期や仕入数量の多寡といったさまざまな要因で変化します。それゆえに、在庫の数量だけでなく金額の動きも捉えなければなりません。それぞれの現残高は以下のように算出されます。

現在庫数 ＝ 入庫合計数 － 出庫合計数
入庫合計数 ＝ Σ(指定された商品・倉庫での受払履歴上の入庫数)
出庫合計数 ＝ Σ(指定された商品・倉庫での受払履歴上の出庫数)

現在庫額 ＝ 入庫合計額 － 出庫合計額
入庫合計額 ＝ Σ(指定された商品・倉庫での受払履歴上の入庫額)
出庫合計額 ＝ Σ(指定された商品・倉庫での受払履歴上の出庫額)

現在庫残高がこのように複雑な計算を伴うものであるからには、それらをどう物理化するかを考えなければなりません。適切に物理化しないと、現在庫を見ようとするたびに膨大な計算が必要になり、レスポンスの悪化が避けられないからです。たとえば1件の在庫レコードに対して、起業以来溜まった膨大な受払履歴があるとすれば、現在庫を一覧するだけでひどく待たされてしまいます。

これを避けるために物理化した例が図9－2です。大きな違いは在庫（月次在庫サマリ）の主キーに「年月度」が追加されている点、そして年月別の在庫数と在庫額の集計値が物理的に保持されている点です。年月度に限らず、このように区切られた期間のことを会計では「期」といいます。決まった長さがあるわけではなく、“令和ｘｘ年度決算”の文脈での“期首”は「その会計年度が始まった時点」を指し、“期中”はその会計年度の１年間を指します。文脈によっては１カ月間や四半期（３カ月間）が１会計期間になることもあります。このモデルでは月が１会計期で、過去の年月においては期末在庫が「月末在庫」を意味し、現在の年月においては「現在庫」を表します。また、期首在庫はその月が始まった時点での在庫高を表し、前月末時点での在庫高と同じ値をとります。

図9-2　典型的な在庫の物理モデル

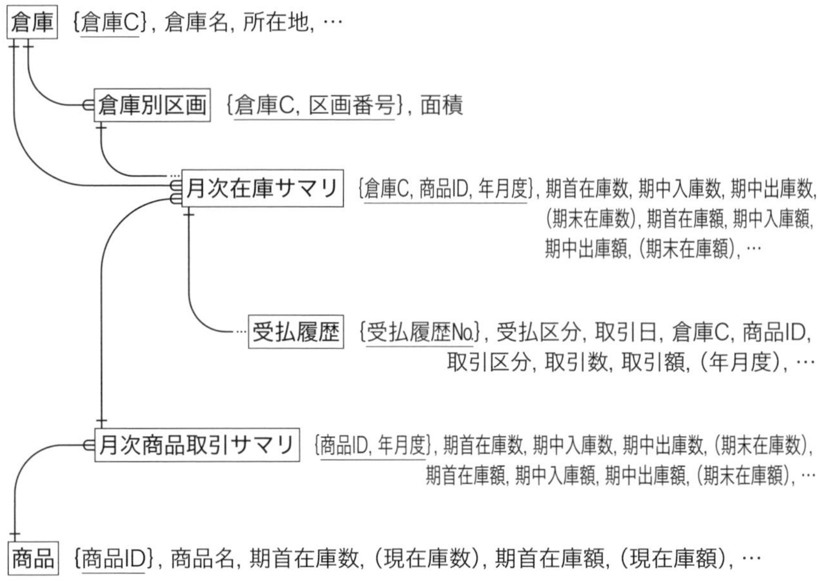

このモデルでは、受払履歴が追加されるたびに月中入出庫高が更新されることが前提になっています。この余分な手間は、まさに「正規化崩しの報い」に他なりません。各月の集計値は本来は受払履歴から導出可能であるゆえに、それを物理的に持つことは正規化違反なのです。しかしこの正規化崩しのおかげで、現在庫を見る際には、

現在庫数 ＝ 期首在庫数 ＋ 期中入庫数 － 期中出庫数
現在庫額 ＝ 期首在庫額 ＋ 期中入庫額 － 期中出庫額

を計算すればよいだけなので、レスポンスの心配がなくなります。

運用においては、年月度が20XX/06月から20XX/07月に切り替わる際に、20XX/06月の最終在庫（月末在庫）が確定すると同時に、その値が月初在庫に設定された形で20XX/07月向けのレコードが追加されることになります（図9－3）。

図9-3　月次サマリのデータ例

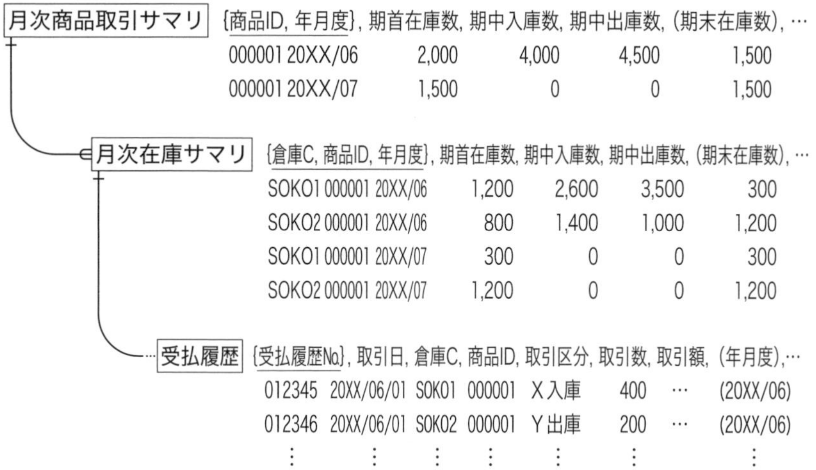

月次商品取引サマリ　{商品ID, 年月度}, 期首在庫数, 期中入庫数, 期中出庫数, (期末在庫数), …

000001	20XX/06	2,000	4,000	4,500	1,500
000001	20XX/07	1,500	0	0	1,500

月次在庫サマリ　{倉庫C, 商品ID, 年月度}, 期首在庫数, 期中入庫数, 期中出庫数, (期末在庫数), …

SOKO1	000001	20XX/06	1,200	2,600	3,500	300
SOKO2	000001	20XX/06	800	1,400	1,000	1,200
SOKO1	000001	20XX/07	300	0	0	300
SOKO2	000001	20XX/07	1,200	0	0	1,200

受払履歴　{受払履歴No.}, 取引日, 倉庫C, 商品ID, 取引区分, 取引数, 取引額, (年月度),…

012345	20XX/06/01	SOK01	000001	X入庫	400	…	(20XX/06)
012346	20XX/06/01	SOK02	000001	Y出庫	200	…	(20XX/06)
⋮	⋮	⋮	⋮	⋮	⋮		⋮

20XX/07月の行が追加された時点で、理屈の上でそれ以前の数値の変更は禁止されます。この操作が在庫の「月度締め」に相当しますが、現実には登録忘れ等の理由から過去月向けの受払が起こることは避けられません。ふつうは前月の在庫取引は登録可能として、それ以前の取引については当月向けの調整取引として反映させるといったルールが敷かれます。

受払履歴

上述したように、受払履歴は在庫残高の変化をもたらしたすべての取引を記録したもので、「受払区分」はどんな取引にもとづく変化であるかを表す項目です。たとえば受払区分が“販売出庫”であれば、その受払レコードは出荷実績テーブルに記録された取引に対応するし、“仕入入庫”であれば入荷実績テーブルに記録された取引に対応する、といったことがわかります。典型的な受払区分の意味合いを以下に挙げておきます。

移動入庫	倉庫間移動にともなう入庫
品目振替入庫	異なる品目に振り替えた際の入庫
購入入庫	発注にともなう入庫
売上返品入庫	販売品の返品にともなう入庫
完成入庫	製造品の完成にともなう入庫
材料戻し	工程からの材料の戻し
実棚調整増	棚卸にともなう調整
雑入庫	その他の入庫

移動出庫	倉庫間移動にともなう出庫
品目振替出庫	異なる品目に振り替えた際の出庫
発注返品出庫	購入品の返品にともなう出庫
販売出庫	販売にともなう出庫
材料出庫	材料の工程への払い出し
実棚調整減	棚卸にともなう調整
雑出庫	その他の出庫

このように、さまざまな受払区分があって、それぞれが固有の取引テーブルに関係しているわけですが、それらのテーブルへの参照キーは一律ではありません。それゆえ受払履歴の設計には工夫が必要です。たとえば、“販売出庫”に関連する出荷実績テーブル、“購入入庫”に関連する入荷実績テーブル、“移動入庫”と“移動出庫”に関連する倉庫間移動指示テーブルの主キーが、それぞれ{受注No., 受注行番, 出荷行番}、{発注No., 発注行番, 入荷行番}、{移動指示No., 商品ID}だとします。受払履歴上には参照キーを構成するためにそれらがすべて並ばなければいけません。取引テーブルがたった3つだとしてもかなり異様に見えます。(図9-4)。

図9-4　受払履歴と各種取引テーブル（1）

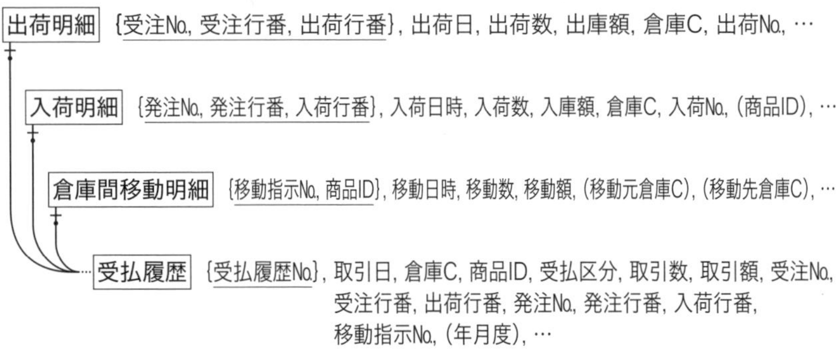

出荷明細 {受注No., 受注行番, 出荷行番}, 出荷日, 出荷数, 出庫額, 倉庫C, 出荷No., …

入荷明細 {発注No., 発注行番, 入荷行番}, 入荷日時, 入荷数, 入庫額, 倉庫C, 入荷No., (商品ID), …

倉庫間移動明細 {移動指示No., 商品ID}, 移動日時, 移動数, 移動額, (移動元倉庫C), (移動先倉庫C), …

受払履歴 {受払履歴No.}, 取引日, 倉庫C, 商品ID, 受払区分, 取引数, 取引額, 受注No., 受注行番, 出荷行番, 発注No., 発注行番, 入荷行番, 移動指示No., (年月度), …

受払区分に対応するテーブル毎の主キーを、参照キーとして受払履歴に組み込む――この方針では破綻することが目に見えています。最大の問題は、在庫残高を変化させる新たなテーブルが設計された場合に、受払履歴に新たな項目を追加する羽目になる点です。お世辞にも保守性が良いとは言えません。

そこで、在庫残高の変化をもたらすテーブルすべてについて、一律の二次キーを導入します（取引管理No.と呼んでおきます）。それらのテーブルにレコードが追加されるたびに、システム内でユニークな値を発番して記録し、受払履歴には取引管理No.を属性項目として置いて、対応するテーブルレコードへの参照キーとします（図９－５）。これで、受払履歴の項目が減ると同時に、新たな取引テーブルが増えた場合の対応がシンプルになりました（受払区分に新たな区分値を追加するだけ）。

図9-5　受払履歴と各種取引テーブル（2）

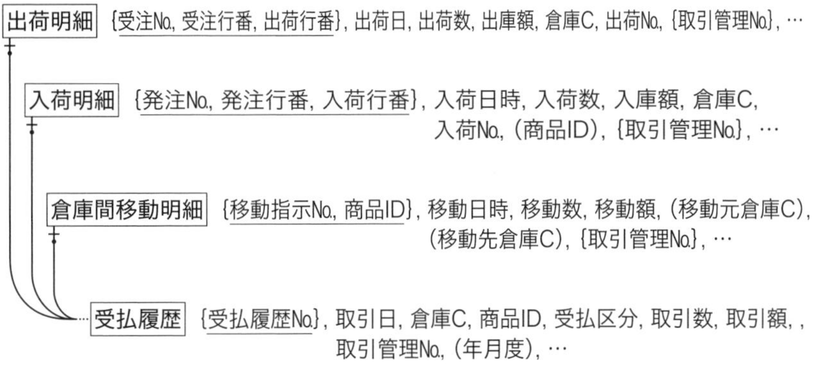

出荷明細　{受注No., 受注行番, 出荷行番}, 出荷日, 出荷数, 出庫額, 倉庫C, 出荷No., {取引管理No.}, …

入荷明細　{発注No., 発注行番, 入荷行番}, 入荷日時, 入荷数, 入庫額, 倉庫C, 入荷No., (商品ID), {取引管理No.}, …

倉庫間移動明細　{移動指示No., 商品ID}, 移動日時, 移動数, 移動額, (移動元倉庫C), (移動先倉庫C), {取引管理No.}, …

受払履歴　{受払履歴No.}, 取引日, 倉庫C, 商品ID, 受払区分, 取引数, 取引額, , 取引管理No., (年月度), …

このように、複数のテーブルの上位概念に相当するテーブルを組み込むことを、「テーブルの抽象化」といいます（67ページ参照）。出荷実績、入荷実績、倉庫間移動実績は互いに異質な取引ですが、「在庫に変化をもたらす取引」として抽象化されて受払履歴テーブルに自動転記されます。情報が重複的に記録されるので冗長とはいえますが、在庫残高の変化をもたらしたさまざまな取引を一覧しやすくなります。

なお、基本的に「在庫に変化をもたらした取引」の１件に対して１件の受払履歴が発生しそうですが、モデル上では複数件の受払履歴が対応する形になっています。これは、「在庫に変化をもたらした取引」がその後に修正された際に、次図のような「赤黒訂正」が起こることを想定しているためです。ここでは、オリジナルの受払履歴①（“販売出庫”なので取引数がマイナスの値であることに注意してください）に対するキャンセル分の②（①と符合が逆になっています）と、最新の値にもとづく新たな受払履歴③の２件が同時に追加されます。結果的に、最初から③だけを追加したかのように在庫残高も変化することになります。では、なぜわざわざこのように面倒な手順を踏むのでしょう。受払履歴は会計上の証憑とみなされるので、いったん追加したデータを変更することが許されないためです。

図9-6　受払履歴の赤黒訂正

出荷明細　{受注No., 受注行番, 出荷行番}, 出荷日, 出荷数, 出庫額, 倉庫C, 出荷No., {取引管理No.}, …

J12345　01　01　XX/07/10　100　2,000　SOKO1 111111　1234567

↓　↓

変更値　150　3,000

受払履歴　{受払履歴No.}, 赤黒区分, 取引日時, 取引区分, 倉庫C, 商品ID, 取引数, 取引額, 取引管理No., …

オリジナル	① 0048001	黒伝	XX/07/10…	販売出庫	SOK01	111111	−100	−2,000	1234567
変更後に追加	② 0048001	赤伝	XX/07/10…	販売出庫	SOK01	111111	100	2,000	1234567
変更後に追加	③ 0048001	黒伝	XX/07/10…	販売出庫	SOK01	111111	−150	−3,000	1234567

受払予定と在庫推移監視法

　このデータモデルを用いることで、現残高から受払履歴を逆にたどって任意の過去時点における残高を再現できます。それが可能なのであれば、未来の在庫推移を示すことも可能なのでしょうか。受払履歴の未来版ともいえる「受払予定」を導入すれば可能です（図９-７）。受払予定において「在庫額」が扱われていないのは、現時点から将来にわたる在庫推移を眺める際に問題にすべきなのは「在庫数」だけであるからです。出荷明細や入荷明細等、入出庫を引き起こすさまざまな予定データが追加・更新されるたびに、受払予定がそれらに寄り添うように自動的に維持されます。実際の入出庫が起きると物理削除され（残しておく意味はありません）、それに差し換わるように受払履歴が登録されます。

図9-7　受払予定と各種取引テーブル

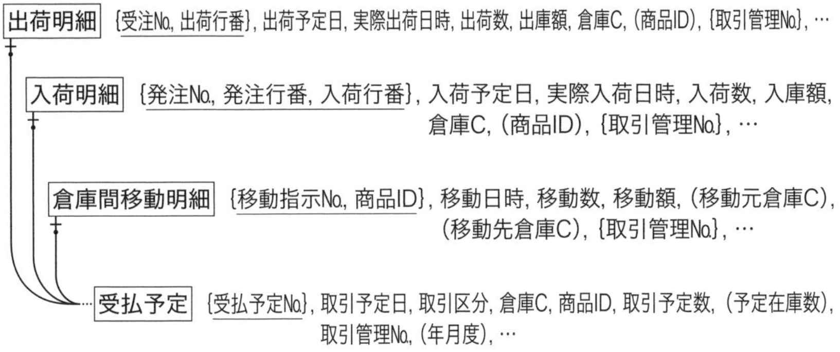

出荷明細　{受注No., 出荷行番}, 出荷予定日, 実際出荷日時, 出荷数, 出庫額, 倉庫C, (商品ID), {取引管理No.}, …

入荷明細　{発注No., 発注行番, 入荷行番}, 入荷予定日, 実際入荷日時, 入荷数, 入庫額, 倉庫C, (商品ID), {取引管理No.}, …

倉庫間移動明細　{移動指示No., 商品ID}, 移動日時, 移動数, 移動額, (移動元倉庫C), (移動先倉庫C), {取引管理No.}, …

受払予定　{受払予定No.}, 取引予定日, 取引区分, 倉庫C, 商品ID, 取引予定数, (予定在庫数), 取引管理No., (年月度), …

受払予定上の論理フィールド「予定在庫数」に注目してください。物理的に保持されるのは「受払予定数」です。それぞれの受払予定日における予定在庫数は、ユーザが商品と倉庫を特定して将来の在庫推移を見たいと要求した際に（つまりオンデマンドで）算出されます。すなわち、現在庫数に対して複数の受払予定を時系列で並べて受払予定数を加減することで、それぞれの予定日における予定在庫数が得られます。これは少ない計算量で大きな効果を得るための良い工夫で、物理的に予定在庫数を置いてしまうと、現在庫が変化するたびに膨大な計算が必要になってしまいます。

受払履歴を用いて過去の在庫推移を再現してもたいした意味はありませんが、受払予定を用いて未来の在庫推移を示すことにはきわめて大きな意味があります。在庫の不足や余剰に対して早めに対処できるからです。未来の在庫推移がわかるようになって、初めて在庫管理システムを導入した意味があるといってもいいほど効果的です。在庫の不足や余剰は、その予定が明確に示される限り対処できます。問題になるのはそれらが「見えない予定」のままで突如起こるからなのです。

その効果を確認するために、「倉庫間移動」の取引について、受払履歴と受払予定を含めたデータ状況の推移を見ましょう（図9－8～10）。

図9-8　倉庫間移動のモデル（移動出庫前）

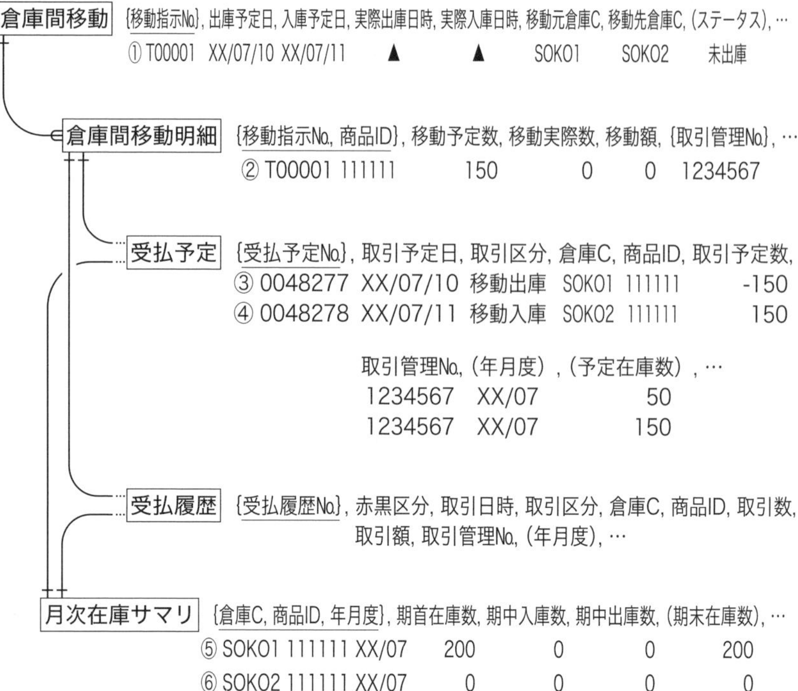

ある倉庫（SOKO1）から別の倉庫（SOKO2）へ、ある商品（111111）を移動させるために移動指示①②を追加したところです。システムはその内容にもとづいて受払予定③④を自動的に追加します。前述したように、受払予定上の「予定在庫数」は現在庫数から予定日毎に取引予定数を加減して得られる論理フィールドです。移動指示の「ステータス」は、実際出庫日時と実際入庫日時にしたがって導出される論理フィールドで、現時点の①では両方ともnull値なので「未出庫」に設定されています。移動指示の「ステータス」は、実際出庫日時と実際入庫日時にしたがって導出される論理フィールドで、現時点の①では両方ともnull値なので「未出庫」に設定されています。

なお、予定在庫数を計算する際に、同じ日の取引予定が複数あるとすれば、出庫取引が優先されなければなりません。そうでないと欠品の可能性が示されないからです。それぞれの入出庫の予定日を「日時」までを指定した形にすればこのような考慮も不要なのですが、ユーザにそこまでを要求することは現実には難しいでしょう。

図9-9　倉庫間移動のモデル（移動出庫後・入庫前）

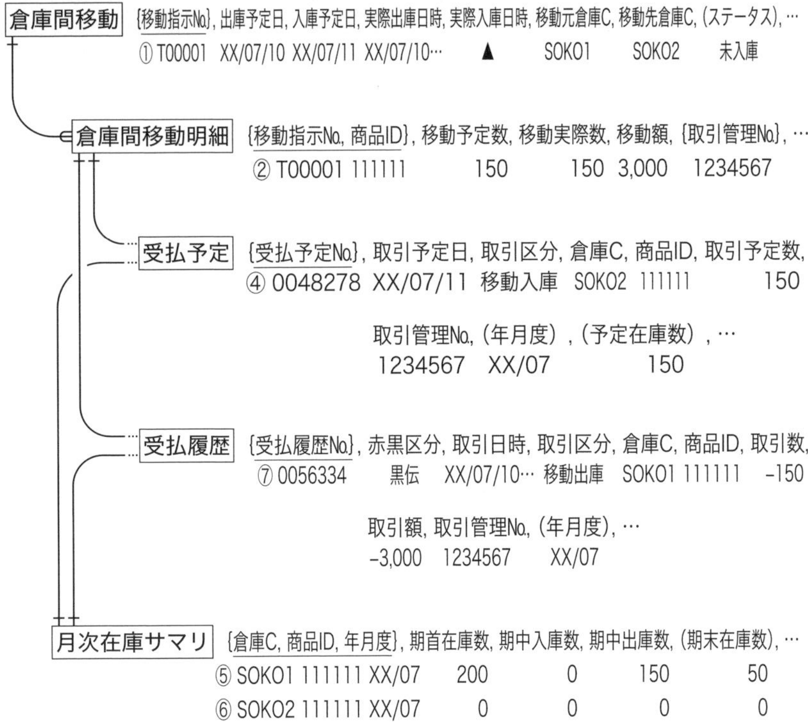

図9－9は、移動元倉庫（SOKO1）から商品が出庫されたばかりのデータ状況を示しています。この時点で商品はトラック等で運ばれている最中で、このような状態の在庫をとくに「積載在庫」といいます（その値は月次在庫サマリ上では管理されていませんが、必要に応じて倉庫間移動データから算出できます）。移動元倉庫から出庫された時点で、移動実際数と移動額が設定されている点に注目してください。出庫前の移動元倉庫での現在庫数が200、現在庫額が4,000円だったので、移動平均法（後述）での在庫単価は20円です。移動実際数は予定どおりの150個だったので、移動額（出庫額）は3,000円として設定されています。出庫の事実にもとづいて①②が更新され

ると同時に、③の受払予定が削除され、受払履歴⑦が追加され、さらに⑤の期中出庫数が更新されます＊1。

図9-10　倉庫間移動のモデル（移動入庫後）

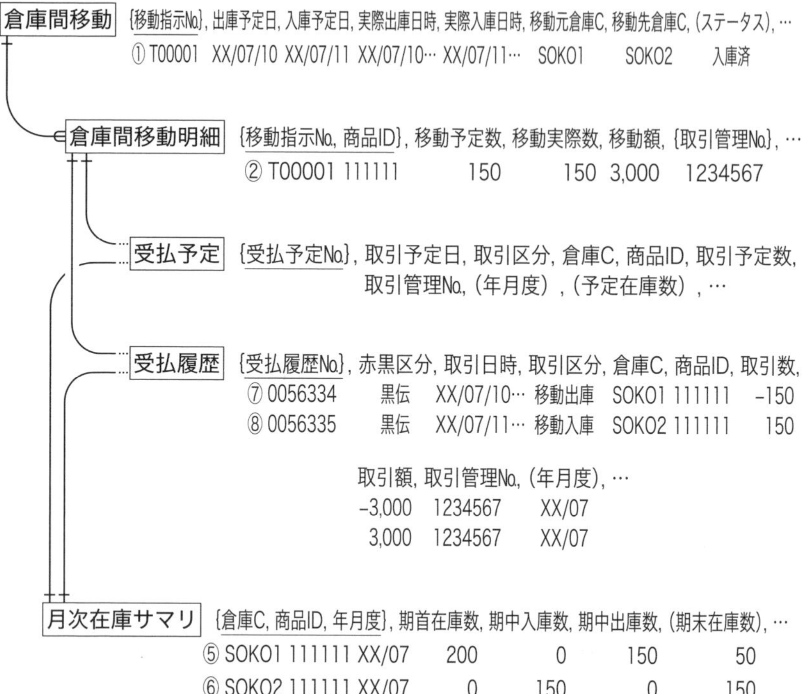

最終的に移動先倉庫に入庫されると、①の実際入庫日時が更新されます。同時に入庫分の受払予定④が削除され、受払履歴⑧が追加されるとともに、⑥の期中入庫数が更新されます。このように、ユーザが入出庫の予定と実績を個々に入力することで、システムは現在庫や将来の在庫推移を淡々と示してくれます。この枠組みを筆者は「在庫推移監視法」と呼んで効果を上げています。

なお、実際の運用では、ユーザが特定在庫を選んで、その推移を眺められるようにするだけでは十分ではありません。定時のバッチ処理、あるいはオンデマンドで、すべての商品在庫について在庫推移を計算し、欠品や余剰在

＊1　この一連の操作が、いわゆる「トランザクション」のまとまりを形成します（コラム３参照）。更新処理の途上で何らかの理由でエラーが生じたとしたら、トランザクション全体が「ロールバック」されます。この場合であれば、移動元倉庫（SOKO1）から出庫された事実が「なかったこと」にされなければいけません。最後までエラーが生じなければ、トランザクションは「コミット」されて更新内容が正式にDBに記録されます。

庫を一覧できるようにしてください。特定在庫を意図的に選んで眺めるばかりでは、関心外の商品の在庫推移監視が手薄になるからです。

なお、上掲のモデルでは特定のタイプの取引予定、すなわち「倉庫間移動」だけが関わっていましたが、本来であれば在庫推移はさまざまなタイプの取引が関わる形で算出されます。そのような例を図9-11で示します。この例では現在の日付がXX/07/09で、月初から現在までに合計100個が出庫されたので現在庫が200と示されています（月初在庫が300だから）。ゆえに、200を起点として将来の在庫推移が計算されます。この倉庫におけるこの商品については、①〜④の取引が起こる予定なので、このままいくとXX/08/03にマイナス在庫、つまり欠品が起こることがわかります。ユーザはこの欠品見込みにしたがって新たな取引を追加したり、既存取引の予定変更を働きかけるなどして対応することになります。

図9-11　さまざまな取引区分の受払予定にもとづく在庫推移

月次在庫サマリ　{倉庫C, 商品ID, 年月度}, 期首在庫数, 期中入庫数, 期中出庫数, (期末在庫数), …

倉庫C	商品ID	年月度	期首在庫数	期中入庫数	期中出庫数	(期末在庫数)
SOK01	111111	XX/07	200	0	0	200

受払予定　{受払予定No.}, 取引予定日, 取引区分, 倉庫C, 商品ID, 取引予定数, 取引管理No., (年月度), (予定在庫数), …

	受払予定No.	取引予定日	取引区分	倉庫C	商品ID	取引予定数	取引管理No.	(年月度)	(予定在庫数)
①	0048277	XX/07/10	移動出庫	SOK01	111111	−150	1234567	XX/07	50
②	0048334	XX/07/14	仕入入庫	SOK01	111111	200	1398723	XX/07	250
③	0048361	XX/07/25	仕入入庫	SOK01	111111	100	1412236	XX/07	350
④	0048412	XX/08/03	販売出庫	SOK01	111111	−400	1453447	XX/07	−50

コンピュータを用いた在庫管理手法としては、在庫推移監視法よりも「所要量計画（MRP, Materials Requirements Planning）」のほうが有名です。MRPでも在庫推移は計算されますが、それだけでなく在庫推移の異状への対応を機械的に「勧告」させることまで目指します。しかしどんなに緻密に条件設定しても、勧告の実行可能性は保証されません。たとえば、MRPが④の欠品見込みを検出して「受払予定③の入荷予定数を100から150に増やしてください」などと勧告したとしても、仕入先がそれを受け入れられるとは限りません。しかもMRPは、その勧告が受け入れられたことを前提としてその後の在庫推移を計算します。

いっぽう在庫推移監視法では、コンピュータは在庫推移を計算するまでを担い、示された異状（欠品や過剰）にどのように対処するかは人間にまかされます。複雑な制約のある社会的現実に関与して在庫推移を微調整できるのは、基本的に人間だけだからです。また、MRPには在庫が増えがちな傾向があることが知られており、在庫推移監視法では余剰（一定期間内の余剰の規定積分値と比較させます）も在庫推移の異状として積極的に示されるため、管理者によって対処されやすいという利点もあります。コンピュータが得意とするところと人間が得意とすることをうまくミックスした、効果的な情報管理の事例といえるでしょう。

入庫単価と出庫単価

在庫評価や利益の計算に直結する重要な問題として、受払における金額の決まり方について見ておきましょう。ある品目を購入して販売するとして、その購入単価は時期や購入量によって変動するとします。

図9-12　出庫取引における取引単価（出庫単価）

月次在庫サマリ　{倉庫C, 商品ID, 年月度}, 月初在庫数, 入庫数, 出庫数, 最終在庫数,

	倉庫C	商品ID	年月度	月初在庫数	入庫数	出庫数	最終在庫数
①	SOKO1	111111	XX/07	0	150	60	90

月初在庫額	入庫額	出庫額	最終在庫額	…
0	14,000	…	…	

受払履歴　{受払履歴No}, 取引日時, 取引区分, 倉庫C, 商品ID, 取引数, 取引単価, (取引額), (年月度), …

	受払履歴No	取引日時	取引区分	倉庫C, 商品ID	取引数	取引単価	(取引額)	(年月度)
②	0048277	XX/07/10…	仕入入庫	SOKO1111111	50	100	50,000	XX/07
③	0048491	XX/07/12…	販売出庫	SOKO1111111	30	(x)	…	XX/07
④	0048537	XX/07/13…	仕入入庫	SOKO1111111	80	90	72,000	XX/07
⑤	0049025	XX/07/19…	販売出庫	SOKO1111111	30	(y)	…	XX/07

このモデル上の③と⑤は販売出庫にともなう受払を表していて、その取引単価は「出庫単価」です。これらのレコードは、後述する売上履歴と同時に

追加されるものですが、売上履歴には出庫単価にもとづく出庫額が「売上原価」として記録されます。そこには「売上額」も記録されるので、売上履歴毎に「粗利（売上額ー売上原価）」も決まることになります。粗利は物販業における基本的な指標なので、これを知るために出庫単価がどうしても必要です。

ではモデル上に示した出庫単価（x）、（y）はどのように決まるのでしょう。この例では月初在庫がゼロなので、③の（x）には直前の仕入入庫の単価（100円）が適用されるのは自然に思えます。では⑤の（y）はどうでしょう。その時点での在庫には異なる仕入単価の商品が混在している状況なので、計算は単純ではなさそうです。

じつは出庫単価の値は「在庫評価法」によって異なります。たとえば、「最終仕入原価法」では“最終の仕入単価”を在庫単価とします。「総平均法」では［月間の仕入額と月初在庫額の和］を［月間の仕入数と月初在庫数の和］で除して得られる単価を、その月における在庫単価とみなします（ゆえに月末まで在庫額が決まりません）。他にロット管理（仕入れたまとまり毎に仕入単価や在庫数を管理するやり方）を前提とする「個別法」や、先に仕入されたものが先に出庫されるとみなされる「先入先出法」等があります。とりあえず、在庫評価基準にはいろいろあると理解しておいてください。

ロット管理を前提としないのであれば、コンピュータでの在庫管理においてもっとも直感的かつ仕様化しやすいのは「移動平均法」です。これを前提にした在庫の動きを見てください。

表9-1　移動平均法での在庫金額の推移

取引区分	取引数	在庫数	取引単価	取引額	在庫額
②仕入入庫	+50個	50個	100円/個	+5,000円	5,000円
③販売出庫	−30個	20個	100円/個	−3,000円	2,000円
④仕入入庫	+80個	100個	90円/個	+7,200円	9,200円
⑤販売出庫	−30個	70個	92円/個	−2,760円	6,440円

④の入庫において、単価100円で仕入れた20個の在庫と、単価90円で仕入れた80個の商品とが、在庫として「融合」されます。ちょうど、色の濃さが都度変化する液体を継ぎ足して攪拌するたびに、タンクの液体の色の濃さが

変化するイメージです。液体をくみ出す（つまり出庫）際に選択される色の濃さは「その時点での色の濃さ」で、その値は液体を継ぎ足すたびに変化します（図9-13)。液体の量が在庫数、色の濃さが在庫単価に相当します。

図9-13　濃さの異なる液体を継ぎ足しつつ汲み出す「移動平均法」

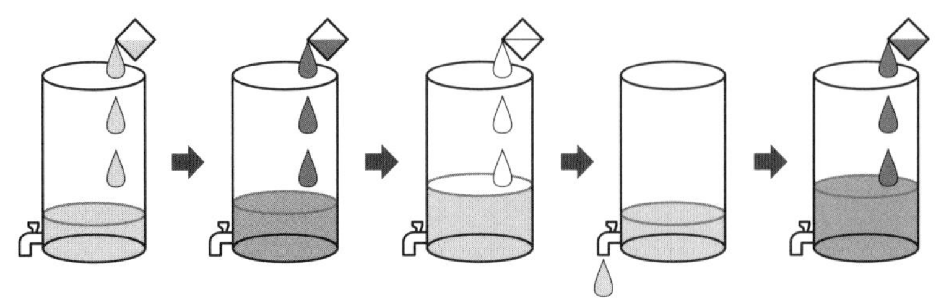

出庫単価と比べると、「入庫単価」は比較的わかりやすいとはいえます。仕入単価をそのまま適用できるからです。しかし、入庫を引き起こす取引は仕入だけではありません。製造が完了して入庫する際には、製造のために出庫された構成品の合計額に、製造コストを付加した金額として在庫計上される必要があります。そうでないと製品販売における粗利が正確にわからないからです。また、出荷先から返品されたときにその入庫単価をどう評価するかも微妙な問題です。在庫管理というと「在庫数の正しさ」だけが求められると思われがちですが、正確な在庫額（管理方針に沿った正しい在庫額）を示すこともまた重要な役割です。

買掛残高と支払

在庫残高に比べると、買掛残高や売掛残高*2のモデルはシンプルです。金額しか問題にならないし、ふつうは受払予定のような未来に関する情報も求められないからです。ただし、残高を一挙に減らす「支払」や「回収」といった独特な取引が関わる点が在庫残高と異なります。まずは買掛残高から見ましょう（図9-14)。

＊2　売掛残高、買掛残高はそれぞれ売掛金、買掛金の勘定残高を表しますが、債権残高、債務残高という言い方もあって、それぞれ「売掛金＋未収金」、「買掛金＋未払金」までを含めた残高を意味します。といっても厳密な定義があるわけではなく、売掛と買掛を合わせて「債権債務」と呼ぶこともあります。

図9-14 買掛残高と支払のモデル

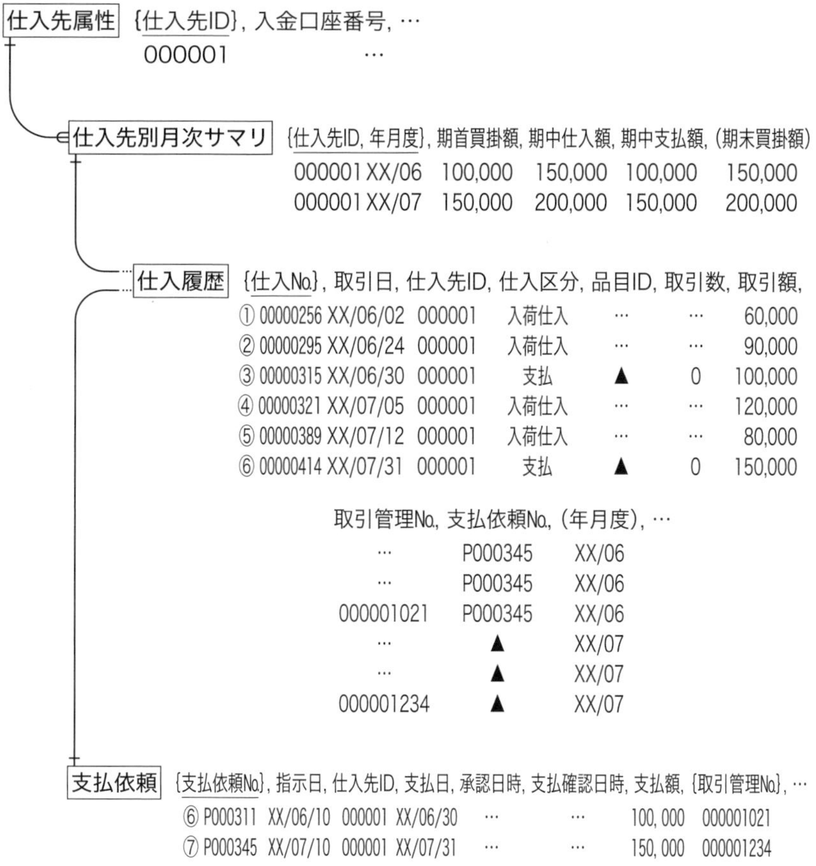

仕入先属性 {仕入先ID}, 入金口座番号, …
000001 …

仕入先別月次サマリ {仕入先ID, 年月度}, 期首買掛額, 期中仕入額, 期中支払額, (期末買掛額)

仕入先ID	年月度	期首買掛額	期中仕入額	期中支払額	(期末買掛額)
000001	XX/06	100,000	150,000	100,000	150,000
000001	XX/07	150,000	200,000	150,000	200,000

仕入履歴 {仕入No.}, 取引日, 仕入先ID, 仕入区分, 品目ID, 取引数, 取引額, 取引管理No., 支払依頼No., (年月度), …

	仕入No.	取引日	仕入先ID	仕入区分	品目ID	取引数	取引額	取引管理No.	支払依頼No.	(年月度)
①	00000256	XX/06/02	000001	入荷仕入	…	…	60,000	…	P000345	XX/06
②	00000295	XX/06/24	000001	入荷仕入	…	…	90,000	…	P000345	XX/06
③	00000315	XX/06/30	000001	支払	▲	0	100,000	000001021	P000345	XX/06
④	00000321	XX/07/05	000001	入荷仕入	…	…	120,000	…	▲	XX/07
⑤	00000389	XX/07/12	000001	入荷仕入	…	…	80,000	…	▲	XX/07
⑥	00000414	XX/07/31	000001	支払	▲	0	150,000	000001234	▲	XX/07

支払依頼 {支払依頼No.}, 指示日, 仕入先ID, 支払日, 承認日時, 支払確認日時, 支払額, {取引管理No.}, …

	支払依頼No.	指示日	仕入先ID	支払日	承認日時	支払確認日時	支払額	取引管理No.
⑥	P000311	XX/06/10	000001	XX/06/30	…	…	100, 000	000001021
⑦	P000345	XX/07/10	000001	XX/07/31	…	…	150, 000	000001234

買掛残高は仕入先に対する債務なので、いつかは決済されねばなりません。支払のタイミングや支払手段（現金振込か手形か等）は仕入先との交渉で決まりますが、ふつうは買い手の社内規定で決まります（独占企業の場合など、売り手の意向で決まることもあります）。支払条件が登録されるテーブルが仕入先属性で、仕入額、支払額、買掛残高が保持されるテーブルが仕入先別月次サマリです。また、在庫の受払履歴に相当するテーブルが仕入履歴です。受払履歴の受払区分に相当するフィールドが仕入履歴上の仕入区分で、典型的な値は以下のとおりです。

購入仕入	発注にともなう仕入計上
外作仕入	加工業者への依頼にともなう仕入計上
購入返品	購入品の返品にともなう仕入控除
相殺	販売先でもある仕入先との相殺取引
支払	支払にともなう仕入控除
雑仕入	その他の仕入計上または仕入控除

図9-14上の具体値は、「N月の仕入合計額をN+1月の末日に支払う」という支払条件を前提として添えられています。すなわち、5月末時点の買掛額（100,000円）に対する支払依頼⑥がすでになされており、つづいて6月末における150,000円の買掛残高を7月末日に支払うための支払依頼⑦があらたに置かれた状況です。

ここで、「7月末日での支払対象となる仕入履歴があれば、それらに対する支払依頼を作成せよ」といった簡単な指示を与えるだけで、システムは①②③の仕入履歴を抽出し、それらに対する⑦を自動生成してくれます。支払依頼№の値“P000345”によって、⑦に対して①②③が関連付けられている点にも注意してください。つまり仕入履歴は、支払依頼にとっての「支払依頼明細」を兼ねています。支払依頼⑦にとって、①②は「今回（7月末日）支払額の内訳」であり、③が「前回（6月末日）支払実績額」を構成します。

支払依頼を追加するだけでなく、それに対する「承認」も必要です。つまり、7月に入ってから仕入先から請求書が送られてくるはずなので、そこに記載されている情報（⑦の内訳である①②③）に齟齬がないかどうかを確認・承認します。承認されれば実際の支払がなされ、支払依頼上の「支払確認日時」が更新されます。このときに、支払日にもとづいて⑥が追加され、同時に買掛残高の150,000円分が減額されます。

なお、“入荷仕入”の仕入履歴（①②④⑤）は、図9-15にある入荷明細の更新に伴って生成されたものです。図9-14では仕入区分が“入荷仕入”と“支払”であるようなインスタンスしか示されていませんが、仕入先に対する加工指示が関係するとすれば、仕入区分が“加工仕入”であるような仕入履歴が現れるでしょう。他にも、買掛額と仕入先側の売掛額とのずれ（現実に起こり得ます）を一致させるための「買掛残高だけを変化させるための取引（一般仕入取引）」も必要です。それらのテーブルは「取引管理No.」の二次キーで仕入履歴と関連づけられます。

このように、いわゆる「仕入」以外の取引も記録されるので、このテーブルを仕入履歴と呼ぶのは多少語弊があります。厳密に言えば「買掛増減履歴」くらいでしょうが、そうなると受払履歴は「在庫増減履歴」で、後述する売上履歴は「売掛増減履歴」と呼ぶことになって、表現として多少くどすぎる感じがします。

図9-15　仕入履歴と関連テーブル

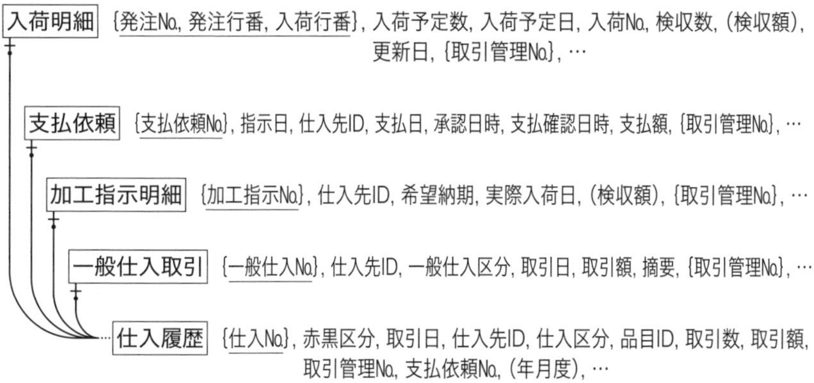

入荷明細　{発注No., 発注行番, 入荷行番}, 入荷予定数, 入荷予定日, 入荷No., 検収数, (検収額), 更新日, {取引管理No.}, …

支払依頼　{支払依頼No.}, 指示日, 仕入先ID, 支払日, 承認日時, 支払確認日時, 支払額, {取引管理No.}, …

加工指示明細　{加工指示No.}, 仕入先ID, 希望納期, 実際入荷日, (検収額), {取引管理No.}, …

一般仕入取引　{一般仕入No.}, 仕入先ID, 一般仕入区分, 取引日, 取引額, 摘要, {取引管理No.}, …

仕入履歴　{仕入No.}, 赤黒区分, 取引日, 仕入先ID, 仕入区分, 品目ID, 取引数, 取引額, 取引管理No., 支払依頼No., (年月度), …

売掛残高と請求・回収

つづいて売掛残高について見ましょう。売掛残高を捕捉することの目的は「確実に請求し、回収すること」です。まず、得意先に「請求」しなければ代金を払ってもらえないと考えてください（商法では２年間にわたって請求されなかった債務は時効になります）。また、請求したとしても請求額どおりに支払われるとは限らないため、回収残額を請求書に常に示すといった配慮も必要です。これらの要件を満たすモデルが図９-16で、売上区分が取る典型的な値は以下のとおりです。

販売売上	販売にともなう売上計上
材料支給売上	材料の有償支給にともなう売上計上
販売返品	販売品の返品にともなう売掛残高の控除
雑売上	その他の売上計上または売掛残高の控除
相殺	仕入先でもある販売先との相殺取引
値引	値引による売掛の販売費への振替
回収	入金にともなう売掛残高の控除

図9-16　売掛残高と請求・回収のモデル

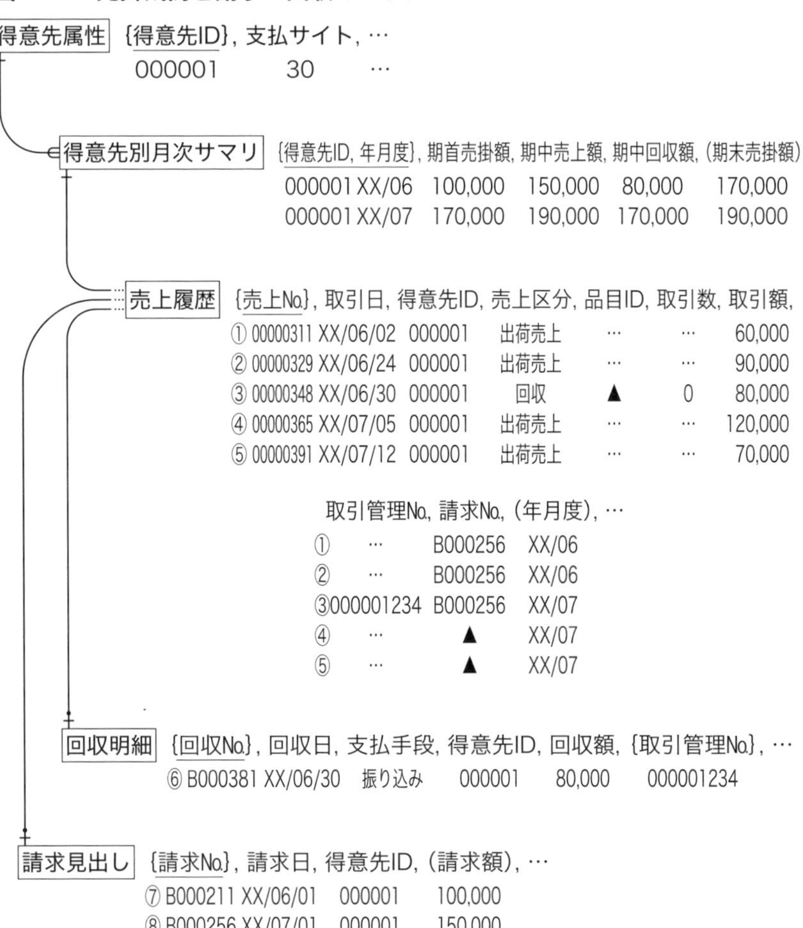

請求をめぐる状況は案外に複雑です。ここでは5月末時点の売掛にもとづく請求⑦がすでに発行されていて、それに対する回収額（⑥の80,000円）が請求額（⑦の100,000円）よりも不足していたとします。6月中の売上が150,000円だとすると、この時点で発行される請求書は次図のようになります。出荷売上の明細だけでなく、前回請求額や前回請求後の入金額が示されなければ、今回請求額の根拠は揃いません。なお、請求見出しレコードが登録される際に売掛履歴の更新（請求№の更新）は起こりますが、売掛額そのものは変化しないことに注意してください。売掛額が控除されるのは、ユーザが入金を確認して、その内容にもとづいて回収明細テーブルにレコードを追加したときです。

図9-17　請求データ⑧を基礎として出力された請求書

請求書

請求№ B000256　　XX/07/01

XXXXXXXXX株式会社 様

大日本帝国産業株式大会社
新宿区歌舞伎町1－2－3
99-9999-9999

前回（XX/06/01）請求額	100,000円	(x)
前回請求後のご入金額	80,000円	(y)
前回請求後のお買上額	150,000円	(z)
今回請求額	170,000円	(x-y＋z)

№	取引日	取引区分	商品	数量	単価	取引額
1	XX/06/02	お買上	商品A	120	500	60,000
2	XX/06/24	お買上	商品B	300	300	90,000
3	XX/06/30	ご入金				80,000

売掛残高を変化させる他の取引テーブルも見ておきましょう（次図）。上述した「回収明細」の他にもさまざまな取引があり得ますが、ここでは「出荷明細」と「一般売上取引」を挙げておきます。出荷明細は図9－5（215ペ

ージ）と同じもので、出庫額の他に販売額も保持しています。売上履歴上の売上原価は、対応する出荷明細上の出庫額から設定されます。取引額（販売額）から売上原価（出庫額）を差し引いた値が「粗利」で、出荷明細が対応しない売上履歴では売上原価が無意味であるゆえに粗利も意味を持ちません。なお、この図に請求見出しが含まれていない点に注意してください。上述したように請求見出しは売掛額を変化させる取引ではないからです。

図9-18　売上履歴と関連テーブル

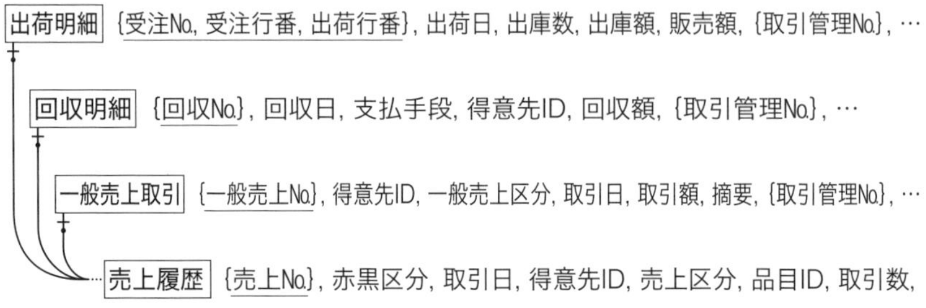

残高更新ロジックの組み込み

さて、在庫、買掛、売掛の３種類の残高データやそれに影響を与える取引データのあり方を見てきましたが、ここで取引にともなう残高更新のしくみについて考えてみましょう。業務システムが扱うデータは複雑な構成をとるだけでなく、データの更新過程もしばしば複雑で、アプリのあり方についても工夫が求められるからです。

例として、在庫残高と売掛残高に関連する出荷明細のモデル（次図）で考えてみましょう。出荷明細レコードが出荷済として更新されると、“販売出庫”の受払区分を持つ受払履歴、および“販売売上”の取引区分を持つ売上履歴が追加され、さらに在庫残高と売掛残高が更新されることになります。

図9-19　在庫残高と売掛残高に関連する出荷明細のモデル

得意先別月次サマリ　{得意先ID, 年月度}, 月初売掛額, 売上額, 回収額, (最終売掛額), …

売上履歴　{売上No.}, 取引日, 得意先ID, 取引区分, 品目ID, 取引数, 取引額, 取引管理No., 請求No., (年月度), ...

出荷明細　{受注No., 受注行番, 出荷行番}, 出荷日, 出荷数, 出庫額, 倉庫C, 出荷No., …

受払履歴　{受払履歴No.}, 取引日, 倉庫C, 商品ID, 受払区分, 取引数, 取引額, 取引管理No., (年月度), ...

月次在庫サマリ　{倉庫C, 商品ID, 年月度}, 月初在庫数, 入庫数, 出庫数, (最終在庫数), …

まず、図9-20のしくみはどうでしょう。エンドユーザーが出荷完了報告をするためのアプリがあり、その内部に①出荷明細レコードの更新、②売上履歴レコードの追加、③売掛残高レコードの更新、④受払履歴レコードの追加、⑤在庫残高レコードの更新、の5つのロジック（ビジネスロジック）が組み込まれています。

図9-20　出荷完了報告用アプリにビジネスロジックを組み込む

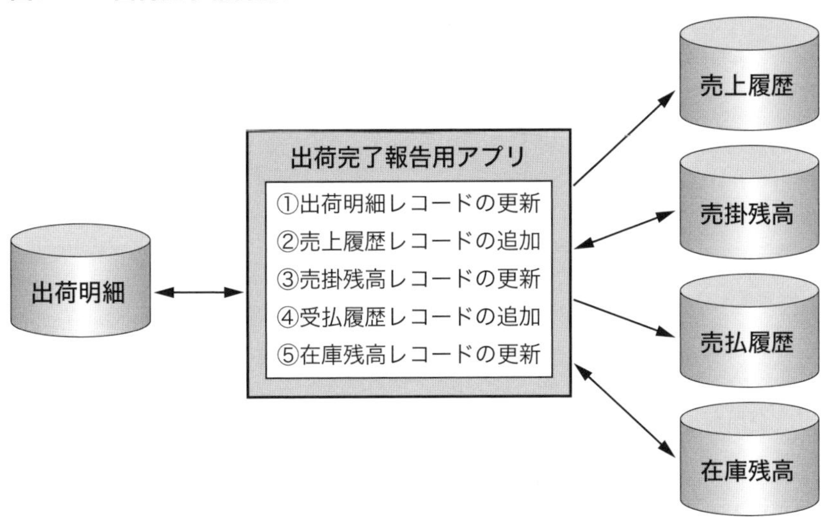

単体アプリとして見る限り問題がなさそうですが、出荷完了報告用アプリは１個だけとは限りません。PC上で動作するアプリの他に、スマホやタブレット上で動作する専用アプリが存在するかもしれません。どんな端末の上で動作しようが、DBへの操作はビジネスロジックとして同じであるにもかかわらず、それらが重複的に記述される点が気になります。ロジックが一致しないバグが原理的に避けられないからです。

そこで提案されるのが、上述のロジックの②～⑤をを出荷明細テーブルの内部に組み込む方式です。出荷完了報告用アプリがさまざまなデバイス上のネイティブアプリとして用意されたとしても、それらが出荷明細に対して①のロジックを実行するだけで、出荷明細自身が残りのステップ（②～⑤）をDBの内部で自動的に実行してくれます。

図9-21　出荷明細テーブルにビジネスロジックを組み込む

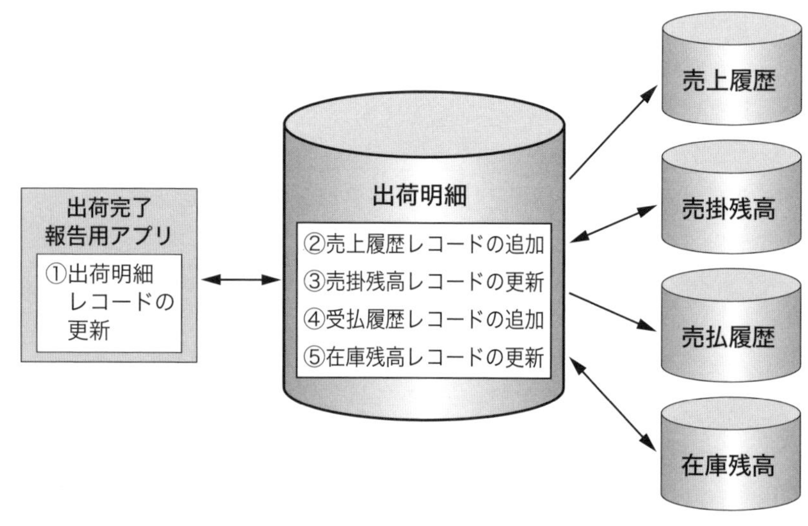

この方式の利点はまさに「出荷明細の更新にともなう残高更新に関する仕様」が出荷明細自身に格納される点です。その仕様は「出荷明細テーブルに関数従属する定義要素」といえるので、これを出荷明細のテーブル定義上に一元化するアーキテクチャには合理性があります。記述の置場として理想的であるうえに、その実行を置場自身が面倒見てくれるからです。この考え方

は、ビジネスロジックのテーブルへの「カプセル化」といい、業務システムの仕様配置を合理化するための基本です。

ちなみにこの方式には2つの流儀があります。RDBMSが提供するストアドプロシージャを用いるやり方と、実装基盤の同様のしくみを用いるやり方です。ストアドプロシージャとはテーブル毎に組み込めるスクリプトのことで、テーブル操作の前後のどんなタイミングで実行されるべきかを細かく指定できます。ただし、スクリプトの体系はRDBMS毎に異なっているため、使い過ぎるとRDBMSへの囲い込みが起こりやすくなります。

実装基盤を用いる場合、RDBMSの固有機能の利用は抑制されますが、今度は実装基盤への囲い込みが起こります。ただし、実装基盤が「書いた仕様書がそのまま動作する」ことを旨とするものであれば、囲い込みの問題は緩和されます。必要ならば「(そのまま動作する) 仕様書」にもとづいて他の実装手段で作り替えることが比較的容易であるからです。

残高更新の話に戻りましょう。代表的な取引について、3つの残高をどのように扱うかをまとめると表9-2のようになります。例えば「販売品の出荷」は上述の出荷明細テーブルを起点とする取引ですが、販売出庫の受払履歴を書き出して在庫残高を更新するとともに、販売売上の売上履歴を書き出して売掛残高を更新します。それぞれの取引の「起点となるテーブル」に、必要なビジネスロジックが組み込まれることになります。

表9-2　各種取引と残高更新履歴の関係

取引	起点となるテーブル	受払履歴の受払区分	売上履歴の売上区分	仕入履歴の仕入区分
販売品の出荷	出荷明細	販売出庫	販売売上	—
購入品の入荷	入荷明細	発注入庫	—	購入仕入
倉庫間移動	倉庫間移動指示	移動出庫 移動入庫	—	—
顧客からの入金	回収明細	—	回収	—
仕入先への出金	支払指示	—	—	支払
販売品の直送	直送明細	発注入庫 販売出庫	販売売上	購入仕入

これらの中で特に興味深い取引が“直送”です。直送の場合、発注した商品が仕入先から顧客に直接送られ、自社倉庫を経由しません。しかし、仕入単価は商品の出庫単価に影響を与える要素なので、倉庫（直送専用の仮想倉庫を定義することがあります）への入庫と（これと同時点の）出庫をともなう形で受払が記録されます。結果的に、買掛、売掛、在庫の３種類の残高すべてが更新されることになります。

商社の在庫と品目

３種類の残高（在庫残高、買掛残高、売掛残高）に関する学びの仕上げとして、「商社（総合商社）」のデータモデルを眺めましょう。通常は１事業で１セットの残高が扱われますが、商社では１事業内で複数セットの残高が管理されます。つまり商社では、複数の取引先との間で仕入や販売についての長期契約を結び、それらのまとまり（スキーム）の内部で扱い商品を定義し、またその内部での残高や収益を考えます。まさに、スキーム毎に独立した商売が運用されているようなイメージです（図９-22)。

図9-22　商社事業ではスキーム毎に在庫・売掛・買掛・商品を扱う

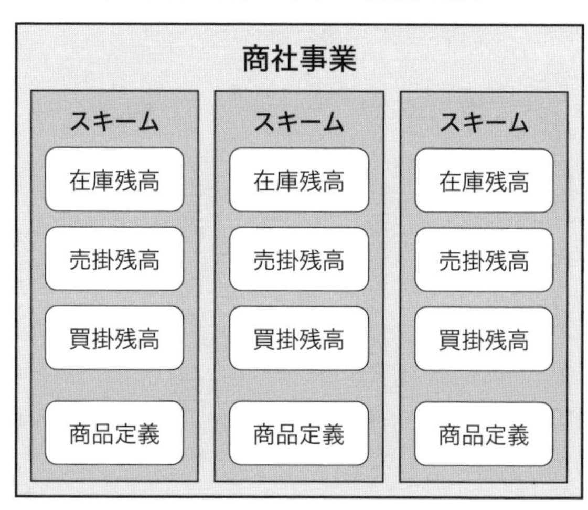

したがって、長期的に安定して稼げるスキームを生み出すことが、商社の重要な営業課題となります。そのためのシステムは、スキーム単位で商品や残高に関する情報を効果的に保持できなければいけません。まずは品目と在庫残高を含む基本的なモデルを見ていきましょう（図9-23）。

図9-23　スキームと在庫残高のモデル

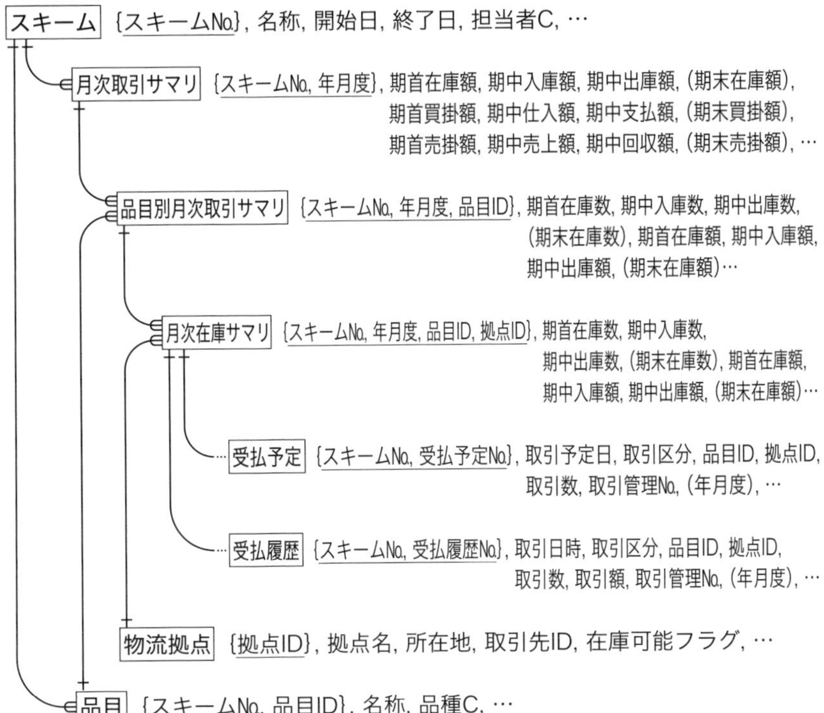

品目や在庫残高（月次在庫サマリ）がスキーム別に保持されている点が特徴的です。在庫残高は｛スキームNo., 年月度,品目ID, 拠点ID｝を主キーとするもので、スキームにおいて扱われる全品目についての倉庫拠点での保管状況を集計したものです。これには「受払履歴」とともに「受払予定」が付属しているので、過去の取引実績がわかるだけでなく、さまざまな取引予定にもとづく将来の在庫推移がわかるようになっています。「月次在庫サマリ」を拠点横断で集計したものが「品目別月次取引サマリ」で、さらにこれを品

目横断で集計したものが「月次取引サマリ」です。

「月次在庫サマリ」の主キーに含まれる「拠点」とは何でしょう。モノが動くすべての「元」と「先」が「物流拠点」として定義されており、在庫可能な拠点は「倉庫拠点」とみなされます。このモデルで拠点は取引先にリンクされていますが、取引先IDがブランクであることを許しています。それが指定されていなければ自社の物流拠点（倉庫や物流センター)、指定されていれば取引先の物流拠点ということになります。

なお、商社ではさまざまな仕様特性を持つ商品が扱われるため、フィーチャ・オプションの考え方が欠かせません。スキームにおいて扱われる商品は、指定された品種毎のFO体系にもとづくオプション構成が与えられたものとして事前に定義されます（図9-24)。また、ある種の製造（加工）を伴うため、商品は製品と部品を含む「品目」として、部品構成とセットで定義されます。

図9-24　FOと部品表を伴う商社扱い品のモデル

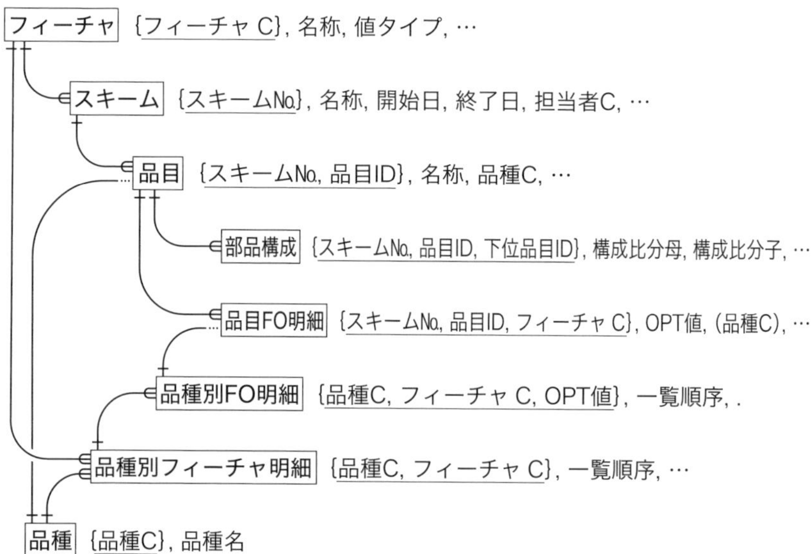

商社の買掛・売掛管理

続いて、買掛残高のモデルを見ましょう（図9-25）。「仕入契約」は発注に相当しますが、123ページで説明した「仕入先属性」上の情報も含みます。したがって「仕入契約別月次取引サマリ」が、スキームにとっての買掛残高に相当します。「仕入契約別月次商品取引サマリ」は、過去の取引実績だけでなく、商品別の契約単価にもとづく未来の購入予定額を保持しています。それらを「月次取引サマリ」に集計した値が、スキームにとっての予実（予算と実績）です。なおモデルでは省略されていますが、商社は日常的に海外の取引先を相手にするので、複数通貨で取引されます。為替リスクを抑えるための為替予約や通貨別の集計管理が必要になるため、実際のモデルはもっと複雑です。

図9-25　スキームと買掛残高のモデル

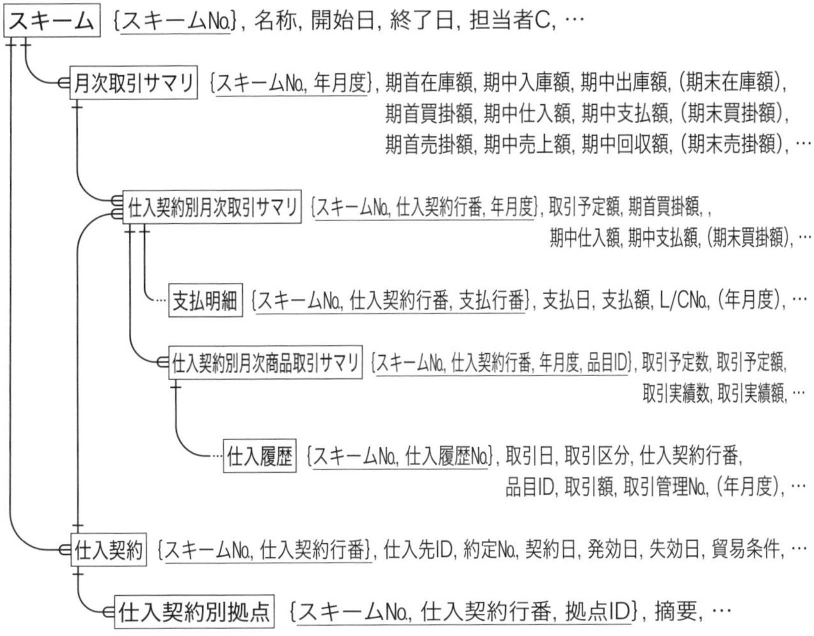

スキーム {スキームNo.}, 名称, 開始日, 終了日, 担当者C, …

月次取引サマリ {スキームNo., 年月度}, 期首在庫額, 期中入庫額, 期中出庫額, (期末在庫額),
期首買掛額, 期中仕入額, 期中支払額, (期末買掛額),
期首売掛額, 期中売上額, 期中回収額, (期末売掛額), …

仕入契約別月次取引サマリ {スキームNo., 仕入契約行番, 年月度}, 取引予定額, 期首買掛額, ,
期中仕入額, 期中支払額, (期末買掛額), …

支払明細 {スキームNo., 仕入契約行番, 支払行番}, 支払日, 支払額, L/CNo., (年月度), …

仕入契約別月次商品取引サマリ {スキームNo., 仕入契約行番, 年月度, 品目ID}, 取引予定数, 取引予定額,
取引実績数, 取引実績額, …

仕入履歴 {スキームNo., 仕入履歴No.}, 取引日, 取引区分, 仕入契約行番,
品目ID, 取引額, 取引管理No., (年月度), …

仕入契約 {スキームNo., 仕入契約行番}, 仕入先ID, 約定No., 契約日, 発効日, 失効日, 貿易条件, …

仕入契約別拠点 {スキームNo., 仕入契約行番, 拠点ID}, 摘要, …

つぎは売掛残高です（図9-26）。図9-16と比べるとわかるのですが、このモデルには「請求見出し」が含まれていません。それは「販売契約」が受注と請求を兼ねたものであるためです。長期間での取引量や支払方法を取り決めしているゆえに、月次取引サマリやその内訳である「売上履歴」を販売先に示すだけで代金回収できます。

図9-26　スキームと売掛残高のモデル

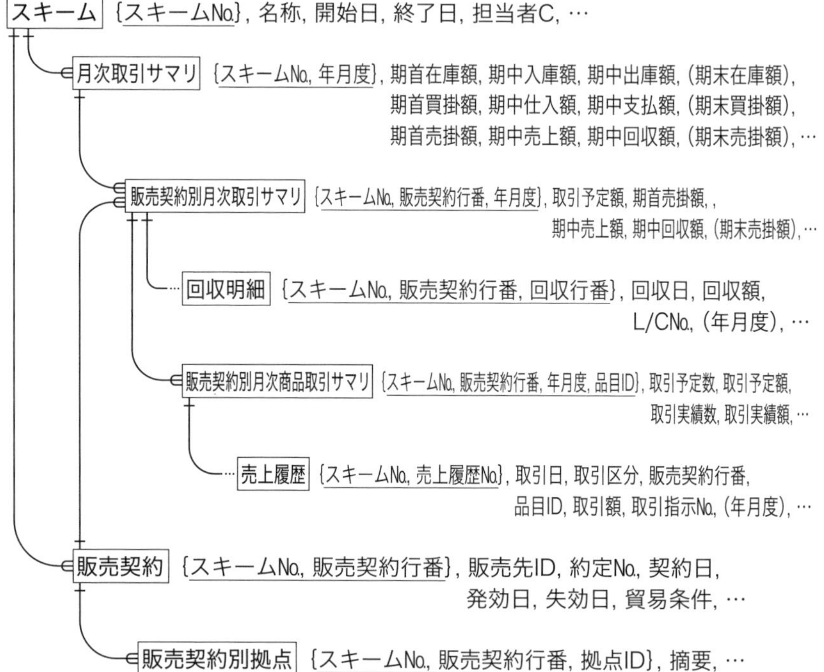

このようなデータ体制にはどのような意義があるのでしょう。まず、複数の取引先と長期契約することで事務コストが減るだけでなく、1回の取引量が増えてスケールメリットが生まれます。

また、商社の安定した財務状況を背景として、仕入先にとっての債権回収を早めたり販売先にとっての債務決済を遅らせるといった、相手にとって魅力的な契約も提示可能です。そういった「財務上のバッファー」だけでなく、

図 9 -23で見たように最新の入出庫予定から在庫推移を監視し適正化することで、販売先に対する「在庫上のバッファー」の役割も果たします。流通上、商流上の潤滑油のようなもので、財務力とともに「情報管理力」を生かした優れたビジネスといえるでしょう。

商社の入出荷管理

では、これらの残高データを基礎として、どのような取引がなされるかを見ましょう。大きく「入出荷」、「加工」、「棚卸」、「支払・回収」の 4 つに分類できます。「棚卸」と「支払・回収」については基本的にこれまでの説明に準ずるので、ここでは「入出荷」と「加工」を説明します。まずは「入出荷」のモデルを見てください（図 9 -27）。

図9-27　スキームと入出荷取引のモデル

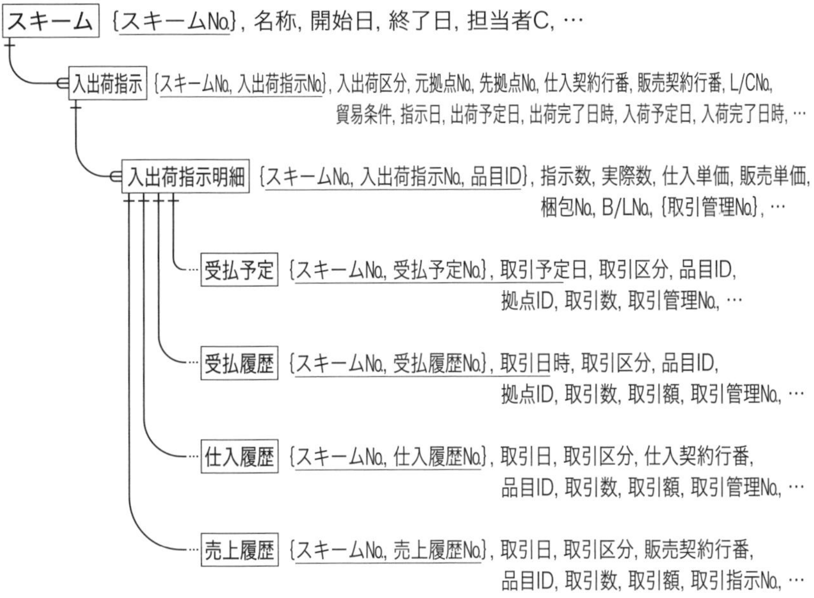

スキーム {スキームNo.}, 名称, 開始日, 終了日, 担当者C, …

入出荷指示 {スキームNo., 入出荷指示No.}, 入出荷区分, 元拠点No., 先拠点No., 仕入契約行番, 販売契約行番, L/CNo., 貿易条件, 指示日, 出荷予定日, 出荷完了日時, 入荷予定日, 入荷完了日時, …

入出荷指示明細 {スキームNo., 入出荷指示No., 品目ID}, 指示数, 実際数, 仕入単価, 販売単価, 梱包No., B/LNo., {取引管理No.}, …

受払予定 {スキームNo., 受払予定No.}, 取引予定日, 取引区分, 品目ID, 拠点ID, 取引数, 取引管理No., …

受払履歴 {スキームNo., 受払履歴No.}, 取引日時, 取引区分, 品目ID, 拠点ID, 取引数, 取引額, 取引管理No., …

仕入履歴 {スキームNo., 仕入履歴No.}, 取引日, 取引区分, 仕入契約行番, 品目ID, 取引数, 取引額, 取引管理No., …

売上履歴 {スキームNo., 売上履歴No.}, 取引日, 取引区分, 販売契約行番, 品目ID, 取引数, 取引額, 取引指示No., …

入出荷指示は文字通り「入荷」と「出荷」を合わせたテーブルです。指定された入出荷区分にしたがって、取引に関わる販売契約と仕入契約、および取引元／先の拠点が以下の組み合わせで設定されます。

表9-3　入出荷区分の値と各項目の設定

入出荷区分	仕入契約	販売契約	元拠点	先拠点
仕入入荷	指定有	指定無	仕入先拠点	倉庫拠点
販売出荷	指定無	指定有	倉庫拠点	販売先拠点
直送	指定有	指定有	仕入先拠点	販売先拠点
倉庫間移動	指定無	指定無	倉庫拠点	倉庫拠点

元／先の拠点が「倉庫」であれば受払予定が付属します。つまり、入出荷指示上の予定日や予定数が変更されたなら、受払予定と在庫推移が連動します。商社の入出荷は海外取引を含むために一般にリードタイムが長いので、入出荷の予定が変化したならば直ちにシステムに反映させて最新の在庫推移を眺められるようでなければいけません。これを怠ると在庫の欠品や余剰が生じてしまいます。

場合によっては、異なるスキーム間で商品在庫を融通することがあります。在庫推移を周到に監視していたとしても、予測できない余剰在庫や需要の急伸が避けられないためです。ただし同一商品であってもスキームが違っていたら、品目のFO定義が一致していない可能性があります。その場合には、受け入れ側の品目定義に合わせるための品番振替（加工指示）が事前になされなければなりません。そのうえで、簿記でいうところの対照勘定[*3]に相当する取引先を経由させ、入出荷指示や入出金指示（後述）を双方のスキームで登録します。結果的に売買同額の「社内売買」が成立し、受入側スキームへの在庫移管が完了します。

「入出荷指示」に含まれる「貿易条件」、「L/C№」、および「入出荷指示明細」に含まれる「B/L№」については、貿易取引において重要な項目なので補足しておきます。

まず、海外の取引先と物品をやりとりする際、どの時点で所有権が売り手から買い手に移転されるかが明確でないと、事故が起こったときに面倒なこ

＊3　決算時に残高が必ずゼロになる独特な勘定科目で、異なる勘定から同額を加減するために用いられます。ここでは、売掛や買掛が常にゼロになる仮想的な取引先を指しています。

とになります。そこで、売り手と買い手の間で「貿易条件（Trade Terms）」と呼ばれる取り決めをします。たとえばFOB（Free On Board）と呼ばれる条件では、通関を済ませ商品を船に載せた時点で、売り手の所有権は買い手に移ります（つまりFOBでは、船賃や到着港から買い手までの運送費や海上保険を含めた各種費用は買い手持ちです）。他にCIFやC&Fといった条件があって、INCOTERMSと呼ばれる国際的な規約としてまとめられています。

L/C（Letter of Credit、信用状）は、外国の見ず知らずの買い手から確実に代金を回収するための代表的な仕掛けです（図9-28）。まず売り手からの購入を決めた買い手は地元の銀行で、今回の取引に関するL/Cの開設を依頼します(①)。開設されたL/Cの内容は銀行経由(②)で売り手に通知されます(③)。売り手がL/Cに記載されている条件にしたがって商品を船積みすると、船会社はB/L（Bill of Lading、船荷証券）を発行して売り手に渡します(④)。売り手はB/Lを含めた船積書類（L/Cで規定されている）を銀行に持ち込み、銀行がそれを買い取ります(⑤)。銀行は買い取った船積書類を買い手側の銀行に送り(⑥)、今度は買い手がそれを買い取ります(⑦)。最終的に貨物が入港して(⑧)、買い手が船積書類と引き換えに船会社から商品を受け取れば(⑨)、一連の取引は完了です（その後でなされるはずの銀行間決済は省略してあります）。

図9-28　L/C（信用状）とB/L（船荷証券）の働き

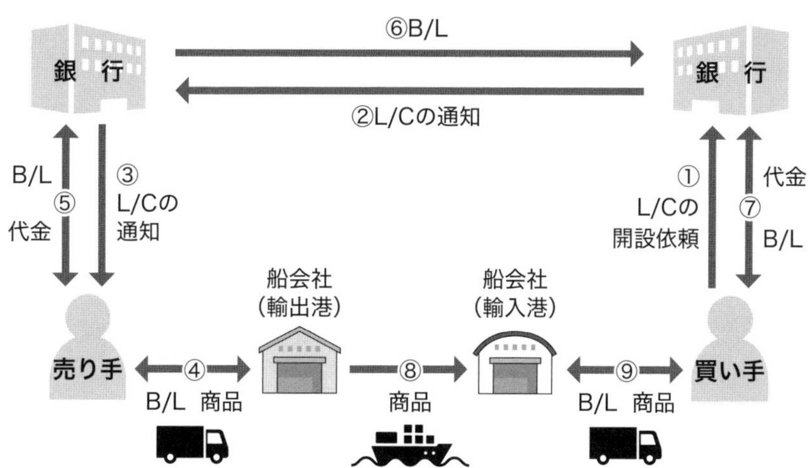

さて、仕入れた商品をそのまま売るだけでは、いくら商社でも利ざやは限られています。しかし加工（製造）を伴うとなれば話は違ってきます。素材系の商品を大量に仕入れ、顧客が求める仕様に適宜加工して届ける態勢を敷けば、大きな利ざやを確保できるからです。商社の利益をレバレッジする加工のモデルを眺めましょう（図９-29）。

図9-29　スキームと加工指示のモデル

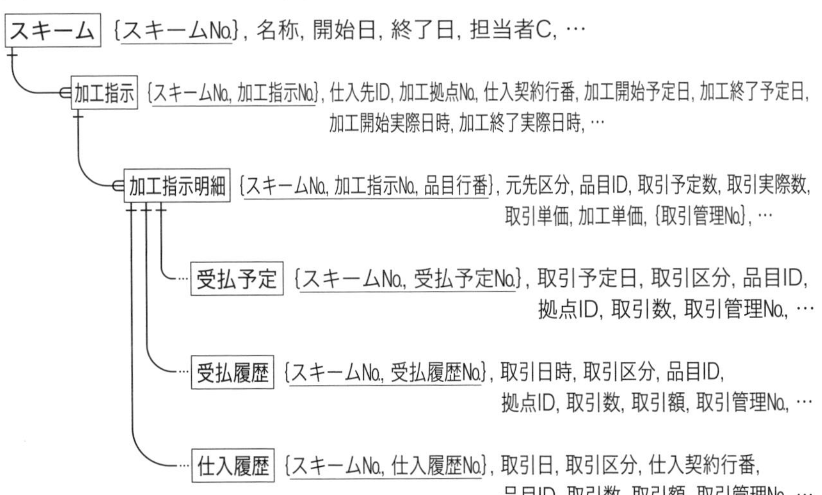

ある品目の在庫を別品目の在庫に振り替える操作を一般に「品番振替」といいますが、加工や製造は本質的には品番振替です。狭義の品番振替では、振替元と振替先の品目は１対１で、操作後の在庫額に変化はありません。いっぽう、加工や製造においては振替元品目（材料）と振替先品目（完成品）はＮ対１（場合によってはＮ対Ｎ）で、加工コストが加算されるために振替先品目の在庫額（付加価値）は増加します。

図９-29の加工指示では、単純な品番振替から複雑な加工や製造まで扱えます。「加工指示明細」の「元先区分」はその行の品目が振替元品目（材料品）であるか、振替先品目（完成品）であるかを示します。「受払予定」は、加工開始予定日に加工業者の倉庫から材料が出庫され、加工完了予定日に加工品が入庫される予定として維持され、在庫推移に影響を及ぼします。加工の完了報告がなされたなら、受払予定が削除されるとともに、受払履歴が追加

されると同時に加工先倉庫の在庫が更新されます。ここらへんの動きは図9-8～図9-10の倉庫間移動での動きと同様ですが、加工単価にもとづく加工業者（仕入先として定義されている）への加工仕入計上と、有償支給品の場合に材料支給売上（実際には仕入の一種で買掛額の控除取引）が起こる点が異なります。

商社というと、世界中の支店や営業所から収集される「政治・経済情勢に関する情報」を駆使して稼いでいるというイメージがありますが、それだけでなく、複雑で膨大な「取引に関わる情報」を適切に構造化することで稼げているともいえます。商社にとっての最重要課題は、顧客の望みどおりの仕様の商品を、望みどおりのタイミングと量で納品することです。そのためには、複雑で膨大なデータを管理するための情報管理システムが求められるのは当然で、その基礎となる合理的なデータモデルが欠かせません。

「得意分野」の外に出よう

得意分野を持つことはいいことですが、それにこだわり過ぎて外に目を向けないようでは自分の可能性を狭めてしまいます。業務システム開発者が持ちやすいその種のこだわりとして、「業種」と「開発手法」を取り上げて検討しましょう。

まずは、幅広い業種を経験することの重要性についてです。これに関する筆者の話をすると、入社3年目で生産管理システムの設計に関わるようになりました。所属していた開発会社が生産管理を得意としていたためなのですが、失敗と苦労を重ねながら多くの案件で経験を積みました。その後、生産管理以外の開発案件に関わるようになったのですが、それらが抱えている問題は、生産管理システムのややこしさと比べたら対処しやすいものでした。しかも、生産管理システムから得た知見の多くが、他の業種に転用可能であることもわかりました。もちろん、生産管理システムでもカバーされていないさまざまな業務知識を、他業種向けの案件を通じて学べたことは言うまでもありません。

そのような経験をすれば、未経験業種向けの案件を担当することが怖くなくなります。経験したことのない業種であるほどやる気が出るほどでした。業界別の専門用語を理解するために書籍を数冊読めば、ユーザとは問題なくコミュニケーションできます。知らない用語があっても、正直に知らないと言えばユーザは親切に教えてくれるものです（ただし、簿記を知らないとユーザからは信頼してもらえません）。結果的に、初めての業種向けであってもシステム要件に対する勘が働くようになりました。

誰もが生産管理システムからキャリアを始められるわけではありませんが、与えられた場で工夫して、なるべく多くの業種向けの案件を経験してほしいと思います。というのも、少なくない技術者が、同じシステムに5年以上関わるようなことを受け入れているからです。長くて2年程度で河岸（かし）を替えるくらいでないと、業務システム開発者としての知見は深まりません。新たな案件、しかも未経験分野向けの案件が、スキルを変化・発展させるための刺激やきっかけを与えてくれるからです。

ただし、多くの案件を経験するための機会を確保するためだけでも、高いスキルが求められることは知っておかねばなりません。短期間で担当者が替わっていけるような「手離れのよいシステム」、つまり、第三者が仕様を理解しやすく、バグが出ても対処しやすいシステムを構築することは簡単ではないからです。言い換えればスキルが劣っているからこそ、自分が開発した「他人にはわかりにくいシステム」に囚われてしまいます。低スキルであることが多様な業種の開発経験を遠ざけ、結果的にスキルの向上まで抑えられるという悪循環です。しかも、「Ａさんでなければ維持できないシステム」は、Ａさんにとってそれなりの働き甲斐や安定した雇用をもたらすものなので、一度ハマるとなかなか抜け出せません。

そのような働き方がすべて悪いと断ずる道理はありませんが、現代では大きなリスクを伴うことは知っておきましょう。住み心地の良いニッチが一瞬で消える可能性は小さくないからです。われわれの得意分野は「業務システム」であって、「流通業向けシステム」や「自治体システム」などではないし、ましてや「Ａ社の基幹システム」などであってはいけません。本書を手に取った読者には、さまざまな業種・業務向けのシステムへの興味があるはずですから、その知的好奇心を大切に育ててください。本書から得られるさまざまな分野の業務知識や設計ノウハウが、読者のキャリアの発展に役立つと信じています。

なお、業務システム開発者には幅広い業務知識が欠かせないと本書では強調しているわけですが、その必要はないと考える技術者がいます。必要な業務知識は「ドメインエキスパート（案件に関わる業務の専門家）」や「プロダクトオーナー（製品の仕様策定責任者）」が補完してくれるから――という理屈ですが、きわめて危うい考え方です。

「宮大工」を想像してみてください。彼らは「自分は施工の専門家であって、寺社に関する知識は他の誰かが補完してくれる」などと考えているわけではありません。匠の技は、特定分野の建築物に関する豊かな知識と統合されることで、その価値がレバレッジされています。

多彩なソフトウエア技術も「ソフトウエアの適用領域に関する知識」と統合されて初めて価値を持ちます。じっさいのところ、「顧客からの依頼があればどんなソフトウエアも開発します」といったスタンスの開発者はなかなか食べていけません。たとえば「決算」を理解していない技術者が、業務システムの設計を任されることは少ないでしょう。特定の社会領域に関する専門性を身につけていることは、「その分野向けのプロダクトの開発者」としてユーザに信頼してもらうための大前提です。選ばれた分野が「業務システム」なのであれば、業務知識やDB設計を学ぶことは、宮大工が寺社の建築様式や歴史を学ぶのと同じくらいに自然なことです。

つづいて「開発手法」へのこだわりについて考えてみましょう。第４章で説明したように、開発手法には大きくわけてPOA（プロセス指向アプローチ）、DOA（データ指向アプローチ）、OOA（オブジェクト指向アプローチ）の３種類があります。これらをひととおり経験したことのある技術者は多くないはずですが、技術者はしばしば自分のやり方へのこだわりを持っています。

たとえば「ドメイン駆動設計（DDD, Domain driven design）」という手法が注目されています。もともとは、ドメイン（ソフトウエアの適用分野）に関する知識をソフトウエアに定着させるための汎用的な枠組みでしたが、いつの間にか「オブジェクト指向プログラミング（OOP）の最新スタイル」とみなされてしまいました。第４章で述べたように、個々の業務システムをオブジェクト指向開発するやり方には議論の余地があります。しかも「より良いOOP」として矮小化されたDDDは、プログラマがプログラミングという「得意分野」の外に出ることを阻む恐れがあります。革新的なソフトウエアを生み出すには、開発者自身がその適用分野に関して一定以上の専門性を持たねばなりません。少なくとも、DDDから「プログラミングさえ究めたら大丈夫」といったメッセージを読み取るべきではありません。

それにしても手法へのこだわりは、心の深い部分で不安やプライドと混ざりあって生じているものなので、ほぐすのは簡単ではありません。しかもそのこだわりは年々強くなる傾向があって、中堅技術者の姿勢を規定するようになります。この問題に対処するための、開発企業の業種と開発手法の扱いに関する良いアイデアがあります。

大手の開発企業は、公共（自治体）系、金融系、法人（金融以外の法人）系に分かれた「業種別開発組織」の体制を敷いています。もともとはシステムの非機能要件や営業形態の違いから分割せざるを得なかったものですが、実装技術が進展した今となっては必要性が薄れているうえに、欠点が目立ってしまっています。技術者がその組織に所属する限り、多様な業種を経験しにくいためにスキルのポータビリティが低下するという問題です。会社にとっては、有能な技術者の流出を防げるし給与レベルも抑えられるので都合がいいのかもしれません。しかし、彼らの職業人生や経済寄与のポテンシャルを考慮すれば、さまざまな業種向けの案件を引き受ける開発組織にすべきではないでしょうか。

業種別開発組織に代わるのが「手法別開発組織」です。手法のあり方には「アジャイル方式かウォーターフォール方式か」、「POAかDOAかOOAか」、「プログラミング主導か開発合理化ツール主導か」といったさまざまな軸があります。それらの象限をさまざまに組み合わせて、開発スタイルの異なる複数の部門を立ち上げるわけです。変化を嫌うベテランがいるならば在来手法向け部門の所属とし、新しい手法向けの部門には変化をいとわない技術者を起用します（次図）。

図　組織体制による取引状況の違い

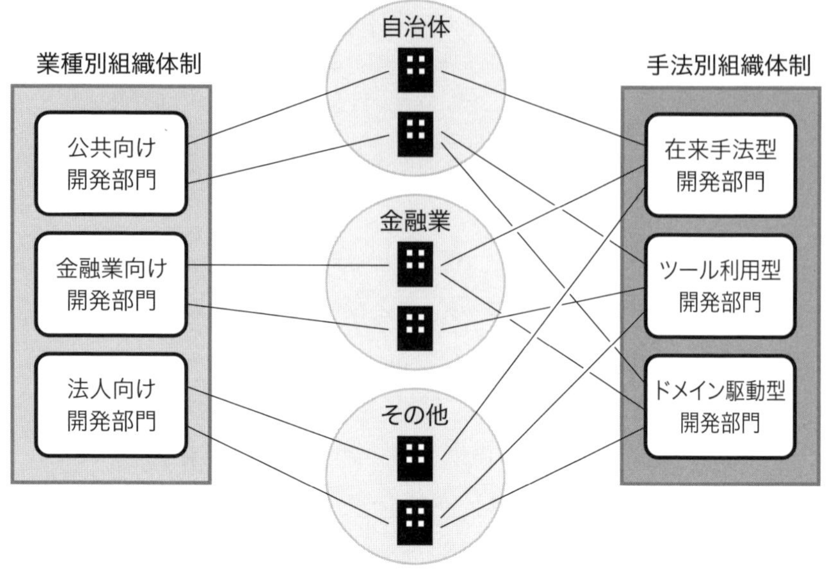

この体制によって、新しい手法の効果を実案件で検証できます。同時に「ウチの会社は、なぜあの話題の手法を取り入れないのか」といった技術者の要望にも応えられます。自分がこだわるやり方を実践できる部門に移って、プロジェクトを引率すればいいわけです。ボーナスを組織業績に連動させれば、効果的な手法を駆使する組織は発展してゆくだろうし、そうでなければ自然に消滅するでしょう。ひとつの手法に特化した会社を起業するよりは、よほど安全です。

組織がこういった体制を敷くことで、技術者は多様な業種向けの開発経験を得られるし、試してみたい手法の効果も実地検証できます。けっきょくのところ、それくらいの組織的な強制力がなければ、技術者を得意分野の外に押し出すことは難しいのかもしれません。

第10章

予算と実績

第６章で、決算システムは複式簿記にもとづく事業活動の「社外向け報告書」を生み出すための仕組みであり、「制度会計」を担うものと説明しました。いっぽう、社内、つまり部門の管理者や経営者が理解するための独自形式もあります。それが「管理会計」と呼ばれるもので、そのための仕組みは論理的には事業データ管理システム、および財務データ管理システムの内部に構築されます。その実体は、さまざまなレベルで立案される予算値と実績値の突き合わせ、および原価集計の仕組みです。

予算立案と実績集計

予実管理（予算と実績の管理）における基本要素は、部門、商品、得意先です（製造業では設備が加わることがあります）。これらに年月の時間軸を加えると、典型的な予実管理テーブルが出来上がります（図10-１）。標準品をいろいろな得意先に販売し、得意先・年月毎に管理部門が決まるという単純な販売業向けのモデルですが、予実管理の本質がよくわかります。

図10-1　部門、商品、得意先の予実管理テーブル

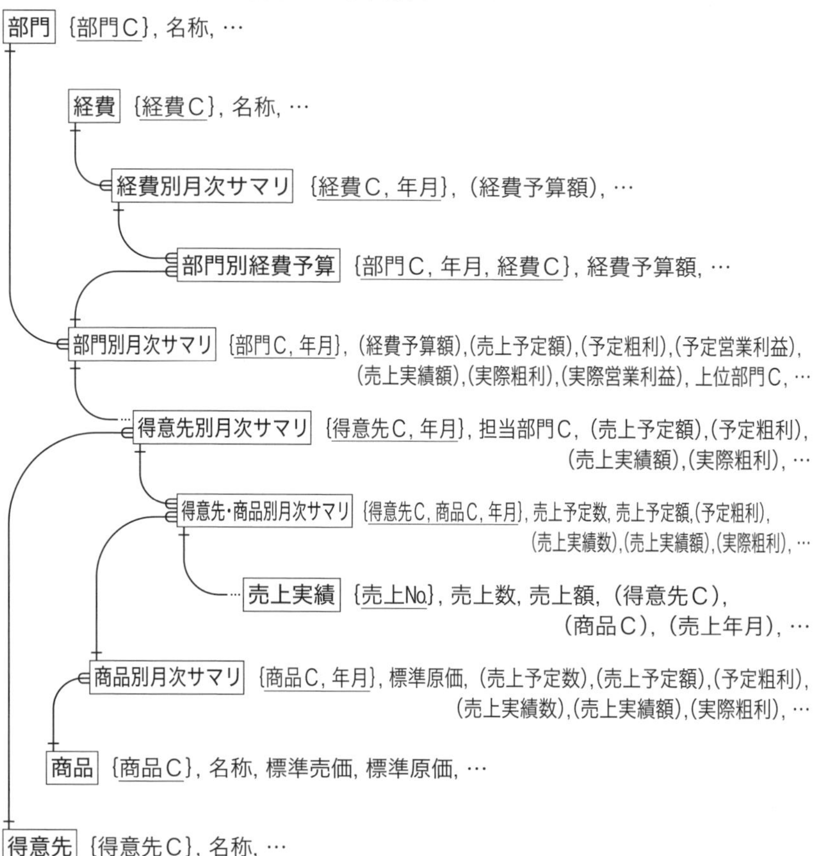

多くのカッコつきの項目を含みますが、それらのほとんどはいずれかの情報から集計される導出フィールドです。独自に値が決定されるのは、カッコのつかない以下の項目のみです。

表　月次で値が決定される物理フィールドとその意味合い

部門別経費予算. 経費予算額	= 予実に適用される部門経費額
部門別月次サマリ. 上位部門C	= その年月における上位部門
得意先別月次サマリ. 担当部門C	= その得意先の担当部門
得意先・商品別月次サマリ. 売上予定数	= その得意先へのその商品の売上予定数
得意先・商品別月次サマリ. 売上予定額	= その得意先へのその商品の売上予定額
売上実績. 売上数	= 売上実績数
売上実績. 売上額	= 売上実績額
商品別月次サマリ. 標準原価	= その年月の予実に適用される商品の原価
商品. 標準売価	= 商品の恒常的な標準売価
商品. 標準原価	= 商品の恒常的な標準原価

これらの項目の値が登録・収集されることで、予実管理はなされます。その大きな目的は経費と売上、および粗利（売上額－原価）や営業利益（売上額－原価－経費）に関する今後の見込みを明らかにして、事業計画の参考にすることです。もちろん、見込みが思惑通りになるとは限りません。予算と実績とを突き合わせて、ずれの原因を評価するプロセス（乖離分析）も欠かせません。

なお表10-1をよく見ると、売上原価（商品別月次サマリの標準原価）が月間で決め打ちされていることがわかります。これは、その値が仕入状況や市況によって変動する、つまり営業部門の販売努力と関係なく決まる、と考えられるためです。それらを月間の固定値とすることで、外部の攪乱から予実の数値を守れます。これらに限らず、予算立案の担当者がコントロールしにくい計算要素については、基準額をあらかじめ設定しておくのが予実管理の基本です。

ちなみに月間の標準原価は、基本的に商品別の標準原価に準ずる値をとりますが、現実に即した値として適宜更新されてゆかねばなりません。基本的には半期や年次で標準売価や標準原価を決め、月次の基準値として微調整されます。原価計算機能については本書では扱わないので、興味のある読者は関連書で調べてください。ただし、原価集計によって得られる標準原価（とくに標準製造原価）が客観的に正しい値とは言いきれないことは知っておいてください。どんなに洗練された計算手順であっても、共通費の配賦等の局面で恣意的な評価がどうしても混ざるからです。

上掲のフィールドについて値が用意できたのであれば、カッコ付きで示された集計フィールドが計算可能になります。データ量が多い場合には計算時間がかかるため、ふつうは物理フィールドとして実装されます。

予実管理業務は以下の手順で進行します。最初に、それぞれの部門がその月に引き受ける経費予算が登録され、経費別に集計されて承認されます。次に、得意先･商品別の売上予定が登録されます。この場合、潜在顧客は顧客登録されていないので、得意先別月次サマリにはそれらの顧客をダミーとして登録できるようにしておくと便利です。続いて、得意先･商品別の数値が部門別に集計され、上位部門によって承認されると予算が完成します。最終的に実績値がシステムに取り込まれ、予算と同様に各レベルで集計され、予実の対比がなされます。

このように説明すると簡単そうですが、業務システム側のDB設計に失敗していれば、予実管理や原価集計には無駄に多くの苦労が伴います。優れた予実管理や原価集計の体制は、営業力強化や業務の合理化と並ぶ、的確に設計された業務システムにだけ実る「最も美味しい果実」といっていいでしょう。そして、これまで繰り返し述べてきたように、優れた業務システムは「優れたアプリ設計」ではなく「優れたDB設計」を基礎としています。アプリ設計に失敗していればアプリを作り替えるだけでリカバリーできますが、DB設計に失敗していれば、DBを含めたすべてを作り替えなければいけないからです。

予実管理のデータモデルはそれほど複雑なものではありませんが、さまざまな多次元でのリアルタイム集計やシミュレーション機能等の独特な機能が求められます。それゆえに管理会計専用のツールを用いることも検討してください。その種のツールに業務システムの基本データを流し込むことで、膨大なExcelシートを用いた複雑な予実管理業務が驚くほど簡略化されます。

非null、時限null、永続null

さて、上掲のモデルを見て「予算額と実績額が同一テーブルに載っているのはおかしい」と思われた読者がいるかもしれません。「予算立案と実績集計とは異質な業務で、実施されるタイミングも職掌も異なる。それらに関するデータ項目が単一のテーブルに同居しているべきではない」という意見です。この予算と実績に関するモデリングの問題は象徴的な例なのですが、一般化してこの疑問に答えましょう。

まず、ある種の属性のまとまりが「サブタイプ」として切り出される「派生関係」について、第3章で説明したことを思い出してください（図10-2）。

図10-2 「永続null項目」をサブタイプとして切り出す

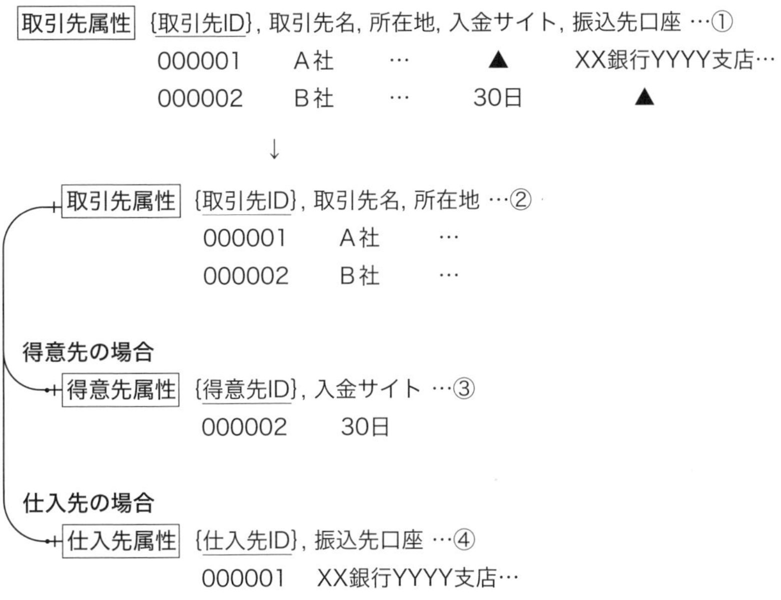

取引先属性 {取引先ID}, 取引先名, 所在地, 入金サイト, 振込先口座 …①

000001	A社	…	▲	XX銀行YYYY支店…
000002	B社	…	30日	▲

↓

取引先属性 {取引先ID}, 取引先名, 所在地 …②

000001	A社	…
000002	B社	…

得意先の場合

得意先属性 {得意先ID}, 入金サイト …③

000002	30日

仕入先の場合

仕入先属性 {仕入先ID}, 振込先口座 …④

000001	XX銀行YYYY支店…

このモデルのテーブル①において、その取引先が仕入先だとしたら「入金サイト」はデータのライフサイクル全体でnullであり続けるし、得意先だと

したら「振込先口座」がnullであり続けます。そのようなnull項目を「永続null項目」と呼んでおきますが、通常のテーブルはそのような項目を抱えるべきではなく、③④のように切り出すことがDB設計では推奨されています。項目にnull値が設定されている場合、データ操作の結果が不安定になることがあるからです。いっぽう、取引先属性の「取引先名」や「所在地」はnullであることが許されないので「非null項目」と呼んでおきます。

では、図10-3ではどうでしょう。図10-2と形は同じですが、項目の従属条件が異なる例として示されています。すなわち、主キー{x}に関数従属する項目a，b，c，d，e，fがあり、aとbは最初から何らかの値が設定されているいっぽう、cとdはR業務にて、eとfはS業務にて順次設定されてゆくとします（まさに予算登録と実績集計の関係に相当します）。ここでのaとbは「非null項目」ですが、c～fは遅かれ早かれ値が定まる項目なので「時限null項目」と呼んでおきます。では後者は、この図のようにサブタイプとして切り出されるべきなのでしょうか。

図10-3 「時限null項目」をサブタイプとして切り出す不合理

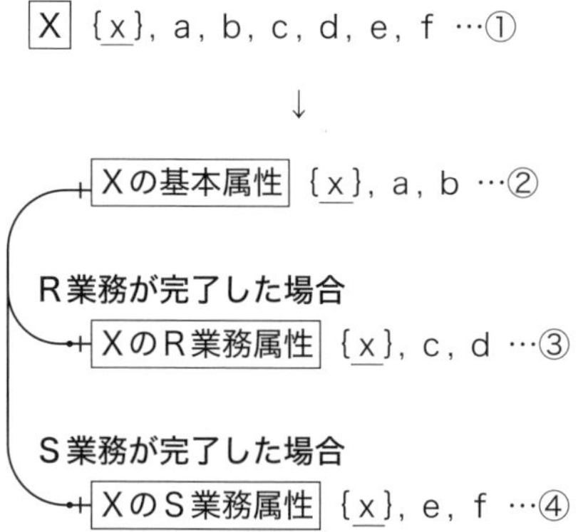

このやり方は事実上の「プロセス指向」、すなわち「データの扱われ方にもとづいて、テーブルは分割されなければならない」という設計方針で、適切とはいえません。なぜなら、業務体制やアプリ構成は時間とともに移ろうものであるからです。たとえばこの後、R業務がR_1とR_2に分かれた場合、さらにサブタイプを分けるべきなのでしょうか。またその後にR_2とSが1

個の業務として統合されたとしたら、２つのサブタイプを１つにまとめ直すのでしょうか。どう考えても面倒すぎます。

ようするに、「そのデータを扱う業務やアプリ」あるいは「そのデータの更新タイミングや更新頻度」などではなく、「そのデータ自身のあり方」、すなわち関数従属性やドメイン制約にもとづいてテーブル構成を考えたほうが、長期的に安定したDB構造を得られます。実務上の問題としても、各項目の扱われ方を丹念に調べ上げなければDB構造が決まらないとしたら、分析作業に時間がかかり過ぎます。なによりも、そのやり方では革新的なデータモデルを生み出せません。「現行のデータの扱われ方」ではなく「データ自身のあり方」にもとづいて抜本的なモデルを生み出し、これにもとづいて「あるべきデータの扱われ方」をゼロベースで考え直す――そういったやり方（データ指向）を取らない限り、手に入るシステムは過去の延長線上のものでしかありません。ここらへんは第４章で説明したとおりです。

では、項目ａ，ｂ，ｃ，ｄ，ｅ，ｆを図10-３①のように１テーブル上に置いたとしましょう。そうなると「“非null項目”と“時限null項目”との混在」を許すわけですが[*1]、時限null項目に関する時間的制約をどのように仕様化すればよいのでしょう。

図10-１はまさにそのような例で、売上実績額が「決まった結果として０円」なのか「決まっていないから０円」なのかを区別できません。これを区別するのはじつは簡単で、「予算登録日時」や「実績集計日時」といった項目をテーブル上に保持することで、レコードの状態遷移を考えやすくなります。それらの設定状態にもとづいて、値入力における妥当性検査やステータス項目の導出ロジックを仕様化できます。この場合、業務体制の変化に制約仕様が追随する必要がありますが、テーブル構造の変化をともなわないので対応は比較的容易です。

じっさい本書では、時限null項目を含むテーブルがいくつも示されており、第７章で取り上げた発注明細や入荷明細はその例です。図７-27～29（177～179ページ）で示したように、発注明細の「（納期）確認日」や入荷明細上の「入荷№」は最初はnullですが、発注・入荷の作業が進行する過程で値が設定されてゆく典型的な時限null項目です。

このような項目はあまねく存在するので、いちいちサブタイプに切り出し

＊１　例外として、正規化崩しのパターンである「テーブルの統合・抽象化（67ページ参照）」を実施した場合、非null項目と永続null項目が１テーブル上に混在することがあります。この場合、項目の扱いに関して注意深く仕様化されなければいけませんが、この事態は「正規化崩しにともなう報い」の一環です。

ていたらテーブル数が際限なく増えます。そして、別テーブルにしようが同一テーブルにまとめようが、時間的制約を仕様化する労力に変わりはありません。けっきょくは、同一テーブル内にそれらを保持して、時限nullに関する制約を局所化するやり方が合理的です。

歳入予実管理

ひとくちに予実管理といっても業種業態毎に独自の形をとるので、一般形を示すことは不可能です。そこで、われわれになじみ深い予実管理の代表として、日本の国家予算に関するデータモデルを通じて理解を深めましょう。国家の収入や売上に相当するものは「歳入」で、支出や費用は「歳出」です。

予算編成は次のように進行します。毎年７月頃までに、内閣が翌年度の予算編成に関する基本方針をまとめます。それにもとづいて各省庁が概算要求をまとめ、８月末までに財務省に提出します。財務省は12月いっぱいまでにそれらをとりまとめ、内閣に提出します。内閣はその内容を最終調整し、閣議での承認を経て、１月に政府予算案として国会に提出します。国会（衆議院と参議院）では、予算委員会での検討や公聴会を経たうえで、本会議で政府予算案を審議します。そこで可決されれば、翌年度（４月始まり）の予算が成立したことになります。

もちろん、予算が成立すれば終わりではありません。計画どおりに予算が執行されたかどうかを検証して、国会で承認される必要があります。まず毎年11月末までに各省庁は、前年度の歳入・歳出実績を会計検査院に提出します。会計検査院は、内閣から独立した地位と権限を持つことが憲法で保証された行政機関です。検査院が各省庁からの実績報告を精査し、必要に応じて関係部署への立ち入り検査などを行ったうえ、検査報告をとりまとめて内閣に提出します。最終的に検査報告を国会に提出し、承認されることになります。

ではまずは、国家財源（おもに税収）を確保するための「歳入予実管理」のモデルを見てください（図10-４）。

図10-4　歳入予実管理のモデル

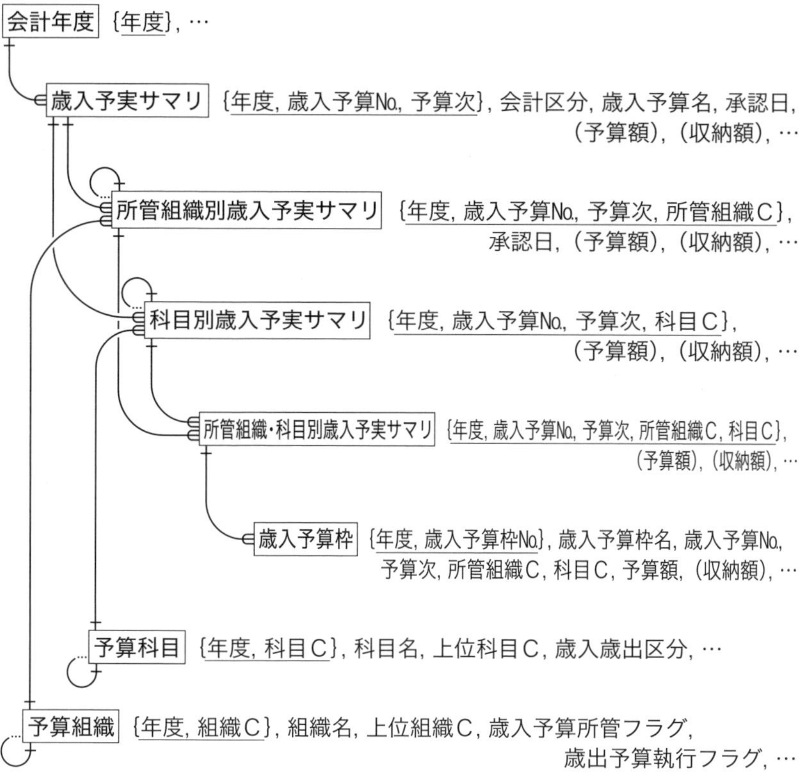

まず、“令和XX年度一般歳入予算”や“令和XX年度○○向け特別歳入予算”といった名称を持つ「歳入予実サマリ」が登録されます。ここで重要なのが、「予算次」や「会計区分」の違いです。ふつうに考えれば単年度において「歳入予実サマリ」は1レコードで済みそうで、それは“一般会計”の“当初予算”に相当します。しかし、ご存じのように「予算次」の異なる“第一次補正予算”、“第二次補正予算”が追加されることもあれば、「会計区分」の異なる“特別会計”も追加されます[*2]。

「歳入予実サマリ」の内訳として、予算策定の基本単位となる「歳入予算枠」が存在します。これを集計する途中には「所管組織」、「科目」、「所管・科目」といった集計レベルが存在します。所管組織とはその歳入予算枠を管理する

*2　実際には一般会計と特別会計とで管理項目が異なるため、別のテーブルに分けられます。その場合、一般会計は単年度で1セットだけなので歳入予算No.は不要です。歳出についても同様です。

省庁を意味します。科目とは勘定科目に似た管理単位で、上位科目への自己参照を持ちます。それぞれの集計レベルで、予算の妥当性を検証するための承認プロセスが存在します。

実際の入金は「収納決定」として管理されます（図10-５）。それぞれの収納決定は歳入予算枠に跡付けされつつ、予算と同様に各レベルで集計されます。なお収納は複数年月にわたって起こり得るため、年月別の内訳、さらにそれぞれの入金に対する証票の内訳を伴います。

図10-5　歳入予算枠と収納決定

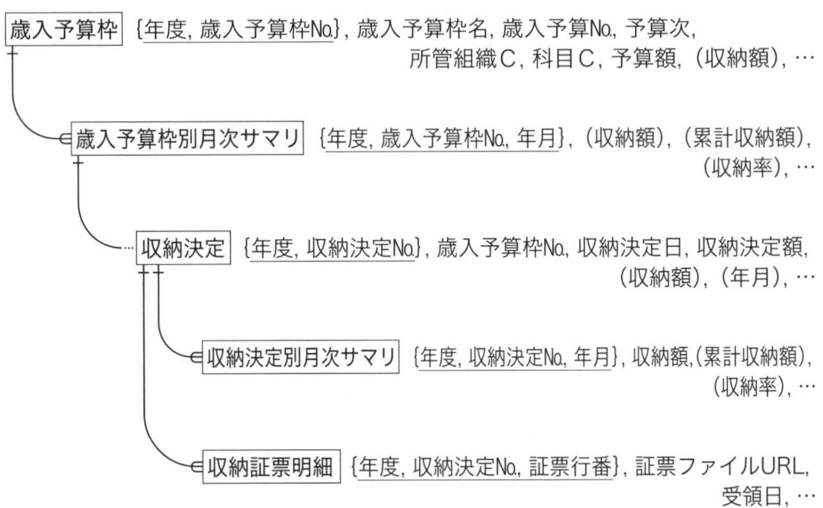

歳出予実管理

歳出のモデルは歳入に比べるとかなり複雑です。支出の根拠となるさまざまな補足情報が求められるゆえで、そこらへんは納税者たる国民にとっても重大な関心事です。まずは代表的な根拠となる「支援事業」のモデルを見ましょう。じっさい、どのような事業を盛り込み、それぞれの予算配分をどうするかで歳出予算の性格が決まるといっていいほどに重要な要素です。

図10-6 支援事業のモデル

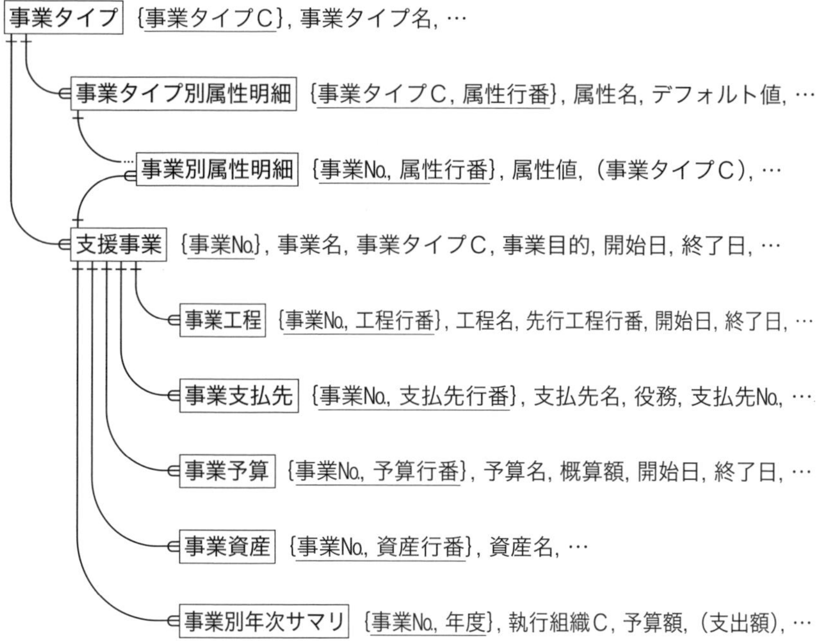

ひとくちに支援事業といっても多種多様で、たとえば福祉対策事業と科学技術振興事業と防衛力強化事業では管理項目がまったく異なります。このような場合、「事業タイプ」のような概念を導入し、それぞれの事業タイプ毎に「管理すべき項目の一覧」をあらかじめ定義しておくやり方が効果的です。これは本書の読者にはすでにお馴染みの「フィーチャ・オプション」のモデリングパターンで、それぞれの事業毎のさまざまな管理属性が「事業別属性明細」に登録されることになります。

事業別属性明細の他に事業には、工程、支払先、予算、資産といった共通する明細情報が付属します。なお、ここで言う「事業予算」とは事業の運営者サイドから見た長期予算の概算を示すもので、それが歳出予算として認められるとは限りません。

つづいて、事業のモデルを前提にした歳出の予実管理を見ましょう。さまざまな要素が掛け合わされるため、モデルは比較的複雑です。

図10-7　歳出予実管理のモデル

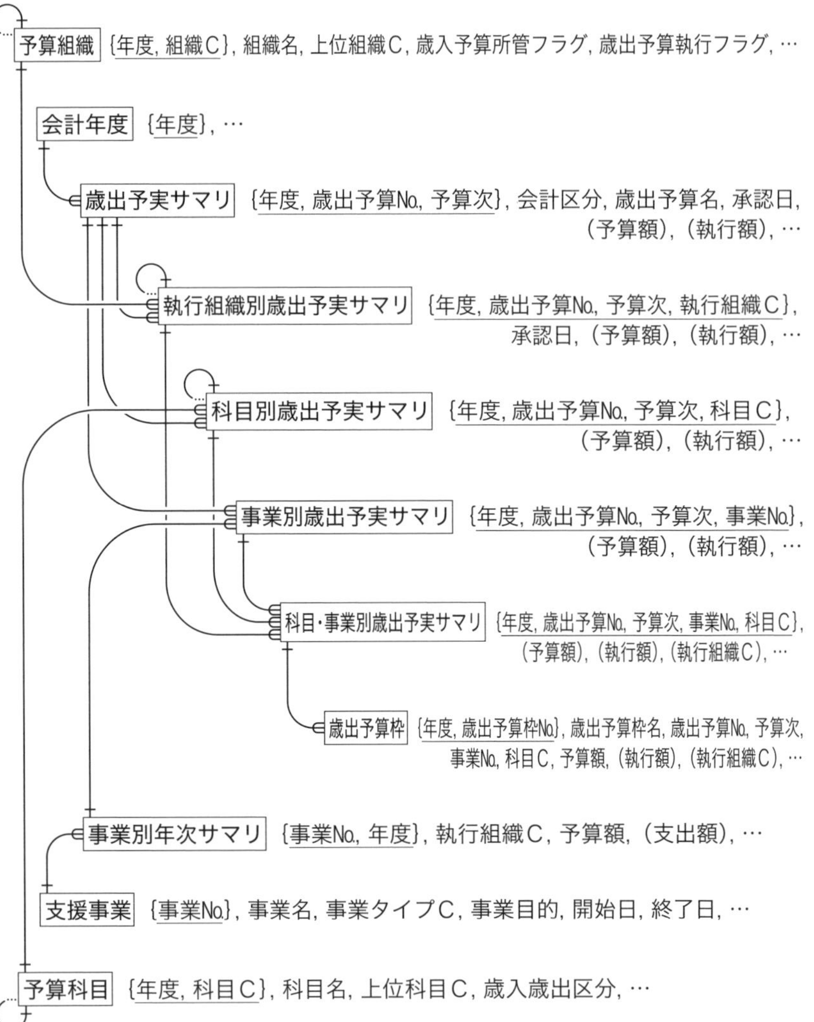

歳入と同様、「歳出予実サマリ」が予算管理の起点として登録されます。予算策定の基本単位である「歳出予算枠」が登録されると、さまざまなレベルで自動的に集計されます。「事業」の軸が増えた分、歳入に比べてサマリのレベルが増えていますが、それ以外は歳入と基本的に同じ構造をとっています。

歳入における「収納決定」に相当するものが「支出負担（歳出予算枠に対する支払予定の意味合い）」で、図10-8では年次展開された事業の明細情報とリンクしている様子が示されています。歳出予算枠は事業に跡付けする形で登録されますが、支出負担ではさらに事業の明細情報（工程、支払先、予算、資産）との関係まで明確にされます。なお、「歳入予算枠」が事業別年次サマリの参照元として置かれている点に注意してください。これは資産運用による歳入の増加を目的とする事業が存在するためで、歳出額に対して歳入額が大きいほど優良な事業ということになります。

図10-8　事業予算と支出負担

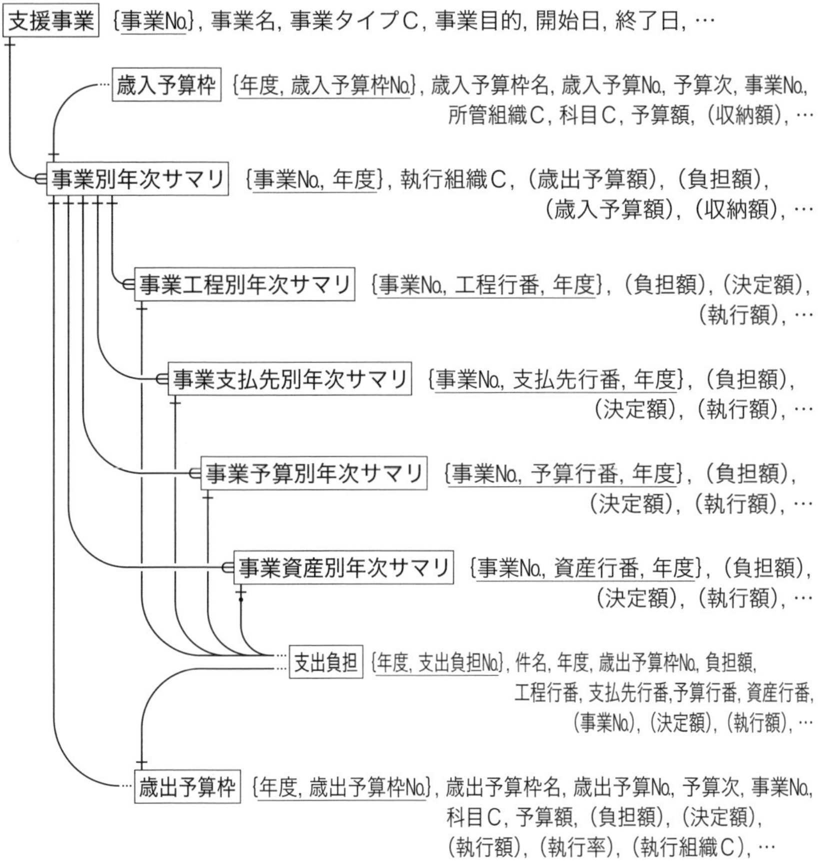

収納（入金）に比べると、予算執行（出金）のプロセスは複雑です。まずは歳出予算枠に対して支出負担がいったん登録され、承認されます（承認後に「支出負担調整」として負担額を増減させることがあります）。支出負担の下にはさらに、実際の支払に相当する「支出決定」が置かれます（図10-９）。

図10-9　支出負担と支出決定

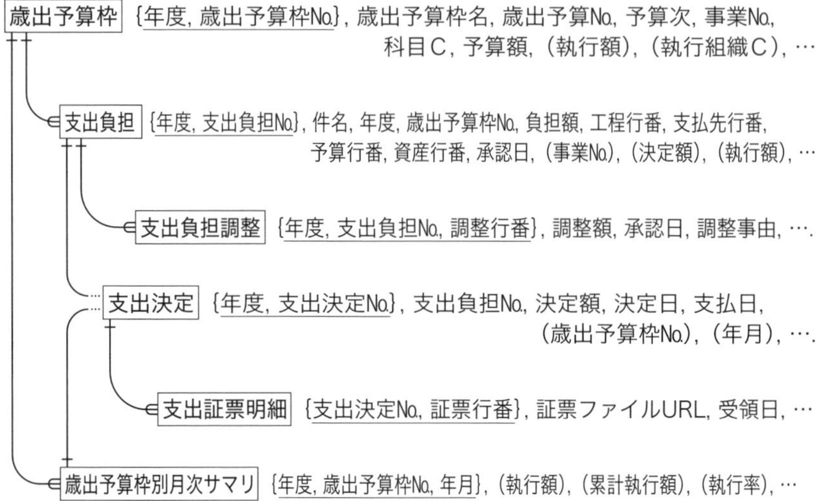

承認された支出負担に対して、複数回にわたって支出決定が起こります。支出決定は実際の支払に相当するものなので、支払先から受け取った証票（受領書等）を記録するための明細テーブルも伴います。そして支出決定額は、予算に対する実績（執行）としてさまざまなレベルで集計・評価されます。たとえば「歳出予算枠」の下位に置かれた「歳出予算枠別月次サマリ」の「執行率」の月別推移を眺めることで、年度末への不自然な集中が起こっていないかもわかります（まともな歳出予算枠であれば、毎月一定のペースで執行されていくはずです）。

いかがでしょう。意図的に単純化した部分もありますが、国家の予実管理といってもデータモデルとして見れば特別に難しいものではありません。ただし、このようなモデルは現状分析すれば自動的に得られるわけではありません。現状の業務フローやアプリ構成（巨大なExcelシートを含む）はたいてい混乱しているので、それを誠実に分析しても混乱したデータモデルが生み出されるだけです。最初から「あるべきデータの形」を目指して事業活動の実態にアプローチすれば、抜本的なデータモデルが手に入るし、それを起点とすることで、現行の業務体制やアプリ構成は合理的な形に全面刷新されます。運営主体が国であろうと企業であろうと、事業活動を合理化したいのであれば「あるべきデータモデル」を起点として考えましょう。そのことの正しさや必要性は、ここまで読んだ読者には自明だろうと思います。

おわりに

システムの新規開発や刷新のヒントとなるさまざまなデータモデルを紹介しましたが、それらを取り入れられるかどうかはまた別の問題です。なぜなら、業務システムを作り替えることは仕事のあり方を変えることなので、コストがかかるだけでなく、組織的な軋轢が避けられないからです。抜本的なモデルを生み出しそれを取り入れるためには、経営者は痛みをともなう成長を引き受ける覚悟を持たねばなりません。

ババ抜き的な押し付けであるにせよ自発的であるにせよ、いったん経営者がシステム刷新を敢行すると決めたのであれば、関係者はそれを引き受けなければなりません。その際に欠かせないものが「あるべきデータモデル」であることは、本書で繰り返し述べたとおりです。それは現行システムを緻密に分析することで自動的に得られるようなものではないので、あらかじめさまざまなモデリングパターンを学んでおくことには意義があります。

本書によってとくに若いIT技術者が、DB設計や業務知識の重要性、何よりもシステム開発の創造的な側面に気づいてほしいと願っています。さまざまなビジネスのあり方を理解して、それを支援するためのしくみを考案する。簡単なことではありませんが、その過程は他の職業では味わえないような知的な魅力にあふれています。まずはデータモデリングの枠組みを理解し、システム設計の実務経験を重ねてください。センスを磨くためには知識だけでなく、実践からのフィードバックがどうしても必要だからです。

そしてユーザ企業の関係者には、業務システムの品質評価がじつは簡単であることを知ってほしいと思います。出来の良いシステムは「出来の良いアプリ」ではなく「出来の良いデータモデル」を基礎としています。そして、アプリの出来は専門家でないとわかりませんが、本書を一読すればわかるように、データモデルのわかりやすさや巧拙についてはエンドユーザにも判定できます。ところが、データモデルさえ整備されていないシステムが多いのが実情で、そういうものを納品されるとユーザ企業は何十年も無駄に苦しむ羽目になります。それを避けるためにシステム刷新の際には、本書で述べた開発業者のオーディションを徹底してください。

設計されたDBに対して顧客がそういった厳しい評価眼を持つようになれば、システム開発業界は変わるでしょう。実質的な設計スキルや実装生産性が取り沙汰されるようになることで、業者はスキルアップや開発プロセスの合理化に取り組まざるを得なくなるからです。「自分たちの非効率さで工数を最大化するビジネス」はもうやめて、「顧客の非効率を解消して利益率を最大化するビジネス」に方向転換しようではありませんか。

本書で示したもの以外に、さまざまな業種別のモデルライブラリを筆者のサイトからダウンロードできます。モデリングツールX-TEA Modelerとあわせてご活用ください（いずれも無償です）。http://dbc.in.coocan.jp/

2020年２月

渡辺幸三

索　引

アルファベット

あ行

か行

さ行

た行

な行

は行

ま行

や行

ら行

渡辺幸三（わたなべ　こうぞう）
業務システム開発を専門とするプログラマ。システム設計ツール「X-TEA Modeler」、ローコード開発ツール「X-TEA Driver」の開発者。著書に『データモデリング入門』『生産管理・原価管理システムのためのデータモデリング』『業務システムのための上流工程入門』（以上、日本実業出版社）、『業務システムモデリング練習帳』（日経BP）、『販売管理システムで学ぶモデリング講座』（翔泳社）などがある。

技術ブログ「設計者の発言」
https://watanabek.cocolog-nifty.com/blog/

システム開発・刷新のための　データモデル大全

2020年4月20日　初版発行

著　者　渡辺幸三
発行者　杉本淳一

発行所　株式会社日本実業出版社　東京都新宿区市谷本村町3－29 〒162-0845
大阪市北区西天満6－8－1 〒530-0047
編集部　☎03-3268-5651
営業部　☎03-3268-5161　振　替　00170－1－25349
https://www.njg.co.jp/

印刷／壮光舎　製本／若林製本

この本の内容についてのお問合せは、書面かFAX（03－3268－0832）にてお願い致します。
落丁・乱丁本は、送料小社負担にて、お取り替え致します。

ISBN 978-4-534-05777-8　Printed in JAPAN